U0572391

李文信考古与文博辑稿

考古手迹卷

李文信　著　李仲元　辽宁省博物馆　整理

北方联合出版传媒(集团)股份有限公司
万卷出版公司

图书在版编目（CIP）数据

李文信考古与文博辑稿. 考古手迹卷 / 李文信著；李仲元，辽宁省博物馆整理. — 沈阳 ：万卷出版公司，2019.10

ISBN 978-7-5470-5213-6

Ⅰ. ①李… Ⅱ. ①李…②李…③辽… Ⅲ. ①瓷器（考古）—中国—文集 Ⅳ.①K870.4-53

中国版本图书馆CIP数据核字（2019）第228387号

出 品 人：刘一秀
出版发行：北方联合出版传媒（集团）股份有限公司
　　　　　万卷出版公司
　　　　　（地址：沈阳市和平区十一纬路25号　邮编：110003）
印 刷 者：辽宁奥美雅印刷有限公司
经 销 者：全国新华书店
幅面尺寸：170mm×240mm
字　　数：435千字
印　　张：30.25
出版时间：2019年10月第1版
印刷时间：2019年10月第1次印刷
图书统筹：李仲元　冯顺利
责任编辑：赵新楠
责任校对：张希茹
装帧设计：冯顺利　张　莹
ISBN 978-7-5470-5213-6
定　　价：175.00元
联系电话：024-23284090
传　　真：024-23284448

专家及编辑委员会

30年代在考古发掘现场

1942年，参加沈阳南郊古墓发掘（左一为李文信）

1944年，在赤峰缸瓦窑调查辽代窑址时合影

1955 年 8 月，发掘辽阳三道壕西汉村落遗址时在铺石大路上

1955 年 8 月，在辽阳发掘三道壕遗址工地

1955 年 7 月，在辽阳三道壕遗址接待民主德国历史考古学家（前左一为李文信）

目录

手编著述目录

1. [illegible]吉林[illegible]調報告書 　發表於「滿洲史學」雜志
2. [illegible] 　發表於「滿洲史學」雜志
3. 遼代陶瓷[illegible]土器拓本（日文） 　〃日本「陶瓷」雜志
4. 契丹小字太師銘石記之研究 　〃「博物館論叢」
5. 吉林附近之遺蹟（日文） 　「滿洲通史」之一節
6. 遼大安三年少府少監騎都尉使鄭恪墓調查記 　〃「博物館時報」
7. 葉栢壽遼墓調查日記 　發表於「博物館時報」
8. 遼陽漢墓調查通信 　〃「盛京時報副刊」
10. 東北史前遺蹟之研究 　〃「 」
9. 遼祖州址發掘調查通信 　〃「 」
12. 新發見遼代古墓[illegible]（日本考古學雜誌） 　古蹟保存協會報告
14. 高句麗之山城 　瀋陽電台廣播稿
15. 遼金東北之塔 　〃
16. 六代碑碣形式之考察 　〃
17. 東北民間新年之用火 　〃
20. 日本教育視察記 　草本
18. 林東附近之古墓
19. 吉林市附近之遺蹟及遺物 　吉林報副刊「史與考古」
11. 瀋陽市塔灣遼金古墓調查報告 　博物館專刊「史與考古」
13. 北鎮遼陽縣之古蹟保存[illegible] 　「博物館時報」
1. 東北巨石遺蹟多未形及其出土年代考 　遼陽古蹟保存會成立之會講稿 原稿
2. 遼陽三台子壁畫漢墓記略 　原稿
3. 遼陽遺蹟調查記 　原稿
4. 遼代祖州發掘調查日記 　原〃
5. 遼代古墓調查發掘日記 　〃〃
6. 遼上京皇宮發掘調查日記 　〃

[illegible]調查[illegible]

11 [illegible]調查日記

12 [illegible]城址調查日記

8. 赤峰縣哈拉木頭古城址調查日記

7. 赤峰縣紅瓦窑址調查發掘日記

9. 赤峰縣[illegible]兒周圍塞障遺蹟始末

10. 西林縣千秋萬歲瓦當窯址

14. 遼墓發掘調查報告書

15. 遼駙馬都尉蘭陵蕭閑德溫墓調查日記

原稿
原〃
〃
〃
〃

关于抚顺大官屯古窑址的资料

编者说明：此批资料分为：1.抚顺图书馆报剪报1份（上面记有“信：约在一九三六年前后”字样）；2.现场发掘照片7张；3.抚顺大官屯古窑址草图2份（其中之一带有“据杉村勇造图”字迹）。

撫順圖書館報

今體の書といへるは公忠公茂の書にならへるをいふなり 古今著聞集

〔頭註〕野見宿禰參內圖は予摸本を藏せり原本必ずあるべし讀者に問ふべし

黒川眞頼識

撫順大官屯 古窯趾の發堀

大官屯なる大發電所の西側、新しい滿人街の親仁馬路と線路との間の細長いバラス採集地域のなか、變電所の南に瓦窯があり、その附近は古陶片の包含地であるが、その瓦窯の南、さゝやかな滿人住宅の並んでゐる前のところに、古い窯趾が發見された。附近に三つほどあつたうちの最大のものゝ由である。

發見者は松田嘉吉氏。バラス採集のために小高く殘つた丘を崩すうち、煉瓦の築構に行きあたつたので、撫順新報の窪田社長に傳へ、窪田氏から奉天の渡邊三氏などに話された。見つけたのは二ケ月ほど前であるさうな。

八月十一日に奉天から醫大の黒田源次博士、國立博物館の河瀨松三氏、園田義範氏と渡邊氏が伴つて來撫されて、前記撫順の人々と炭礦土地係の紅林主任、圖書館の大森館長などで現地調査をなし、發堀の手順を定めて十三、十四日に亘つて本格的に發堀した。發堀には滿日文化協會の杉村勇造氏も參加された。

發掘の結果の詳細は奉天の方から報告されることゝ思ふから輪廓だけを記すと、窯趾は耐火煉瓦の三日月形の部分と、その前に突出した赤煉瓦積みとから成り三日月形の弦の外から開元通寶が一個見出された。三日月形の煉瓦の內部は高熱に變色してゐる。その南方には石炭アスに混じて窯製品の豊富な包含層があり、夥しい破片及び燒成用土具が埋まつてゐるが、窯成品は完全な形のものは殆んど見出されない。撫順窯が石炭で燒かれたことは先に河村芳男氏が發見して現在圖書館の鄕土資料室に陳列されてゐる破片から證據だてられてゐるが、今度の窯趾の發堀で裏書きされ、且、これによつて撫順の石炭發堀が頗る古い年代に溯ることが立證されたものである。この時代の窯趾の全形發見は石炭と窯業との撫順として特記すべきものであるので、土地係の厚意により現地趾にコンクリートの柱に鐵條網を張り廻らして保存することゝなつた。

出土品は奉天の國立博物館と撫順圖書館とに分けて保存されてゐるが、白磁の破片が小數混じてゐるのが注意される。奉天から撫順への汽車が大官屯驛をすぎて間もなく、發電所の反對側に、間近にこの窯趾が見えてゐる。

開館時間

午前九時－午後九時
日曜日に限り午後五時まで

九月の休館（豫定）

一　日（火曜）關東局始政記念日
十八日（金曜）滿洲事變記念日
二十三日（水曜）秋季皇靈祭
三十日（水曜）月末休館日

繼名雜考　筆者の都合により次號休載

1. 有关抚顺大官屯古窑址的剪报

2. 古窑址发掘现场照片之一

3. 古窑址发掘现场照片之二

4. 古窑址发掘现场照片之三

5. 古窑址发掘现场照片之四

6. 古窑址发掘现场照片之五

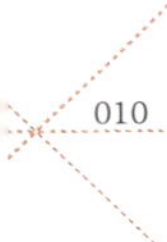

7. 古窑址发掘现场照片之六

8. 古窑址发掘现场照片之七

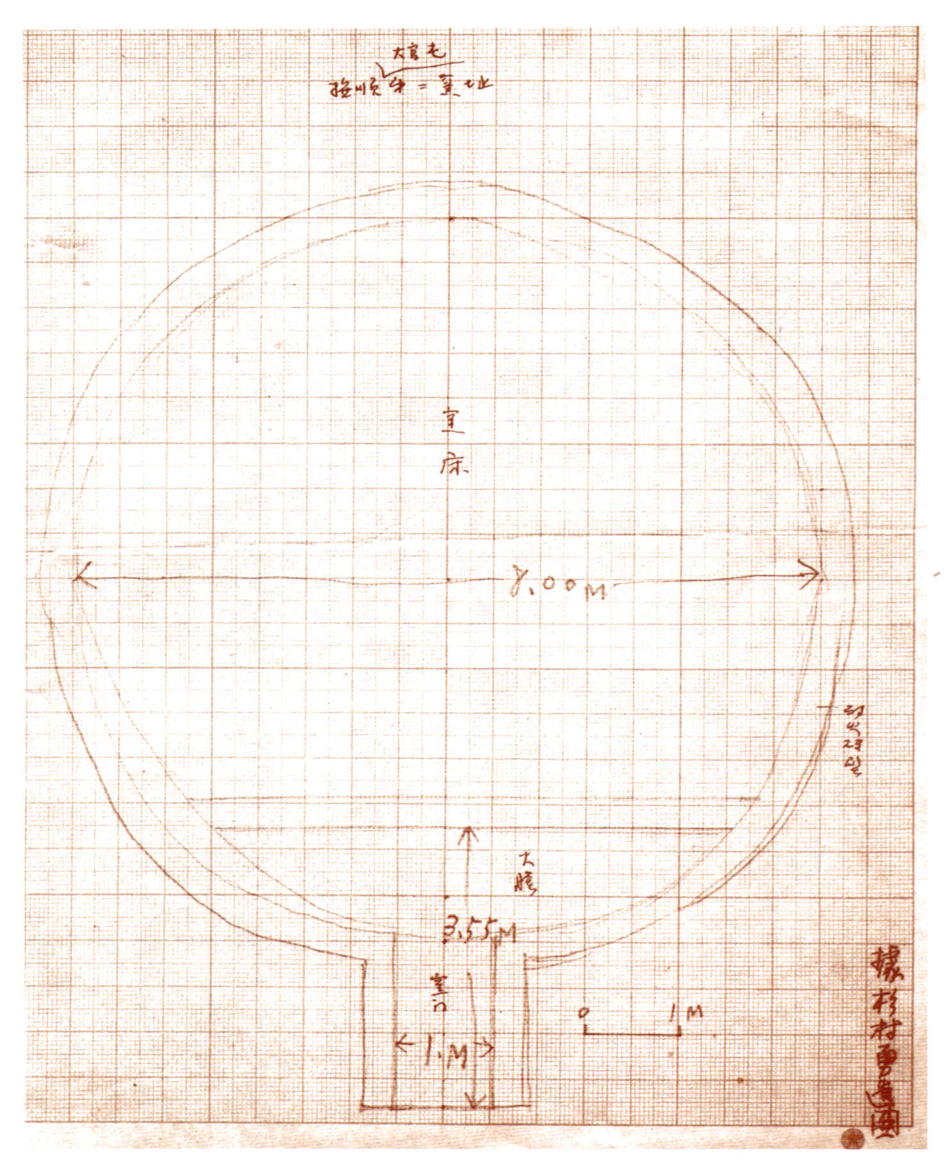

9. 抚顺大官屯古窑址草图之一

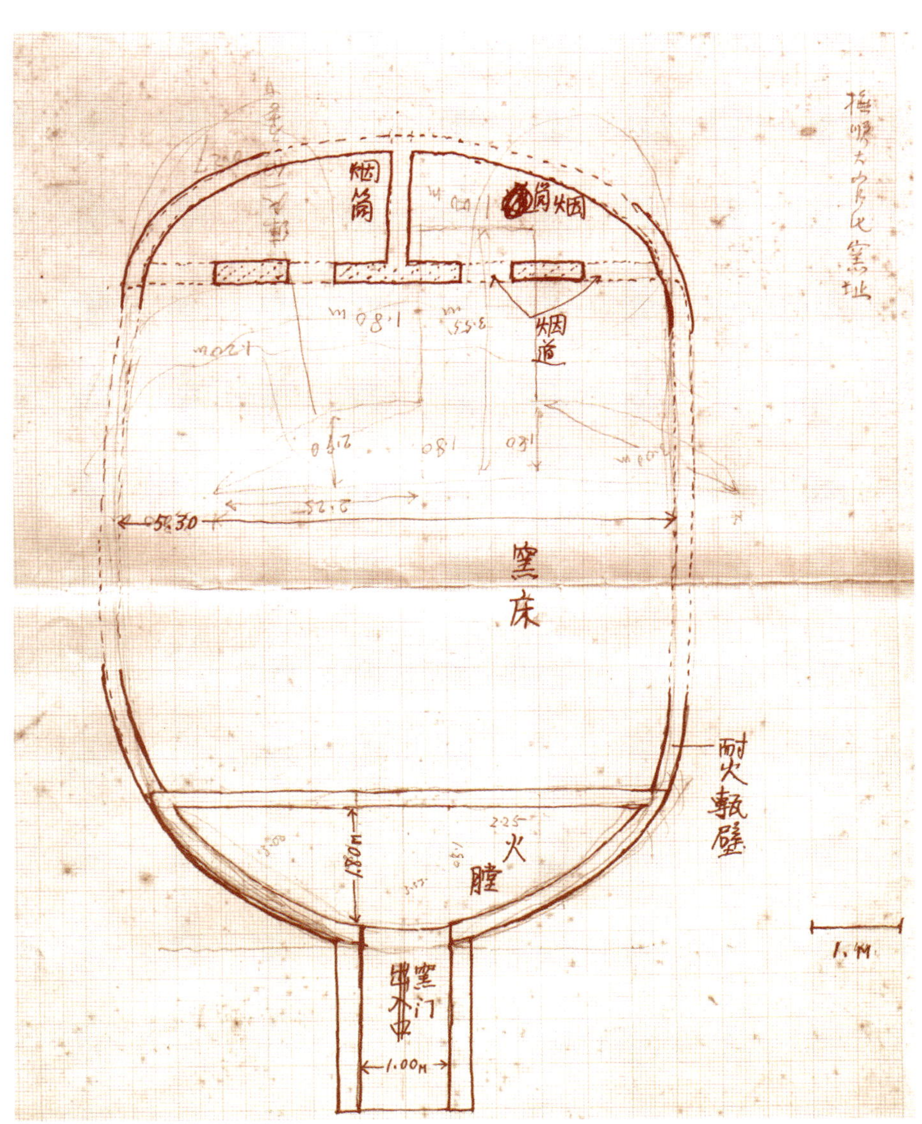

10. 抚顺大官屯古窑址草图之二

奉天南郊古坟调查记

奉天南郊古坟調查記

序言．西中君於9年9月中旬發見在長沼湖北西方有漢式物，後於水道工事中，發見二古坟，乃报告市公署史蹟保存會，連絡博物館，求作技術上之援助，於是調查發掘，以窺其全貌。

工作人 西中竞雄、黑田源次、李文信。

9月19日 晴

午前八时许發出，九时余到現場。市署及西中、黑田二先生午前未来。余作廣範圍視查，於东方约3米处又發見今個古坟趾，一在水濠畔，殘全坏。餘有希望。又往西方大田中也有古坟基趾形状。

午后西中君来，金子君也来，偕市署現地人员連絡借用工人，不协，金子君向博館喚夫役三人来。

先生同醫大二生来，黑田后亦

即来。

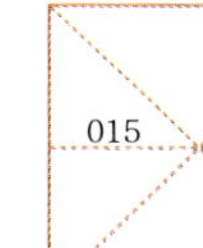

东北博物馆

李文信

双龍纹銅鏡　径27.5—4cm

咸平府銘事詞　一

廿

處長室

秘書室

东博研究室

事務室

圖書館

刘儒居　通信处　吉林省立第一中学校
張鴻恩　大連市天津街104号三盛塘猗文（古物商）
羅奉喜　大連市西崗区高尔基路55号

考古资料（笔记）

编者说明：此“考古资料（笔记）”写于朱栏笔记本内，各页版心印有“（　）科笔记吉林第二两级中学校”字样。各类笔记资料中间，时有空白页。因所记内容有“伪康德三年编制”“时在民国三十年二十九年间”“热河省赤峰县”“辽阳石咀子古墓石棺（现藏辽宁省博物馆）存沈博院”字样，其中辽阳汉墓壁画草图，画于“满洲帝国政府”公文纸的背面，可知其分别记于不同的时期。

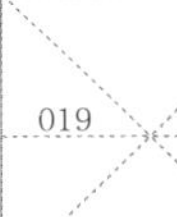

地方大概

熱河北部各要地交通料表

通遼	86								
	開魯	78	143	174	118	180		75	150
		梅里廟	168						
林東			魯北	136					
106	白塔子			崑都	56	80			
	45	五家子			查布干廟	62			
134	105	60	林西			林東	106		
			69	經棚			白塔子		
80			45	123	大板上			八仙筒	75
			130		100	烏丹城			王府
						80	赤峰		
			207					鴿王府	
				241					多倫

巴林左翼旗政概要鈔（偽康德三年編制）

沿革

巴林之名始於康熙初，林東之名改於民國十二年。游牧地，巴林屬遼之上京臨潢府故址，因其地近潢水故名。金屬大定府。元屬應昌魯王分地。明屬全寧衛。明末地歸元裔林丹汗所有。林丹汗殘暴無仁，宗黨皆投歸清廷。清始祖逐林丹汗，走死漢北。地屬清室版圖。嘗封已故旗長色丹那木札勒旺寶前十三世祖滿珠習禮為札薩克貝勒，游牧地。光緒時晉級王爵。民國十四年劃歸全都熱，置有設治員王樹仁駐現在林東貝子府。是年冬因遭直奉戰，王設治員走死大板上，直奉戰稍平後，地方人陳朝隱出維持地方秩序。十五年熱河當派張揆一為林東設治員。由是地方安靖，商民始集。十八年設治員鍾俊莅任，林東興學校，開水田，設集市，立商會，均由是年始。十九年改設治為縣制。二十一年春，政局變亂，蘇澤民遁去，地方政治停頓。於是商務會長劉劍夫出收拾設治事務，並有巴林左翼旗管旗章京卓里克圖出援助會務，維持地方治安。[illegible]偽組織成立，於大同二年[illegible]七月由[illegible][illegible]色木札勒旺寶為旗長，旗署正式遷入林東。

山脈

橫亘於內興安嶺之巴顏烏[illegible]藍山、慶雲山、饅頭山，即本旗汗山系，幹分三[illegible]支，東支起於巴顏烏藍山峰，沿二吉沐淪（烏尔吉沐淪）河東岸，轉折蜿蜒，走繞旗之東南，入天山境，阿魯科爾沁旗界。中支起於汗山之陽，叢巒（？）鬱秀，環繞床金廟河東西兩岸。龍蜿起伏，結白音填罕圖伯各嶺，東依昭廟滿札尔各嶺，入右旗界。西支起於汗山，西部走向西南，轉折而東，叢隆巍峩，結故王府後山，威嚴獨聳，南連阿各登壩各嶺，入右旗界。

河流

有二吉沐淪河，源出於旗北巴顏烏藍山峰，古名烏尔圖綽奴河，會汗山東南諸流，走於旗東北，繞林東鎮南蜘蛛山，至衙門廟入右旗界。一會通河，源出於巴顏烏藍山西麓，向西南流，會汗山以北慶雲山以南諸水，至五十家子地方，回折東南流，入巴林右旗西北查干沐淪河。一床金廟河，源出於窯子山之陽，會烏蘇易壘諸流，經過王府，會老道板古魯花汗泡澤諸水，東南入右旗，黃老廟河。一曰吉高洛河，源出旗南滿札耳山西麓，古名和戈圖綽奴河，會和碩花汗諸水，環繞

木葉山行程

潢水上流石橋碑文

臨潢府故址，即波羅城西南壁，走蜘蛛山西，會小清河，入二吉木倫河。

宋綬行程錄—中京（大明城）至木葉山程站

中京—（六十里）叫山 段羅河館—（七十里）惠州 榆林館—（七十里）入山 訥都烏館—（七十里）香子山館—（九十里）（白馬淀）水泊館—（八十里）張司空館—（七十里）木葉山。欲至木葉山三十里許，始有居人瓦舍及僧舍，又歷荊蓁荒草，復渡土河。木葉山本阿保機葬所，又云祭天之地。東向設氈屋，題曰省方殿。無階，以氈藉地，後有二大帳。次北又設氈屋，題曰慶壽殿，去山尚遠。國主帳在氈屋西北，望之不見。

建普渡橋河神廟碑（此石物在古巴林石橋上游，或人（菊竹稻穗）謂為遼代石橋故址所在）

嘗思道無橋梁，是為進步之便，河有橋樑（？），乃利濟涉之簡，甚矣橋樑之利於馳驅也大矣。如夏而申以育岸利畢於三家，皆古人之所謂為行者計也。自若舍利摩倫河，誠屬克什克騰之巨川，而乃哈喇海清門要為自西山四方之要路，往來行人莫不由此而經行斯河也。其源流浩淼，波瀾澄湃，每逢開封之時，登涉者往往有臨冰之患，炎夏墜水之際，每每有濟渡者溺水之災，所以眾人念涉渡之艱苦，起利濟之心，於乾隆三十三年夏建築橋樑，十數年間，雨潦水漲，木石盡為淹沒，而長者等又於四十七年重修，復經數年而依然傾頹矣。迄至今徒行者杜蹤，與行者絕迹，嗚呼斷不復續，墜何由登，是以予等復興善念，踴動諸方，再為之修，並新創建河神廟一區，以勸一隙一方無窮之福澤。但樹之舊基以被水崩，欲別選擇佳址，悉是沙滲，爰是鑿石河梁，塞斷渠成坦途，興於戊戌，畢於癸卯，六年之斯竣，皆如故愿，豐宛固有勝於舊焉者，至兒童叟無然深淺，曉夜不息驅馳，若此不足彰美於前賢，每可遺永於後世，是以援筆誌之，敢言謂之序文云爾。

此橋位於林西縣南境，余二十七年夏往遼慶陵調查歸途中，曾親見之。其地去林西鎮境之霞[illegible]附山南，河兩岸較高而多石，河身亦窄，或人古橋之說，證之宋人行程錄，殆可信也。—文信記

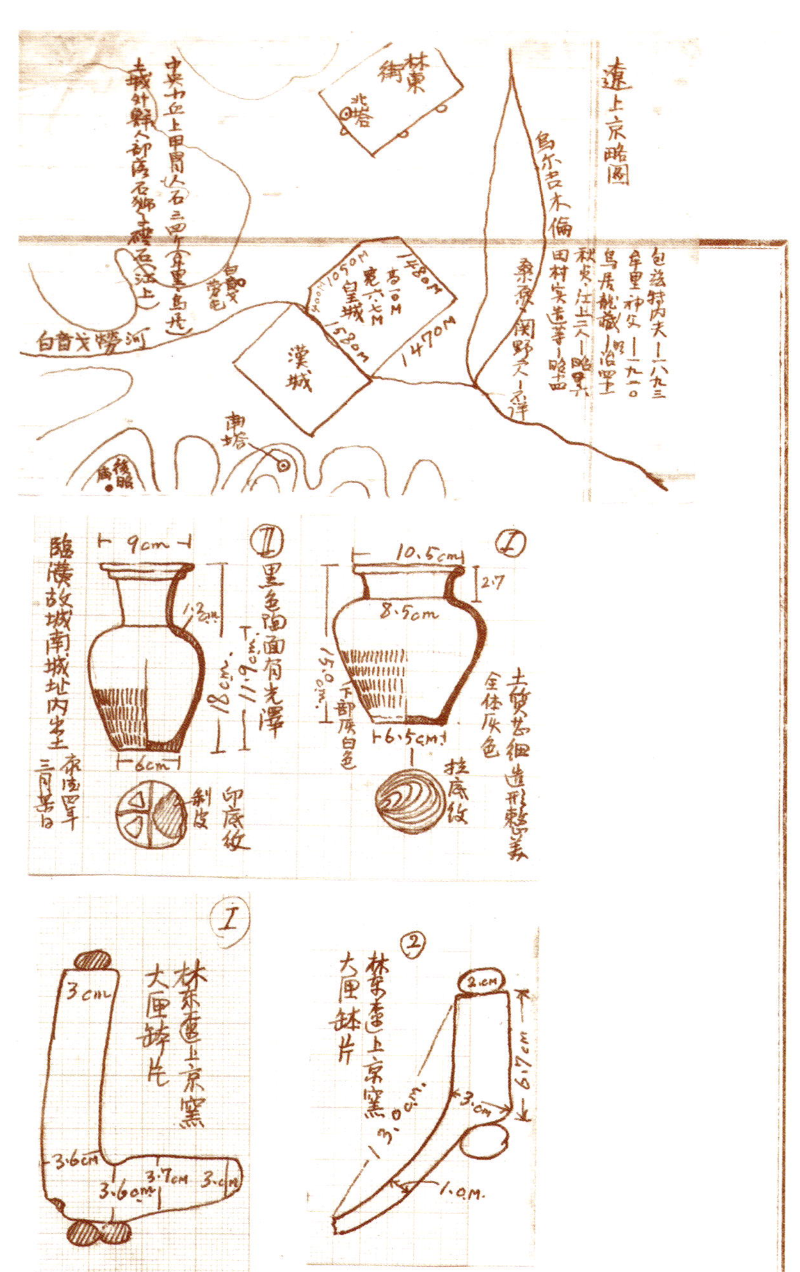

遼上京略圖
林東街
北塔
烏尔吉木倫
皇城
漢城
南塔
1480M
1470M
1580M
臨潢故城南城址内出土
黑色陶面有光澤
9cm
18cm
6cm
印底紋
剝皮
10.5cm
8.5cm
2.7
15.0cm
6.5cm
下部灰白色
全体灰色
拉底紋
林東遼上京窯
大匣鉢片
3cm
3.6cm
3.7cm
2.0cm
6.7cm
1.0cm

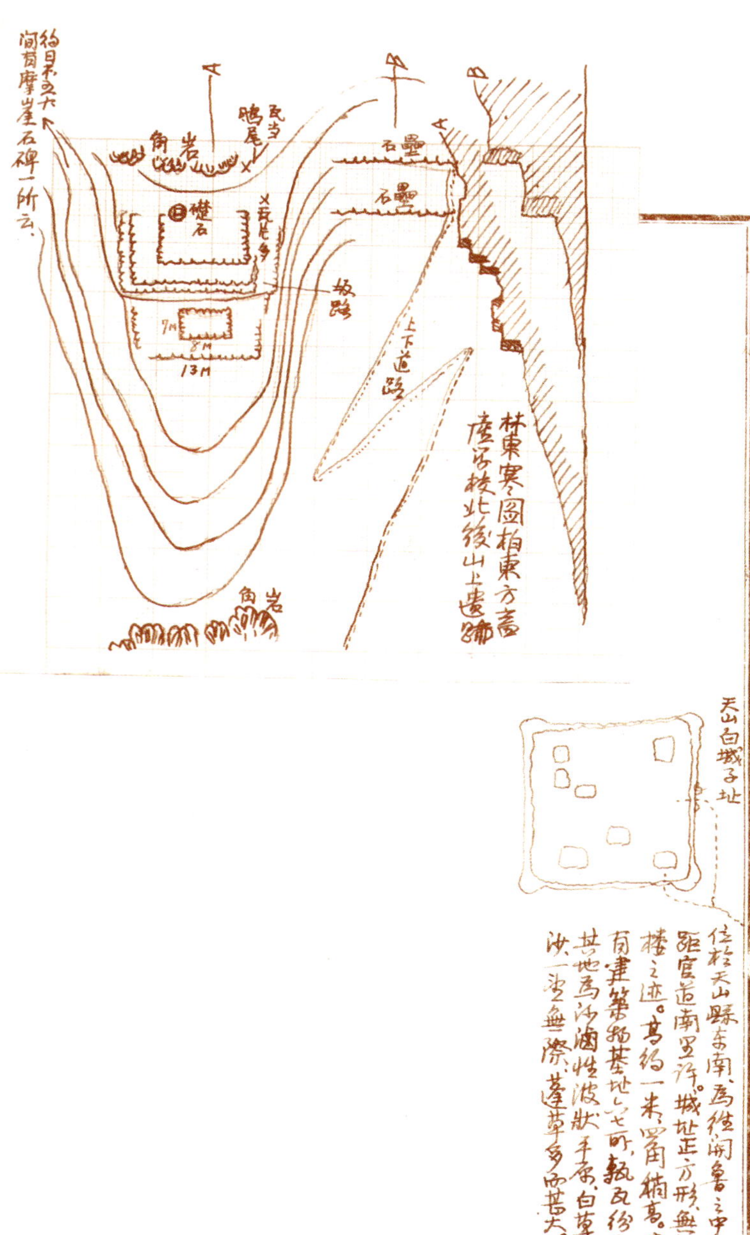
約日本之六
間有摩崖石碑一所云。
瓦当
鴟尾
角岩
礎石
瓦片多
坡路
石壘
石壘
上下道路
7M
8M
13M
角岩
林東寨圖柏東方
高麗子楼北後山上遺跡
天山白城子址
位於天山縣東南，為往開魯之中途。
距官道南里許。城址正方形，無敵
樓之迹。高約一米，四周稍高。内
有建築物基址六七所，瓴瓦紛亂。
其地為沙鹵性波狀平原，白草黄
沙，一望無際，蓬草多而甚大。

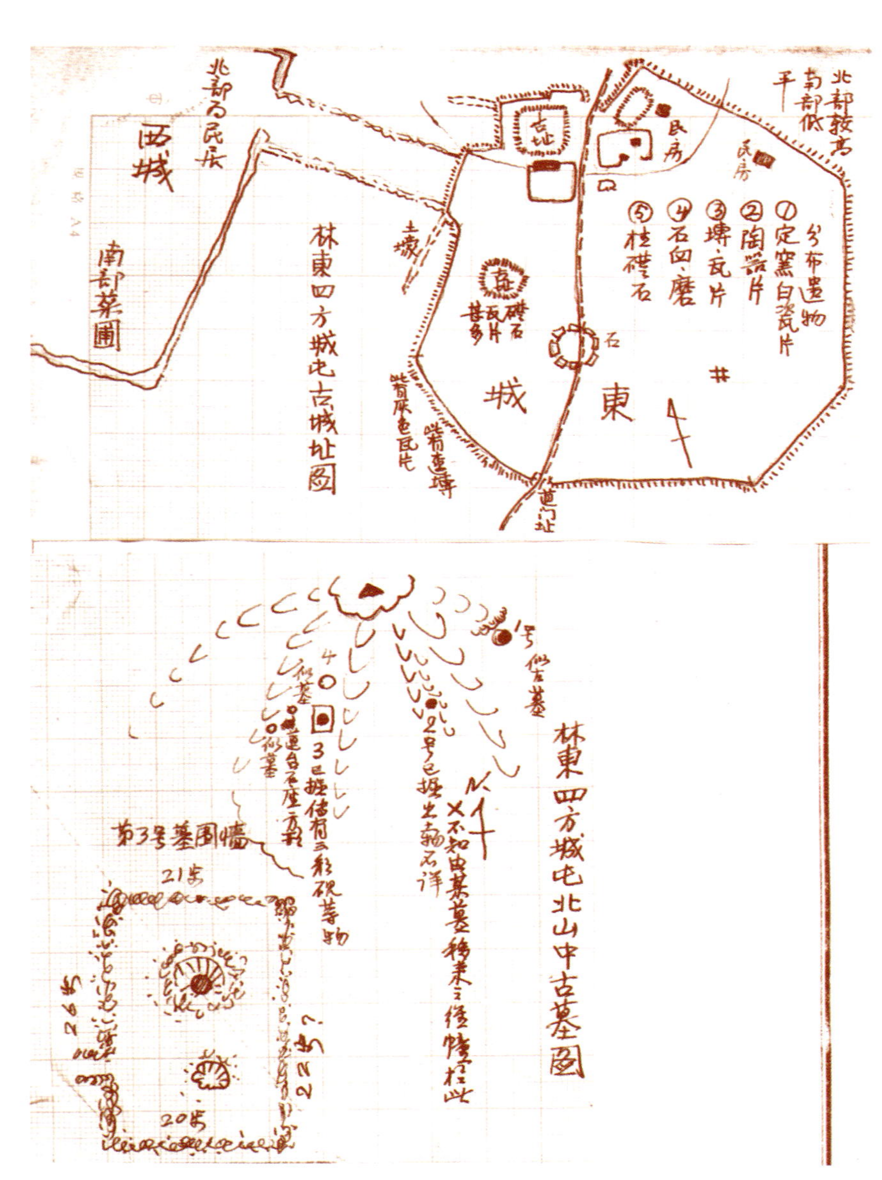
林東四方城屯古城址図
西城
北部為民房
南部菜園
北部較高
南部低平
民房
古址
分布遺物
①定窯白瓷片
②陶器片
③塼瓦片
④石臼、磨
⑤柱礎石
城
東
道門址
林東四方城屯北山中古墓図
第3号墓围墙
21步
20步
不知由某墓移来之經幢在此

梵字四方城古基陀羅尼經文

文殊菩薩

南方寶生佛

普賢菩薩

佛頂尊勝陀羅尼 日罽賓沙門 佛陀波利 奉詔譯

曩謨婆誐嚩帝怛㘑路枳也鉢囉底尾始瑟吒野

沒馱野婆誐嚩帝怛儞也他唵尾戍馱

野婆麽三滿哆嚩婆婆娑頗囉孥蘗

帝 誐賀曩 娑嚩娑嚩 尾秫弟阿鼻詵

南方光明電

王名設羅魯

左覩蘇素蘗哆嚩囉嚩左曩阿密栗

哆鼻曬罽摩賀曼怛囉 播 乃阿賀囉

阿賀囉阿庾散馱囉抳戍馱野戍

觀世音菩薩

西方無量壽佛

大勢至菩薩

馱野誐誐曩尾秫弟鄔瑟膩灑

尾惹野尾秫弟娑賀娑 囉 囉濕銘

散祖你帝薩嚩怛他薩蘗哆嚩路迦

額殺播囉弭哆跛哩布囉抳薩嚩怛

他蘗哆紇哩娜野地瑟姹曩地瑟恥

西方光明電

國名主哆紇

哆摩賀母捺哩嚩日囉迦野僧賀哆曩尾

秫弟薩嚩𡀩囉拏跛野訥蘗帝跛哩尾

秫弟鉢囉底𩕳韈哆野阿欲秫尾秫弟

三摩野地瑟恥帝麽抳麽抳摩賀麽

年[illegible]遮薩菩

北方不空成就佛

地藏菩薩

北方光明電

下方摸多未呢

日光菩薩

東方阿閦佛

挹怛闥哆部路叼致跛哩秫弟尾窣普

吒没地秫弟惹野惹野惹野尾惹野尾惹野

娑麽囉摩薩嚩没馱地瑟耻哆秫弟

嚩日哩嚩日囉蘖陛嚩日覽婆嚩覩麽

麽含哩覽薩嚩薩怛嚩難左迦野尾秫弟薩嚩

誐帝跛哩秫卑弟薩嚩怛他蘖哆三摩濕嚩娑

演覩薩嚩怛他薩哆三摩濕嚩娑地瑟 毗佛

没地野没地野尾没地野昌馱野昌馱野尾昌馱野尾

昌馱野三滿哆跛哩秫弟薩嚩怛他蘖哆紇哩娜野地瑟耻

哆摩賀母捺㘑娑嚩賀」 石匠張继正三人造孫宗？

呪藏中一字呪王亦彌唵吒洛吽皎」

六字大明陀羅呢 唵摩抳鉢訥銘

貂炬如来心破地獄真言曩謨阿瀧吒悉底洒三摩也三母馱

喃唵具嚕曩嚩娑悉歸哩提哩呼

咸雍二年歲次丙午五月甲寅朔廿七日

邊霍哩鉢郎君

次孫阿嘿牙阿

大横帳故曷魯

此幢淡紫褐色岩石，八棱柱状，四大面，四小面，上雕笠形屋蓋式頂。已由四方城移至屯長

逢文举運送农安縣衙，史蹟保存館中保存，时在民國三十年二十九年间。至於此幢究在

四方城北山三處古墓中之第一墓，土人说共有一，依農民当时，似已繳不住甚遠，惟最西北三彩硯墓上存有

方形蓋紋幢座，或为標墓之物也。——文信记

四方城毘盧遮陀羅尼幢

①东方阿閦佛

②西方無量寿佛

③南方宝生佛

④北方不空成就佛

前昭夜陀羅尼幢（佛頂尊勝）

佛頂尊勝陀羅尼幢

清淨法身、毗盧遮那佛

圓滿報身、盧遮那佛

千百億化身 釈迦牟尼佛

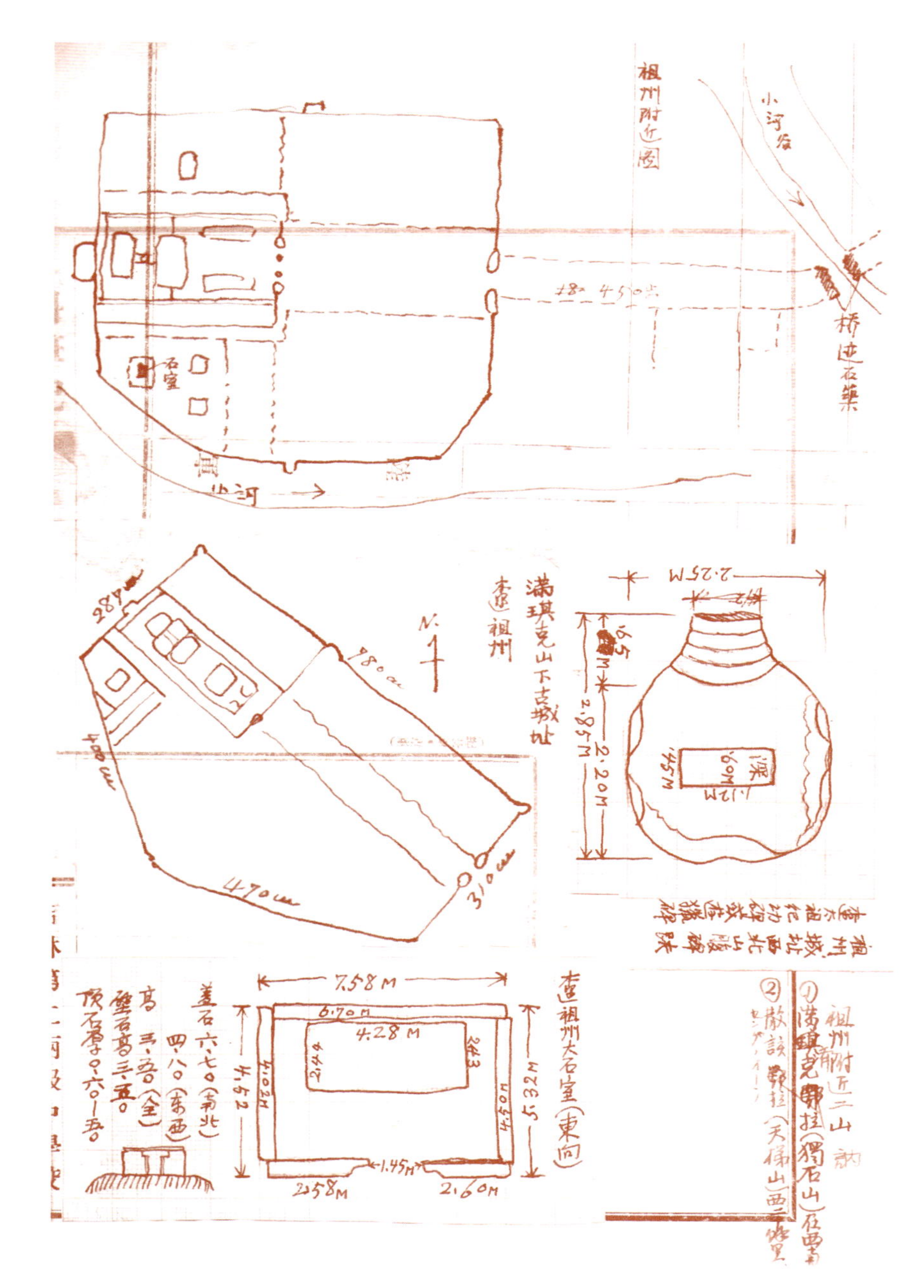
祖州附近图
小河谷
桥迹石築
石室
小河
満琪克山下古城址
查祖州
N.
780cm
400cm
470cm
310cm
2.25M
2.85M
2.20M
查祖州大石室(東向)
7.58M
6.70M
4.28M
5.32M
4.52
1.45M
2.58M
2.60M

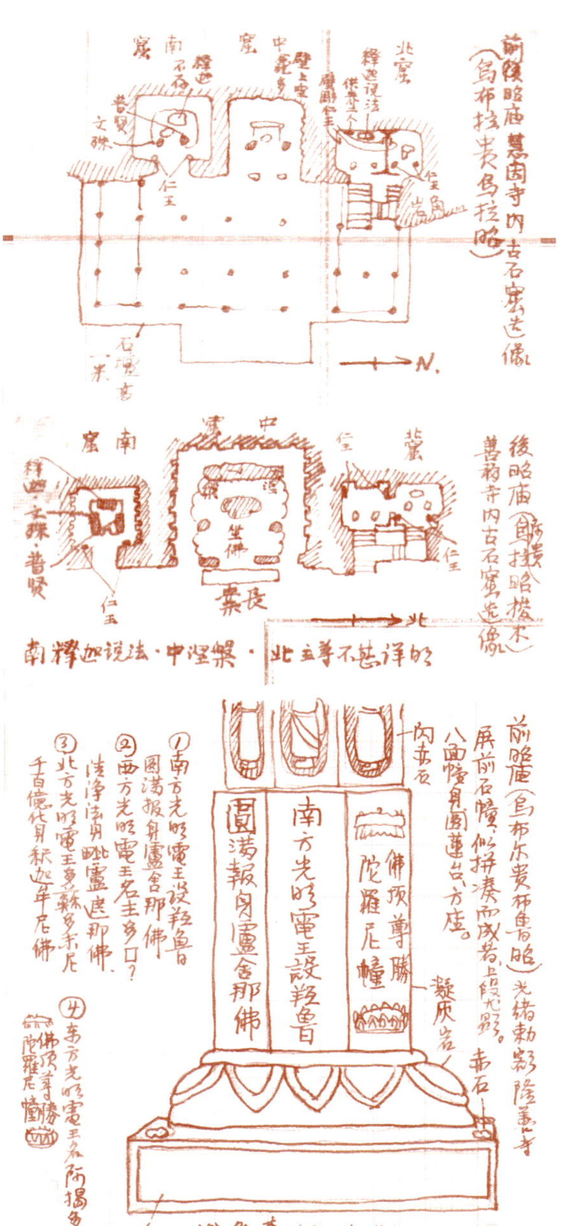

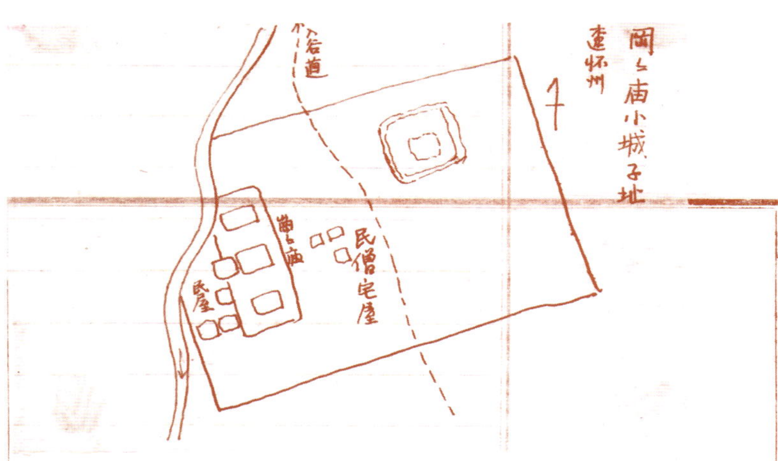

寒山南麓懷州址北岩床金庙境内之古碑

寒山中南谷有床金庙，於民國三十年經林東史蹟保存館員發見古碑刹一、龜趺一座。碑為花岡岩質，悉係岩板所製，長約　厚　寬　倒臥蔓草間。我所見僅碑陰拓片一紙，拓具技工欠佳，故好漫漶不清，大致為建寺募代善男女題名，某世某人銀錢若干之類。地名皆漢稱，人名有某國々、某娘子之類，考其碑文大略及碑係龜趺等式樣，似金元二代物，恐与遼懷陵無關。

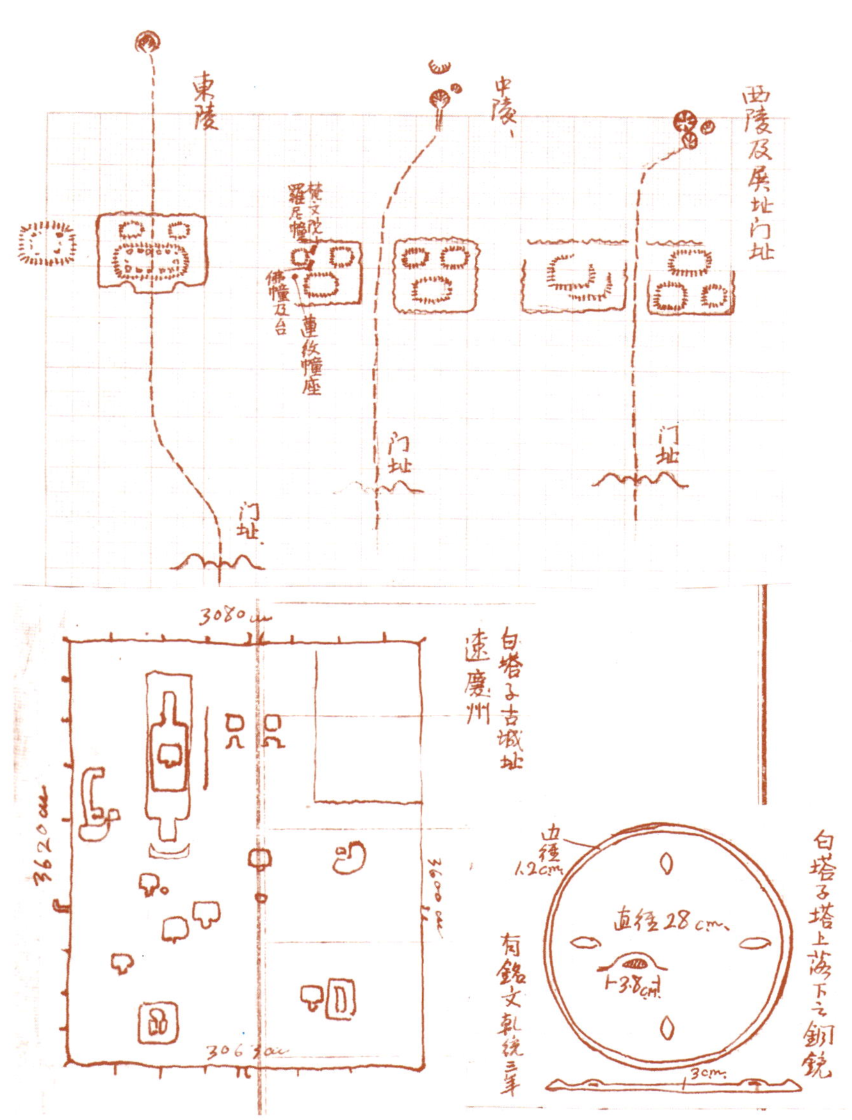
東陵
中陵
西陵及屏址门址
梵文陀羅尼幢
佛幢及台
蓮纹幢座
门址
门址
门址
3080cm
遼慶州
白塔子古城址
3620cm
3600cm
3063cm
白塔子塔上落下之銅鏡
边径1.2cm
直径28cm
1.3.8cm
3cm
有銘文乾统三年

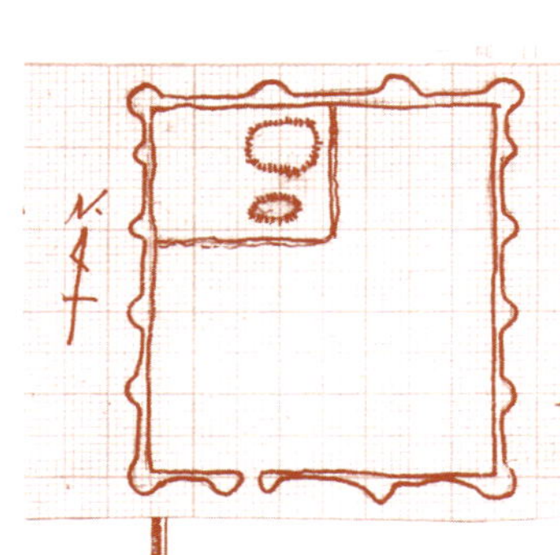

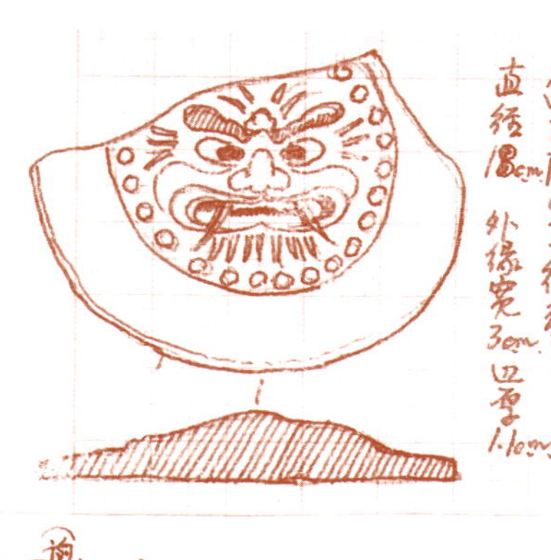

白塔子古塔上戟刹之塔記（系文為巴林左翼旗西協理純？袁卿先生先人修塔时所録）

大乘瘗（莊？）嚴宝王経 六字大明陀羅尼 唵麽抳鉢訥？銘吽 文殊一字咒 王唵叱、

唵咯唎鋑、 南无東方 阿閦（閦？）佛。 南无南方宝生（生？）王佛。 南无西方 無量壽佛、 南无

北方 不空成就佛。 南无中方（央？）大毗盧遮（那？）輝佛。

釈迦如来舍利塔第三層

彰寧軍節度使檢技太师守右千牛衛上將軍張維保等奉 宣提點建。

威勝軍觀察使檢技太师馮墠句當。 威武軍節度使檢技司徒郭佳句當。

越州觀察使檢技司空孫素句當鈔帛。 閑廐使檢技右散騎常侍使（史？）外安句當工匠。

重熙十八年四月二十八日記

慶州僧録宣演大師賜紫沙门蘊珪、

（瑜？）運（?）慶州僧録宣教大師賜紫沙门道清

慶州前僧録崇教大師賜紫沙门普勍

慶州管内僧録判官兼利大德沙门從教、

慶州法華上生経精修大德沙门 守恒

慶州塔直講経業論沙门巨峰

重修[illegible]呂從昇、

年

級

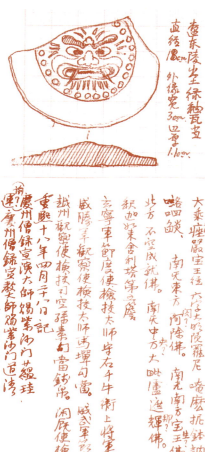

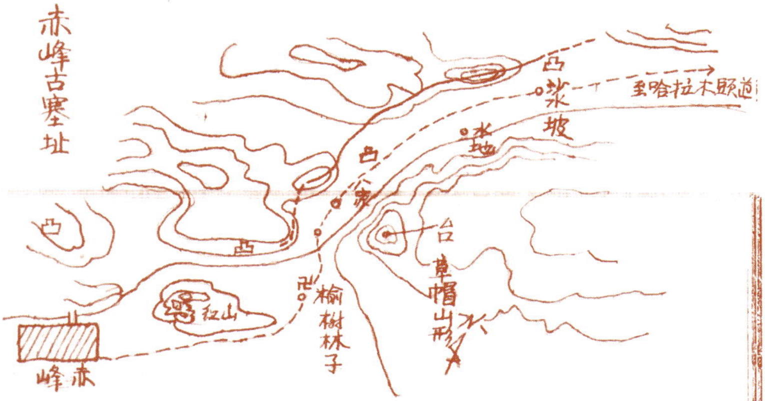

赤峰古塞址

至哈拉木頭道
浆水坡
水地
八家
台
草帽山形
榆樹林子
红山
赤峰

熱河省赤峰县沙水坡漢塞址出

元应昌路曼陀山新建龍興寺記　一篆額為應昌路……記

应昌路曼陀山新建龍興寺記」皇姊大長公主普納」魯王桑哥不剌重修了布施常住」承事郎同知肃州
事趙岩嚴撰並書」集賢大學士光禄大夫趙世延篆額」(另行)至元丁未」　世祖皇帝躬御六师徂征叛逆驻跸
应昌之夕、一佛飛空、现金色身、如影如幻、且諭近臣莫如(知?)從来者(?)孤老至詢、俾畫厥像、或曰曼陀山石洞
有佛殊像、遂命帝师經灯唄螺九七晝夜、龕盧積年、霜苔露荊、皇■姊大長公主、魯王善根坚深勝
怀」皇祖栉风沐雨、勤勞天下、金戈黄鉞、璧於应昌於乃顏離佛正法、欲以螢火燒須弥■山」、世祖旋乾
轉坤、有大力量、以一臂指■麾一切世界、金剛鉄圍碎如微塵、鞭弭所向、怨敵摧伏、梵王帝釋、恒隨衛如来
顯現克(相)有成於是」錦綦番土、芳樹礙石、屏儀歆音、东西展顶三间廊宏面勢海廣、一夕石洞金佛现
相如初。主念益堅、肯者依心、遂標刹龍興水神至元若浄梵天水雲洞名皆」主所定、福及衆僧、有眠無
覩」主曰」世祖所見等無殊(差)異、歡喜莊嚴、得未曾有、巖扉(扉?)寥開、嵐輝月清、洞邃之文、其密半
之、仍穿其旁、於是投足、涂擦(跡?)遗爲、莫得要領、安知不微南海到菩薩岸、不微东海達娑竭羅
又安知不微天台雁蕩、石真飛行處耶。今」、主貴履貴富而以宸照师心、以一刹編一切刹、一佛示现、編一切佛、
億万永年、应佛授記、得大歡喜、得大鏡益、特自泰定甲子始是爲龍德第一記也」、主命僧而名焉、其辭
如来(舍)身現法身、能因能悉而顯示」世祖皇帝大勁、青蓮瞬目降群魔、曼陀洞佛生
光明、優鉢曇華此値遇、音声法事七晝夜、亦復土木新龕盧、我大長公大棟梁、建觀
音居於其所、刹楣龍興麗天」、洞門邃窈不能竟」曰浄梵天水雲洞、咸奉皇姊之所名、一
佛示现百億身」、以壽如壽(来)」帝姊此刹無量」、祝聖天子萬億年、黄源永之盛潽。
泰定二年青龍在乙丑六月院堂主石、監造宜嘉議大夫管領本投下諸色人匠怯憐口都總管府總管
張、
(此碑文係録於該古蹟表中、據云内有數處(三)後新補刻者。文字句多訛誤不可讀)

克什克騰旗內古物古蹟（偽蒙政府喇嘛廟及名勝古蹟調查表）

龍興寺碑　（達里泊附近）旗府西北達里泊，南距旗約一百六十里。元泰定二十年魯國大長公主於應昌府曼陀山建龍興寺，有元趙巖撰建寺碑文。後廢，改稱大王廟。現祇存廢址，碑存曼陀山洞。

應昌故城　魯王故宮（達里泊）旗府西北二百二十里。元至元七年宗武王特色辰之子斡陳請於答兒海子（即達里泊）駐夏之地建城邑以居，帝從之，遂名其城為應昌府。二十二年陞應昌路，斡陳之孫琱阿不剌加封魯王，建宮於應昌府城內，見元史特色陳傳、元史本紀及報恩寺碑。至明廢應昌府為清平鎮，見永樂北征記，而此地遂淪荒蕪。　元楊允孚詩有上驛東應昌府，月明偏照魯王宮之句。清拉敬亦有登曼陀山望應昌故城詩。現祇廢壞遺墟，殘甎斷瓦礫。

曼陀山洞　（大王府）居旗府西北一百六十里。曼陀山石洞有佛殊相，大長公主名淨梵九天水雲洞，趙巖霧寒衾開，嵐輝月陰，深邃三丈，其寬半之，穿其旁，遊者投足，深探遐歷，莫測要領。見元趙巖撰龍興寺碑。

安図県長白山麓神武城発見寺址出土鉄器群概要—昭和十一年

一、鉄風鐸

1. 高一二·〇cm. 宽一一·三cm.

2. 高六·三cm. 宽九·三cm.

二、佛头

高一六·〇cm.

三、插佛

高三六·〇cm.（头一〇·〇 体一三·〇 膝〇九〇 枝五·〇cm.）

四、挂佛

1. 高一六·〇cm.

2. 高九·〇cm.

五、小佛

高一八·〇cm.

六、佛座

高〇·五〇cm.

長一一·三cm.

此群遺物均為安図県神武城大囗？台附近出土者，因安図県討匪於老白山，駐於奶头山，山上有古寺址，发之出石獅一座，白山座石利，鉄佛，有釉盘壷等多件，其様式似屬金代物。

安図県神武城左近奶头山頭屯中出土

石獅子一個

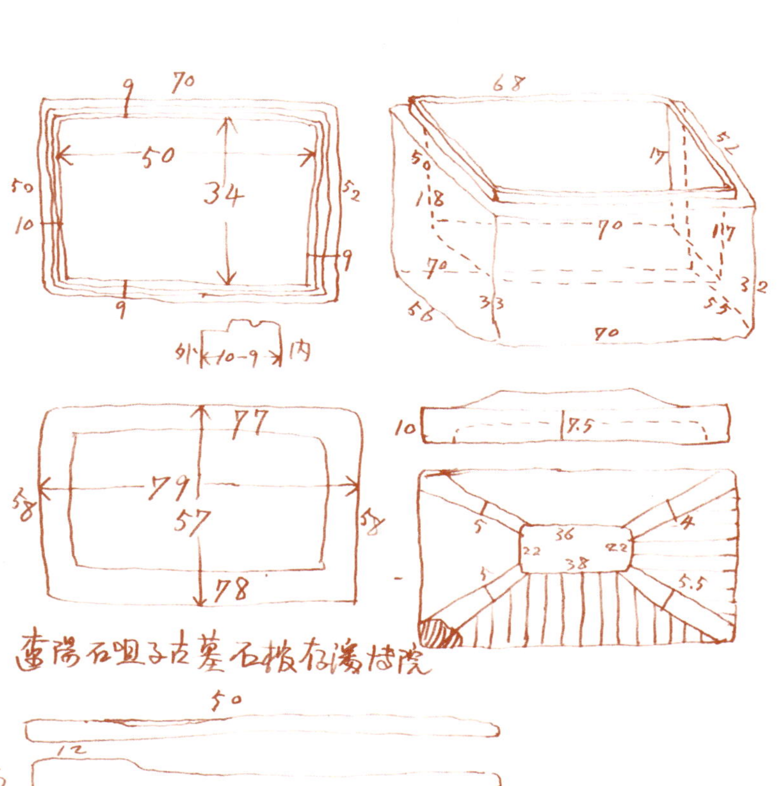

70
9
50
34
50
52
10
9
9
外
10-9
内
68
52
50
17
18
70
17
70
32
33
53
58
70
77
79
57
58
58
78
10
7.5
5
36
4
22
22
38
5
5.5
遼陽石咀子古墓石槨存博物院

骨刷柄

50

12

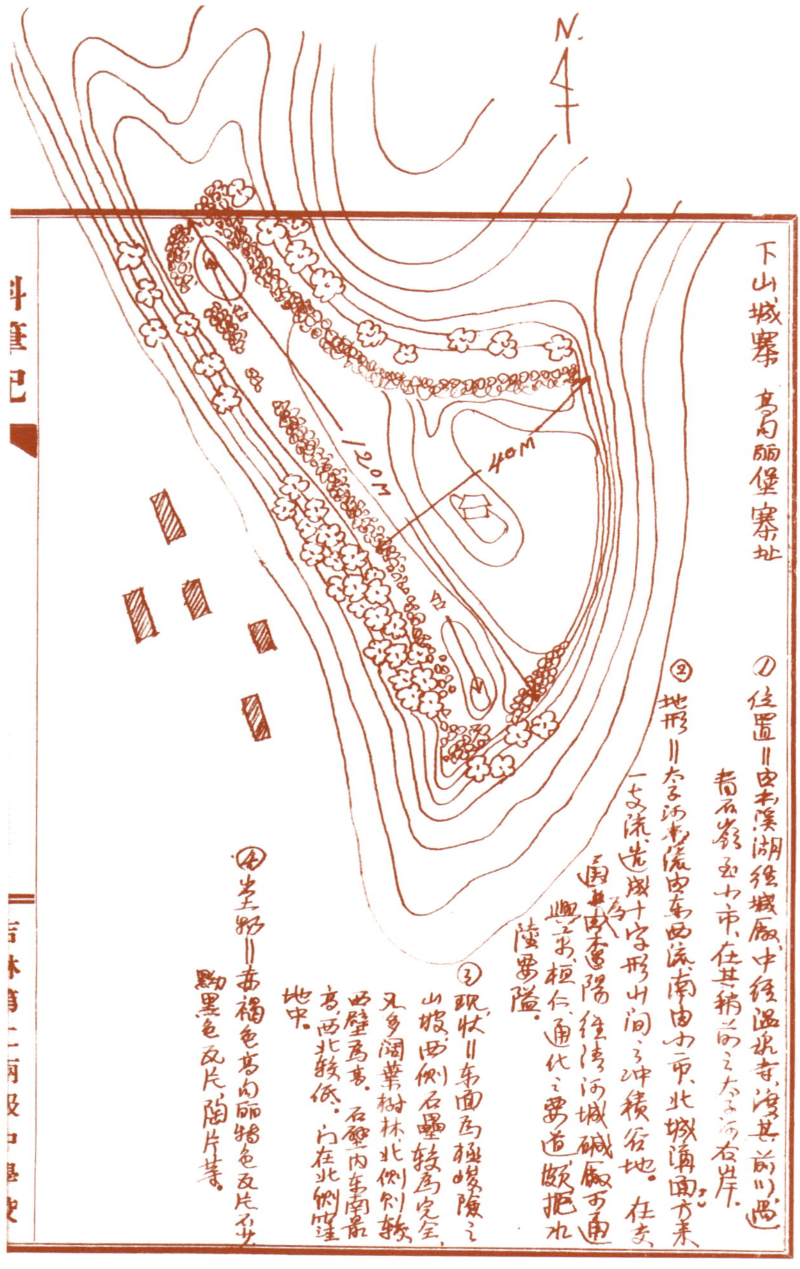

下山城寨 高句丽堡寨址

①位置＝由松溪湖經城廠，中經温泉寺，沿其前川過青石嶺至小市，在其稍前之太子河右岸。

②地形＝太子河本流由東西流，南由小市，北城廠兩方來之一支流造成十字形山間之冲積谷地。在交通上為由本溪、遼陽經清河城碱廠可通興京、桓仁、通化之要道，頗扼水陸要隘。

③現狀＝東面為極峻險之山坡，西側石壘較為完全，又多闊葉樹林，北側則較西壁為高。石壘内東南最高，西北較低。内在北側低窪地中。

④出土物＝赤褐色高句丽糙色瓦片不少，黝黑色瓦片，陶片等。

高句丽城址之分類

一、平頂山〃　1 桓仁五女山

二、石築〃　1.輯安山城子　2 鳳凰山烏骨城　3 蓋平高丽城建安城?　4 得利寺龍潭山　5 燕州城　6 大和尚山卑沙城　7.朝鮮平壤大城山

三、土築〃　1.撫順高尔山新城　2 興京老城蒼岩山石城　3 桐陰屯　4 威遠堡龍潭山　5 北山城子　6 遼城昔城子安市城　7 薩尔滸城南蘇（木奇鎮西木底）

四、山塞〃　1 小市下山城寨　2 吉林东團山子　3 九站南山

五、平地城〃　1.輯安縣　2 遼陽古附城

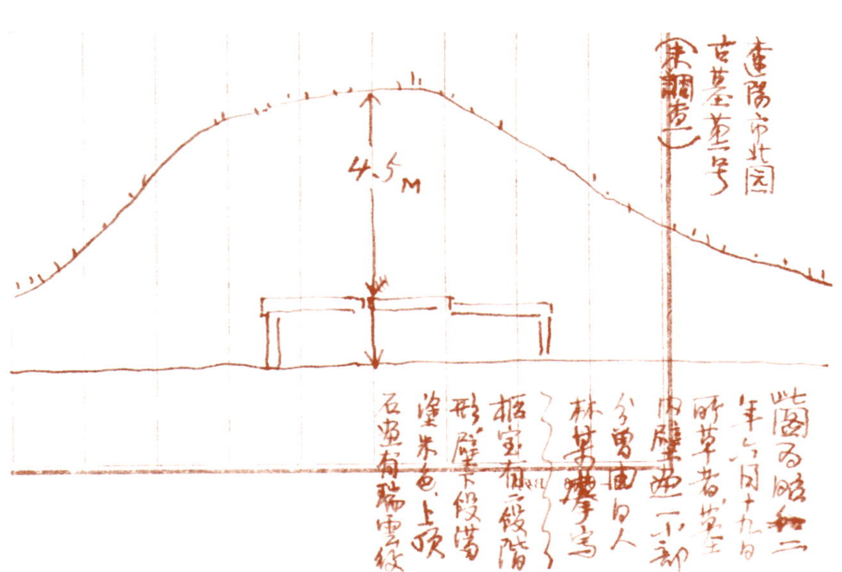
遼陽市北園
古墓第一号
（東側面）
4.5M
此図為昭和二年六月十九日所草者
墓室内壁画一小部分曾由日人林某摹写
墓室有二段階形，壁下段涂朱色，上顶石涂有瑞雲紋

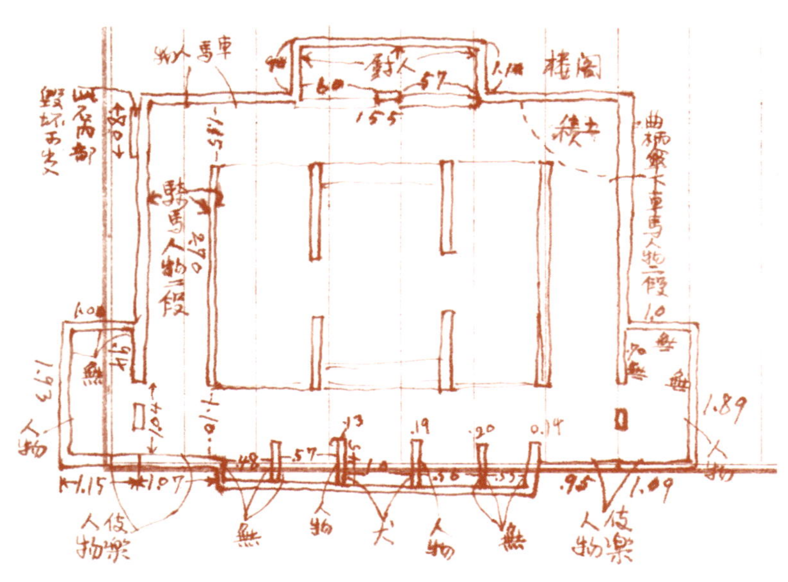
人馬車
對人
60
57
155
樓閣
騎馬人物二段
曲柄傘下車馬人物二段
人物
伎樂
無
犬
1.15
1.07
1.89
.48
.57
.95
1.09

画位置
第一壁
厨人室第一壁画面
白犬
黑牛
厨人室第二画面
黑色
白色
赭色
白色
褐色
白色
黑色
白衣人物
黑衣人物
黄衣人物
绿衣人物
烤肉人物
黑衣人物
机
人物

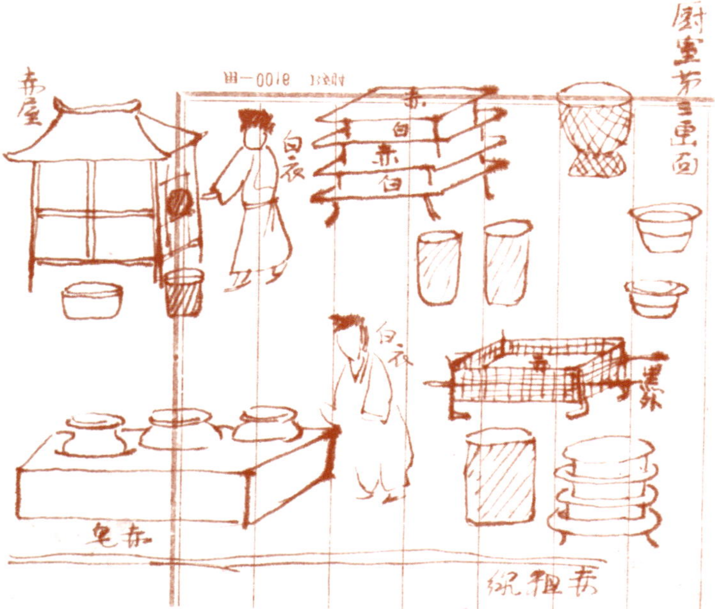

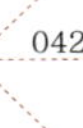

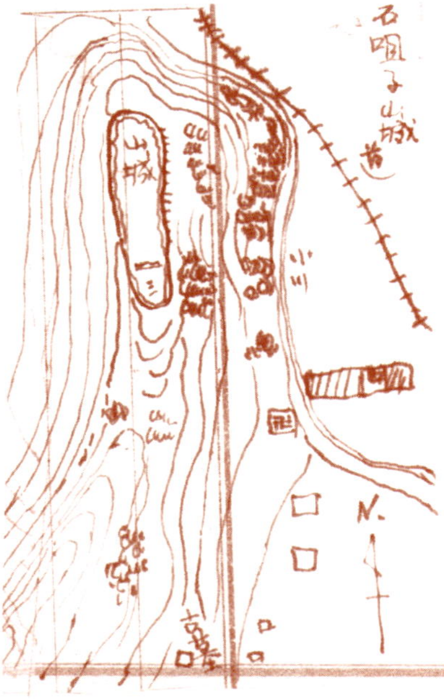

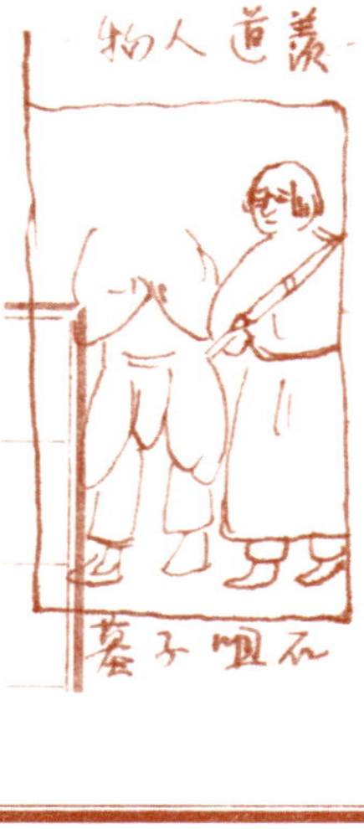

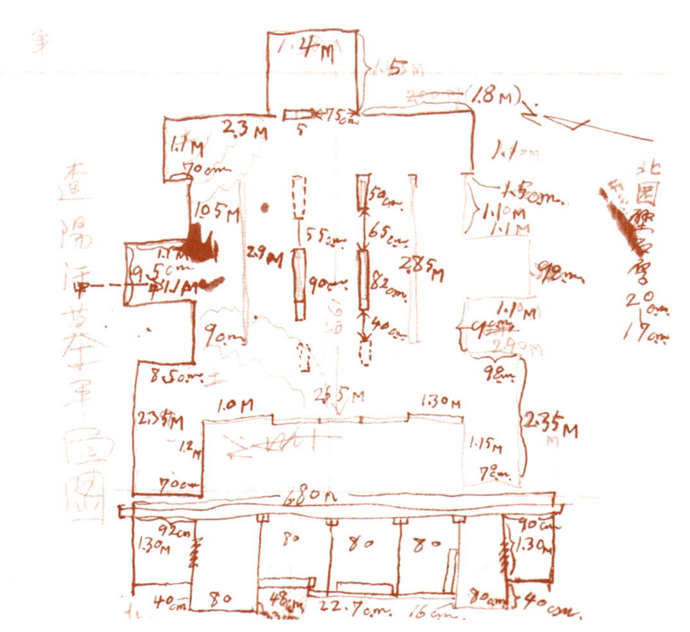

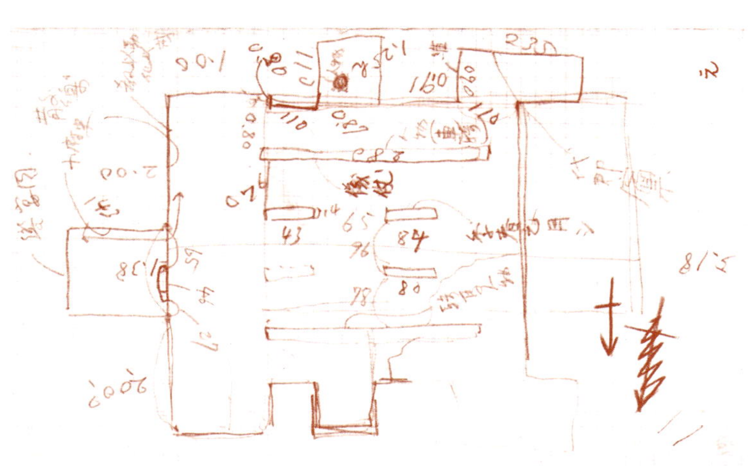

辽阳汗（汉）坟调查日记

遼陽汗坟調查日記

9月24日 水曜 雨

午前十時半到遼市。當赴市第二公署訪問。後至遼塔旅館，咸不知工作所在地，不得已入滿人旅館，略休息後，携工作用具至鐵路土坑尋覓，竟無所見，不得已於午後三時許回旅次。

轉至關帝廟閒遊。建築雖頗雄壯，式樣頗古，尤以門前影壁為古雅可愛。其牌樓之柱兩面有支足柱，下用馬蹄形凹入柱礎，頗似白塔子古廟址前牌坊址同，蓋為遼金或元代舊式也。

最後殿西有紅砂石六稜經幢式石座一。去年在東京城址後、及東京古寺中曾見此物，當以為幢座之類，今見上有徑三四寸之深孔一，確為幢座石矣。

馬殿前西側有石獅三軀，皆古代遺品。中有綠石相連双奔獸形者一、而他殿前作陳設者尚三對。每对一面有半柱形凹入，盖是用於牌坊或门柱兩側者。

元碑圭首方座，年款漫滅。明碑三四幢，文皆可讀。清初一碑未書年号，餘則历代至今。碑石似多新近重修，碑尚未完也。

晚七时许見原田博士以下各位，始知未到鉄西，乃在第八〇部隊院中工作。

9月・25日・木・雨

午前在旅館中同博士以下各位坐雨，閒看明器等物。在旅館午飯後，天晴同到西门外馬路街一日人古玩店買古銅鏡五枚。中有東京巡院及西京巡院款鏡二。東京者大而凸花數枝，極優美。餘亦遼金鏡之常見者。該店存明器甚多，亦可見遼市古墳出土物之多矣。

轉至遼市圖書館，觀所藏鄉土史資料，有漢明器，遼金瓷陶器，碑碣一為高松秀墓碣。漢代墓誌五六方，石刻文多不可讀矣。收陳數種甚多，用心良可嘉也。

9月·26日·金·微雨

午前8時赴遼塔旅館，同圖書館長到河東軍第八〇部隊取石棺。部隊院中因建屋發見漢坟二基，已經調查。石棺稍長方，圓稜方蓋，下有子口，惜已破為五大塊。

後到鐵西孫家窯西及屋後工作。磚坟已盜掘，無多遺物，坟基尚可明白，有头骨及长颈陶瓶一隻。明器片甚多，惜多不可復原矣。

石坟甚大，已露西端，取土夫曾得小珠一顆。余与三宅君指揮工人除土，先見五銖錢三枚，及見羽盃、陶盘、头骨、銀指環、耳璫等。耳璫红色似人瑪瑙玉。形如骷髏，上尖有孔。精緻可愛。坟後石壇一，上有陶鬼陶釜等破片甚多。一銅環甚小，不知用途。北壁外得鐵鏃一枚，方形有柄，恐非漢物。

墓室甚大，形亦特奇。晚齒痛甚。

9月·27日·土·晴熱

午前仍至鐵西石墳工作。後察墳壁及清掃，並拆開屍台及墓後石壇等，以便寫真繪圖。午間旅順博物館主事島田貞彥君偕一同事來觀。

原田博士同吾等七八人至西方大林子屯西南方視查，田中有高台址一所，四邊平坦，東與白塔相對，影極清幽，蓋古代一建物址，今已成叢墳棄骨之荒蕪野田矣。田中有漢磚小塊，四外亦有遼金瓷片。回石墓處寫紀影一，余照古墳二影，並繪草一紙而歸。寫第二通信及家信數信。

9月·28日、月、晴

午前8時30分到小南門外，其地高氏數家，土坑甚大，石磚墳破壞者極多。尤以門外路東菜園中石墳為多，且石板竖如壁障，横者如桥如床，颇成奇观也。 玉皇庙后路东侧有石坟一部露出，上有天盖甚大。据之存东半，盖长二米四〇余，宽96cm。壁石高米二〇cm。厚约10cm。东端上中部有層棚一，颇如层楼。是否全部如此，已不能确定，然据土中，该层位有石板石破片甚多，虽不全有，恐此棚亦甚大。

地下碎小板石颇多，是否板石墓不明了。有头盖骨一枚，陶器瓶片数大块，究竟如何，须在明日掘完方知也。

原田博士同島田贞彦、渡边三三、小林胖生及三宅宗悦等向東方視查，余以发掘未往。归得汉瓦当四五枚，中完好者二枚，一大一小。餘多断片。大者文字方正可爱，小者较退化。背面均有绳纹。明器片也多，盖东方古坟仍多。前三年下水道工事中曾得明器二三百点，坟之多且大可知矣。午后三枝君来观，大时许回去。

9月、29日、月、晴

午前仍至小南门外工作。惟昨日掘発古坟中，無出遺物，認為無望，皆向东方往覓新地址，此處僅留余一人清整。完了加以绘圖写真即结束。余指揮工人二名，仍向深處掘土，蓋未見底石，其究將如何，尚未可断也。先見明器片、人骨片甚多，土中石塊亦漸少。余知此墓大有希望。乃力掘之，继出土陶鼎耳、足及腹部，北部出陶瓶一部，写真師認為破片，而余止工人，细心工作，卒出土大陶案一、案上相套大小勺二，大小耳盃四，俎一。鼎南出大登一、奁盖一，大奁一，瓶一，小鼎足三，耳一。案东出耳盃、陶罐、陶盘各一。北壁下大登二、長颈陶瓶二、陶盘二相重置。他器小片極多，清理时於案上又得竈上小釜三枚，一不完整。出土物甚多，而余工作细心，故無損坏，且位置皆為原形，毫未移動。

製圖者工作完．乃喚寫真師來，而駒井、原田博士率衆归，皆喜形於色。遂助余清理掃除而加以真寫。取出古物时因人数多，每有慌失，然大体均佳。各包入袋记号後，乃返家，時在八时许矣。

午前奉天南满医大教授同夫人来观，午后返奉矣。

9月、30日、火、晴

午前仍继昨日工作。清理後主要發見為壺一、三足一把手。羽盃一、洗一、瓢形白二，大者方形圓隅，小者橢圓而垂置於大者中。瓮一，高台剥透孔，上部残脱。又陶扉一、瓦片屋片甚多，釜一。东北隅圓奩二枚，一底有三熊形足，与朝鲜汉乐浪时代故出土銅鍍金者同。大壺一，肩部向对二獸面啣環鋪首。形式古雅，極似銅器。大甕一，已大破，中存他巻残甚多。稍西長頸瓶二枚，完好無缺，肩部有孔。盌一，盤、盂三四枚，亦多破壞。南东隅大套中雞骨甚多，蓋當時所雞陳於其中者。

此墳所置陳列狀况頗佳，雖經浸水漂移位，而大体不甚差，可為研討漢代礼俗極佳之參考。

地石拓摺所白長约4.40，宽约1.20。其宽長均可謂甚大也。

写真·绘圖完了，转向王宫庙东一瓴窯處，古墳亦多，有一未大破巨墳，高不能頂，長宽頗大，内约分七八别室。工作僅除上面積土，一工人不慎，因蓋裂陷，両脚部受傷，即停止工作，將其送往病院加療。

今日原田師赴京城帝大，約五七日始归来云。

10月·1日、水曜·晴·風·冷

午前在第七号石墳覆土，防危險亦備為保存古蹟也。

其他團員在城南視查地勢，俾考知漢代舊時地形遺址等。曾採得漢代大陶甕片二筐。

午後在鵝房村西、玉皇廟村東一磚場中發掘石墓上部積土。余在窯場土坑中採得宋青瓷及遼金定系白瓷片甚多。於工人手中買得褐瓷罐二、碗一，即一般所謂骨壺者。形制均不甚古，當在元代前後。又自工人郭六購入二隻、及漢五銖泉二枚。

此處設窯場僅四年，土坑尚不甚大。北部遼金墓多，漢墓較少，南則全為漢代石室墓。且多為數室相連之巨大者。

在東者（號數未定）東西寬三米餘，南北長三米八○餘。前後為橫室各一，中部為縱室二。石版巨大，建造精美。接縫用石灰。內部明器及骨遺物等尚不明。門南向。

在西者更大，南北五米五·四○釐，東西寬三米八·九○釐。門北向，亦前後為橫室。中縱室四，內有壁拱之處，石版建築技術純熟精緻，前所未見。較由城北移於旅順博物館庭中者多且精之。傍於土中得明器片數段，內有印出凸花紋者，其形式之精緻，不下汗鏡。果未為妄人亂掘時，則必有偉大文化貢獻可卜也。

10月－2日－木曜－晴陰

今日率工人掘發東坡，定為第八號。其形頗如工字式，前後二橫室，中為縱室二。開始掘除全部積土，石室上半出現後，乃專掘後橫室及西縱室。橫室西端出土陶盤二枚，體薄質堅，工緻之極。東端出土大奩一，俎一，棜一。棜如今世鄉中獻饌之方盤。俎下有橫版形足，上部凸紋象形一。西側室北端出土奩二，觚一。中室出土頭骨二，肢骨頗多，保存良好，有團員疑為汗代。余以種々見解証為汗墓，且引紅山後石器時代人骨為例，終有不信者。繼得五銖錢五四十枚，復得琉璃耳璫一枚，羣疑乃解。西壁下得大室一枚、雕作朴质，中似实粟，今由败土中尚可明了。

10月·3日·金曜·晴·大风

今日掘前横室及東縱室。前横室為玄室入口，中立石柱，左右為二门洞，外封巨版石。室西端出羽盃四枚，体质堅緻，形式与前掘各坟出土者同。圆奁足已脱落者一枚。头骨一枚，上下肢骨各二，碎骨甚多。東端出划纹大皂一，下出銅顶針環一枚。其皂西出筒状明器一，近口有竹節状突起，两面於突起上面穿二孔，如倒置心臟形。長三十糎，径十三糎。形式新奇，不知為何物。及除其中積土时，在其底部得汲器一，始知為陶井。蓋前此所知汉代陶井多為方形，此如圆筒，或為齊东井户之特形也。汲器如今日鄉中汲水之柳條斗，上有横梁，梁上直立一桿，上端有孔，當為係繩用者矣。井西上為圆奁一，下稍西头骨一。头骨下陶盘一。其北則盃一枚已破。再北头骨一，肢骨三五。東側室南部出土奇形器一。馬骨一具。头骨一牙齒具全。上下肢骨、盆骨等全存不缺。於头骨東北部約八九糎處得金屬珠一，有半穿不透之小孔，或亦耳璫之屬。

此墓出土物以坟室較之尤為多。而器形多奇特有趣。第一問題一坟中有六具人骨，而又多為青壯年女性，則其理由殊难解索。或為一夫多妻叢葬，然何以年齡均在[illegible]壯、或為一家叢葬，然亦無若何強力證據。總之頗难理解明白也。

他一組由駒井教授与三宅宗悦引率向我們房村洋灰窯場附近視查，但謂彼處古坟亦不少，惟無大型者。於破壞間採得明器陶壺一，外有弦紋。壁窄圈正，頗可[illegible]喜。另有彩绘大陶壶残片甚多。其绘法係先塗一層绿地，上以纯黄朱色绘成古銅器上常見及汉鏡上有[illegible]花纹。绿色已褪成粉绿色。古雅奇麗，較中國河南漢墳往々出土之彩绘明器，美且過之矣，真逸品也。碎於徐夫鍬钁之下良可惜也。

10月、4日、土曜、晴

今日九时许，原田淑人博士由鲜朝回瀋陽，其令息正彦君在北京留学，亦同道来观。及同赴墓所，作種々观察。吾等继续昨日未完工作。

東大理学部人類学教室和島誠一君採取人骨及製圖。文学部写真室戶塚幸民君撮影。满日文化協会三枝朝四郎君助余指揮工人作發掘未了各處。

午间绵前國立圖書館奉天分館司書官孫壽光長及新馬晋（金九经）二君遠道来观。作種々讯问質疑等。

午后留和島·戶塚·三枝等作未完各事，原田師弟及吾等往至營城視查。城附某寺，石獅石欄石座等甚古，亦有二獅相連之碧石刻物与澗南座者同。

庭中石碑甚多，以後金天聰四年者為古。正廳上懸太宗御筆莫不尊親横額一。其附近多明代古磚，在明代此處或有建築物也。謂以汗瓦查古坟出土物等，確認並無所知，乃取道入城至小南门外道东西側破坟處，又分散視查一過，乃同原田師一車回遼瀋ホテル。駒井君等到市内以遊。

至飯後，三宅君作城西北隅外土城阯附近視查已归，因下水道工事，出土汗遼金元磚瓦甚多，原任深二来錄。約三五日中大家作附近綜合總視查一次，以便推測汗代遺蹟云。

余以明日仲秋節休息無事，乃同新島·弥吉二君归奉。並各贈粗瓷壺一，作生花之用，时代雖不甚古，亦頗雅观。二君喜纳之而归。

1943年和龙县西古城子调查日记

1943年4月16日　金曜　晴（出发）

午后四时许由奉天博物馆搭车赴新京，接搭京图车赴间岛市。

4月17日　土曜　晴（至间岛市）

午前10时10分至延吉，适三宅俊成先生偕马智千君亦到。同车长行，至目的地始知，亦颇趣也。径至“省署”，午后因土曜，虽联络尚未完了，亦只好暂入旅馆。三宅先生住兴亚塾，余同马君因无外食券，住于满人旅馆。

4月18日　日曜　晴（市内参观）

一日无事，观光市内。晚同马君、三宅氏旅寓小谈，明日联络各事。

4 月 19 日　月曜　晴（初至和龙之夜）

午前仍至“省署”联络。午后搭京图线车向朝阳川，再换朝三线车至龙井驿。复又转搭龙青线车，晚 8 时许至青道（和龙县“公署”所在地），因无马车，在驿头月下徘徊一时余，始得车载物步入市内，住于满人旅馆中。遇见中学校时代学生张君国铸，系由国立农大林科卒业，配置于间岛省下者。异地故人，其乐可知，同谋一醉，几于忘形矣。并讯知和龙县内所有之风土人情，及特殊之情调。

4 月 20 日　火曜　强风微雨（至目的地二道沟）

午前至和龙县“公署”，出头联络至调查现地工作诸事，并得文教科平泽麟吉氏伴往。午后 3 时余搭车由青道向八家子驿，复乘森林铁路小火车冒一时余强风雨而达西城村公所所在地之二道沟屯，住于鲜系（朝鲜疆）二道旅馆中。拜访“警察署长”、“村长”，适均不在。初宿食朝鲜族旅馆，颇亦适意，有电灯尚无黑暗之苦。

4 月 21 日　水曜　强风（西古城及河南古城址之视察）

朝膳后先至村公所，联络人夫用具往返车马事。继至和龙县二道沟“警署”拜访日系“署长”，因昨日未见也。后由村公所案内人导往“西古城子址”。址距村公所东方约八九里之西古城屯。内外二城约呈方形，内城中有遗迹土台七八处，正中前址为小学校舍，不明原状。后址础石尚多存在，唯城内外均为水田，破坏殊甚。名称当因东方尚有一辽金式城址，名“东古城子”，为相对而言之称也。马智千君于此弃公共汽车向龙井村，转朝阳川，而回新京。小学校内食自携午餐，稍息，南去三四里，渡海兰河至河南屯八家子警察派出所，访明河南古城址，及东南山上之建筑物址之所在。河南古城址与河北西古城子隔河南北略相对形式，虽不明白，而大小似相若。唯土壁颓败更甚，内城壁尚可明白，外壁则南方尚高，东西两壁形迹不清，北壁或在沿海兰河南岸，或为河水浸灭，一时殊难判明。内城中央存土台一处，础石整然，尚可考明屋式。砖瓦多属渤海时代物，亦间有绳纹印之砖瓦，其制较古，仍存高句丽式样，当是渤海初期物。若所见不误，则此城比较河北西古城者为古。以意测之，先建此城而后迁于河北者，其原因或以河水泛滥，盖今日北壁不明，以城式观之，或湮于河亦未可知也。去此直南二三里有连山起伏，盖为海兰河平原之南边，一小山峰，不甚奇秀，今名“龙德山”。其前（西南向）的平坡前延，两面环抱，如左右臂，中如胸腹外突。两腋有泉，西者尤盛。泉由石源汩汩然出，沿小涧成流，颇清甘。傍有朝鲜族僧人结一庵，名“药水”，盖缘泉立名也。其东平坡上断瓦残砖，满布地表。左臂上平处，亦有础石成列，建筑址颇雄大。瓦砖有渤海、辽两式，余复采得元代钧窑磁碟残片一大块，此处经过时代之长可知。绕泉西可登背面山峰上，有一建筑址较小，础石半埋土中。拾得完整瓦当一个，纯为渤海式。以地势及址式观之，必为西古城及河南古城附近一游观燕乐，或宗教圣地。泉水殿亭，再加草木茂盛，直不下于古之醉翁冷泉诸胜境也。午后3时归，4时半始至旅馆，路经水田，层曲迂回，往返将七八十里，及至寓，足僵神倦，不可言状矣。

4月22日　木曜　晴（古坟群及山城之探访）

本日出屯南门，作古坟群及山城之视察。南门外路西有孤立小山一，南面石姿峥嵘，不可登探，北面稍缓，几亦无路。全山作四阶，顶稍平如金字塔。依形观之，当是瞭望堡垒也。未往调查，或为先史遗迹，及有遗物之可能也。南行渡河，地势渐高，盖二道沟平原西部连山之尾部也。至北大屯之前，新八家子河北岸，为古坟群所在处。古坟破坏殊甚，十不存一，巨石满地，如入石海。东西约300米，南北亦100米余。此坟三年前曾经三宅宗悦博士发掘调查数基，概况可得而知。利用自然巨石积砌，室大体方形，向南有较短之羡门，室顶切角作盖，互积而高，亦有用巨板岩为盖，如巨石文化之“多尔门”式者。外面方坛，往往作阶段式之三层，最下层坛石外面、四角及四方，各立巨石以护之，其制颇同高句丽。遗物极少，仅陶器片及革带金具数事。以物形观之，有辽代物同点，盖渤海袭高句丽墓制而建筑者。若然则与西古城及河南古城，必有互相关系也。略视一周，过河至新八家子屯午膳。午后1时许觅山城，趋屯西向南横过龙青铁路，时路北亦有小古坟群一，破坏程度更甚。过路为上南沟部落之入口，山势奇拔，溪谷极长，沿小川迂回，清泉潺潺可听，唯乱石塞路，不良于足。行七八里讯行人，无知山城所在者。复前行直牧豕人二，告以山城即在此谷入口之东山上，当新八家子铁路之近南山者。土垒颓低，无人知晓，乡人相传呼山上为城里，故知必其处也。及取东方山路，随峰转路，便于望远，几越山谷，始至其处。山城向北倾斜，南依山峰，西北二面利用陡险山壁为垣，不加人工，仅东南平敞处，起内外土垒二道，北南直切。以故城为北南稍长，四边不整之长方形。并无关门之设施，亦无大险可守，唯面对二道沟平原，“西古城”“河南古城”“古坟群”及二道沟屯南门外上述之“阶段小山”等，一望皆如掌上。似非高句丽时代之山城，或是渤海时代与古城有关一“瞭望山寨”欤。土人云城中有古瓦，余同三宅先生到处寻觅，迄无所得，于稍前方，发见水池二址，东西相连，然甚小浅，又可见非为守险之设施，不过一时济用而已。及取道东北角下山，山莽屯红花（达子香）盛开，剪一握乘森林机车回二道沟，时已下午5时许矣。晚7时许，间岛“省署”松冈秀芳氏来，云明日鸟山喜一博士可到，调查工作即可正式开始，特来准备者。

4月23日　金曜　晴（二道沟山堡、邱山屯石器、古坟群之发见）

早饭后同三宅先生欲乘向龙井自动车至西古城，再步行转向河南“警署”派出所，联系自备人夫做发掘工作。盖省县皆以团长鸟山氏未到，故延时日，吾人不甘空耗财力与时日故也。但车至定时未来，云不来矣，时已过午，此计乃止。午饭后与山宅先生分道往附近调查。余一人携用具野簿等，踽踽出西门向南，至南门外小山上。山西南二面为天然石壁，东及北为人工砌石垣绕之（前面谓三面者误）。北部及东南，似有门址，惜已破坏，殊不明白。下层壁内，南北两端，各有壁穴式建筑物遗址二，上壁北端一，均中部低下三尺许，外有回壁基石。中无一瓦片，或为架木葺草为兵士守望之所者。山为椭圆形，南稍宽大，与吉林市东西团山子略等。遗物极少，仅得历史时代瓦陶片三枚（三宅先生后往，亦得先史陶片三枚）。二道沟西方约里许，有部落名邱山屯。屯东有奇岩一，石多崩落，屯依山面河，东望二道沟屯，烟村堤树，复加艳服长裙之挑菜朝鲜族妇女，直如图画矣。过森林铁道，至北面山麓，发见石筑古坟群一处，约十七八基，虽多破坏，而保存原状者亦不少。天盖石最大者，约 2.8 米。在其北得损刃部石斧一个，痕迹明白，确为石器，做附近略图一幅而归。本日所得虽少，亦不负一日休闲矣。

4 月 24 日　土曜　晴和（龙德山遗址之发掘）

午前 7 时余，向河南屯调查龙德山古址。至警所访警官神本君，因昨日“警署”电话，已备人夫 5 名，盖此非西古城子调查之一部，乃三宅先生以文教部保存协会调查人资格行之者。

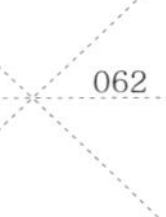

适值朝鲜族青年结婚者，以四轮布棚马车一乘，轼前左右树纸扎花枝各一，鼓乐大作，将迎娶焉。率人夫至现场，先摄影数枚，以纪原状，继即开锹。吾人略测土台纵横原状，以备制图。午后继续工作，以人夫较少，虽拼死劳作，仅明中央一部，四周必待明日矣。此址假定为“龙德山第一古址”，其纵横约为 11 米，中央为石灰参土之地面，光滑平实。两侧及后方之左右，有卧砖壁基两层，四角及东西面中央，后门两枢处，各有础石基址。附近出土石灰壁面残片颇多，外面平滑，反面遗痕似涂于树枝编篱上，盖如今日朝鲜族之屋壁做法者，以故残砖甚少也。瓦有二种，筒瓦坚致，当部为宽缘，兽面式，花纹清朗不苟。板瓦颇大，当部为半环式，当中部横划并行线数道，线上相等距离处押以圆形花纹，如古泉状，而成一花纹带，带上斜押方牙纹，下斜押螺旋状纹。观二种瓦者，似属辽式。

后得龙头、凤鸟残片等，亦相符合，唯零星小物，亦有似渤海者。意者为辽及渤海二文化层断遗者乎。念之殊有趣味，盖东满方面出土辽式系统遗物为首次也。且凤鸟曾于旅顺高尔山东塔址及朝阳县狼山三学寺址出土之例，皆辽物，以彼例此，年代多不大误也（金上京址白城出土者，形式微异矣）。

4 月 25 日　日曜　时零雨（龙德山新型瓦当出土）

早 8 时冒小雨经河南村往现地，仅得人夫 4 名，且皆工商不惯劳动者，故工作进度极迟。第一古址后方左右积土略尽，础亦皆清楚明白出土。出土物有较为完全者，且有一莲纹瓦当为新型，亦属纯辽式，其花纹尝见于五彩瓷器及铜镜中，殊饶趣味也。午后 4 时许雨渐大。县联络员平泽君来云，省电至，鸟山先生晚至和龙，约吾等到同往。然吾等在工作进行中，不得往迎，三宅先生奉一名片呈面已。归途泥泞难行，又间日中助人夫劳作，十余里短途，息而后达，倦殆已甚矣。

4 月 26 日　月曜　晴（粉定、磁州画花瓷片之出土）

早饭后三宅先生因事暂留旅馆，余先往现地。第一古址四方工作大致完了，唯恐中央部尚未清整。午间人夫归食，忽由河南屯警所转电话，招余回旅馆，午后休工。出土以粉定、磁州花纹瓷器列片为优秀，余为以往所见者。即奔回旅馆，亦无他事，盖“省署”竹下氏同鸟山先生至故也。

4 月 27 日　火曜　午后强风零雨（西古城外门之开锹）

同团员及“省署”双方人员做遗址全部之视察。先至西古城子小学校，招集人夫，至者 20 余人，因未携午食，暂在城外南门址西侧凿断面，惜时过短，尚未成功。计壁高 2 米强，用晒坯积砌，壁内有北南积石，类壁足石者一道，不甚齐整，或已失原形者乎。

午后往河南古城址附近调查，城东方里余处有二建物古址，南山北麓一处，均甚小，又多残损不堪，依瓦观之，尚是渤海物也。继至龙德山，人夫亦至，分为二组，第一古址三宅氏指挥，第二古址余率之。第二古址仅存础石前列，后列运走。础石列附近古瓦层厚约 40 厘米，出土瓦当一种，为高句丽式及渤海式之间者，或为渤海所遗，盖取法高句丽者。筒瓦三种，前大后小者，表面有绳纹，为古式。尾部平直，及尾部有沟者，为较新者。板瓦有三种，一、灰色绳纹，前头用刀斜切。二、灰色前有指印纹，上面有横摩蛇腹细纹。三、前边突起，表面有小沟顺列，颇类有纹陶瓮之口部者为新式。

第一古址由中央部做下层试掘，深 1 米许，出土赤瓦片及佛座莲片、佛像背光残片各一。背光边有金箔，殊足注意，此处工作暂告结束。

4 月 28 日　水曜　晴（第三古址开始发掘）

至西城子将 30 名人夫分为二组做工，余在南门址，鸟山、三宅二先生在最后第三殿址。门址西北部，发见不整齐石垒，已如前记。西南方作同位同向深亦相等之试掘沟，仅于西南部，发见较大自然石块二枚。又直东向做前边试掘沟，长约 20 米，均为大小不等之敷石。

三宅、鸟山先生在最后宫殿址工作，地域较大，周为水田，置土颇费计较，大体顺利进行。

省文教“科长”、县同“股长”及现址“警署”“村长”等均至现场视察一周，鸟山先生略为说明工作计划等。约二三日欲利用学生“勤劳奉仕”，以辅人夫劳力之不足。

晚由县方设招待宴于警署别室。

4 月 29 日　木曜　晴（满堆乱石之南门）

余一人先至现场，8 时半人夫尚未集齐，9 时许正式开始工作。做门址全部发掘。

前面由东南方，北面由西北方，向中央部猛进，希发见前后双方相互关系，以导工作于便利。然门址满布大小不等石块，前后稍低，中部渐高，或为当时周固土阶之石垒，亦有三五大石成聚，又有为柱础之可能，中央发见方长断面铁钉一枚，与龙德山第一古址出土者同，当是城门木架等处所用者。又东西两端均有灰壁之残片出土，而中央独无，前边中央部出土瓦当片一，为一往所见者。午后鸟山、三宅等同来。三宅先生引测量班往龙德山及河南屯古城址等处视察。鸟山先生与余分头督视人夫工作。

本日为天长节，午后作遥拜式，晚约5时半休工，在表庆祝之意。余以连续两周之辛苦，复加近三日以来每晚来客，再整理日记、出土品等，甚感睡眠不足，工作如恒，胃疾渐发，又患下痢，晚归途中，步行三休，始至旅馆。

4月30日　金曜　晴（病休一日）

恐下痢恶化，三宅、竹下、松冈诸氏强令休养一日，意不可拂，乃在旅馆静休。午后腹疾觉佳，散步村中草地上，并作南方堡塞址远望素描图一幅。给建大山本守麓、大新马晋二教授及吉林师道孙小野、博物馆上原之节信各一封。

5月1日　土曜　晴（学生考古发掘“奉仕”之创举）

因往返无自转车，开始仍在9时。竹下、松冈二氏回省，县平泽君回县未归，诸联络皆未妥善。每日往返步行耗时费力，有碍于调查工作，即其一端也。今日仍分工组于门址殿址工作。30名人夫外加二道沟及西古城两国民小学校学生百余名，工作较速。殿址出土板筒瓦瓦当颇多。门址则满布石块，东北亦与相对有石垒，二垒间即门址正中部，黑灰土一道，南北直穿门址而过，厚约三四十厘米不等，羡出入道路也。

5月2日　日曜　晴（第二古址大础石列之出土）

人夫28名，仍在门址照旧工作，亦无若可新发见。本屯“国民校”学生在最后殿址工作，由三宅氏指挥，鸟山师督视。发见平钜柱础石六枚，西半当亦有此数，后部尚未发掘，以基址度之，或为七间以上，其广大亦甚可观也。晚归步行山路，力尽神倦，两息至寓。县平泽氏归来，继续联络一切，以谋顺利进行。庸定马车一辆，早晚往复免跋涉之劳，以全力发掘，而希调查事无遗憾。

5月3日　月曜　雨（斜风细雨停止作业）

早8时许至西古城现场，人夫已齐，即时开工。二道沟及西古城“国民校”生奉仕队亦继到，工作甚速。惜时雨已至，作辍二次，至午前11时半，雨小而不止，不得已命二校生归校，恐春雨天寒，难免感冒也。吾等于午后3时余，亦鉴于天无晴望，乃同乘马车回寓，晚雨不晴，檐流淅沥，别有一番滋味也。

5月4日　火曜　阴（陶器二种之出土）

仍续掘南门址，大致原状尚不甚明白。由前门中西部出土陶片二枚，一灰色有斜波状复线花纹，为高句丽时期所常见者。一红色里面微黑，质亦较粗杂。

三宅、鸟山二先生仍在最后宫殿址工作，露出仅四分之一耳。然础石成列，间距4米，其大可知。出土物大类东京城者，绿釉系甚华丽美。今日除青年团、人夫外，又加西古城、河南屯、二道沟三“国民校”学生协助，故工作颇敏速。晚二道沟“国民校”校长来访，11时许就寝。

5月5日　水曜　时微雨（南门壁上石灰面之初见）

仍掘南门址，人夫24名，学生80余名。唯云雨时至，作休不定，且门址全部皆敷自然大小不定石块，仅内部北面左右两端，有较高杂乱石垒各一，中为黑色积土。

午后忽于西侧发见石壁基址，面涂均三四种之石灰壁面，高尚存40余厘米。西连城壁，壁为晒坯所砌，层位整然清晰，下厚上薄。壁前面亦涂石灰，下为黑灰色石灰层，此灰层原料尚不明了，然今日满人仍用此法，盖土石灰不合，每易脱落，以此黑灰介于土石灰间，可加强其着力者。其基或有发见可能，明日当试掘之，此不过今日所明了者。三宅氏已加写真，后有如何形态，尚不可知。

5月6日　木曜　晴（第二古址木柱花纹砖之出土）

仍作南门内址，人夫20余名，西古城子“国民学校”学生约80名，虽为四年女生，以面盆加顶运搬积土，非常整齐规律，且皆欢喜诚心工作，故进行颇速。先生平海君，亦指导有方，学生皆无劳苦倦容，使人感激不止，较满系女学生不可同日而语矣。南门西方石垒土壁皆已明白，惟东方相对处尚欠明晰，明日或有奇得，亦未可知也。于中央遗址（黑土层）中部，稍东方深约50厘米处，得钉1，马蹄铁钉1，形式与今日者同，亦颇有趣之发见也。中央殿址称东方土台，假称第四宫殿址，亦发掘，露出础石列，尚未全了。第二殿址出土圆柱败木，径约30厘米，为今次有趣获得。又同处出土红色陶土长方砖一块，花纹为卷草，或极类唐及新罗时代物，为新之发见，盖东京城之卷草纹由此加繁演变而出者。

5月7日　金曜　强风微雨（门址西面全部明了）

南门址人夫20名，二道沟小学生70余名，由大风工作不便，进率较昨日为缓。然门左右石垒及城壁大体全貌可明。初发见内面石垒，盖系颓落之乱石，非原有筑造也。前所推测盖误矣。中央道路前方深60厘米处，出土残砖1块，色黄灰，上面有细绳纹，反面有类似门枢形之凹洼。中央北部出屈尾铁钉2枚，均存有木锈纹，依钉屈展长度可测，知木材之厚度，又可推知此门确有木类构架，如梁柱门扉栅板之属，亦有益物也。

5月8日　土曜　阴晚微雨（第二古址后方双小室之发见）

南门址人夫17名发掘，西古城校男女四年及优级生30名除土。东面城壁断面前后石基，石多不存，然因石灰落地，可测其基址大小，出人意外者。门东石壁较西侧者为宽。北面者尚未掘出，是否相同，明日可知矣。第二古址基石础石均已露出，唯四周及前后阶石通路回廊等如何，仍需时日。第二殿址后方左右，有突出方形屋基，与半拉城第二及东京城第五殿址形式略同，尺寸不一耳。西方者即花纹砖及柱败发见处也。午后间岛“省公署”松冈氏复来。晚微雨，夜初稍急。风雨阵阵，檐滴淅沥，旅中颇觉凄凉冷。

5 月 9 日　日曜　午后时雨（第五古址之发掘）

南门址人夫 20 名，二道沟学校学生约 80 名，午前即将残土除尽。西面石壁南边掘出石灰壁面，下现出一阶段，宽度亦较前加大，明日原形当大白。三周苦辛，形状全不明了，一旦原状发见，愉快可知矣。后方第二宫殿址东西两土坛（称四、五古址）均有瓦当等出土。东方第四殿址出土重莲纹瓦当，花纹较奇，颇类新罗，前于半拉城已经发见者。工作后稍整理出土品，冒雨而归。

龙井“国民学校”校长袁君（朝鲜族人）来，盖鸟山先生授业生也。昨年珲春半拉城调查时，曾晤面者。

5 月 10 日　月曜　阴（和龙“县长”之来观）

南门址今日出土完了，西面原状已明。石垒下围有一阶段，形殊美观，亦新发见也。石灰面共有四层，盖年久涂积者。在外者多曲折卧地表，仅最始者尚存原状。唯湿气太重，清理不易，偶一不慎，易失原形，或脱落。近中央处已多不存在，推定其宽度，已觉困难，勉而为之，尚可谓不恶，为此次工作之精要处，亦愉快处也。和龙“县长”车化善氏偕文教科长及警署人员来观，由鸟山先生说明。第三殿址大致亦可，唯第二殿址尚有应详加调查处。鸟山师晚过旅馆，议明日发掘第二殿址之计划及要点。余明日仍须整理南门，约后明两日可往该处工作。夜宴至 12 时，神倦力尽，几至失仪矣。“村长”“校长”“署长”来访，谈至午夜后始去。

5 月 11 日　火曜　微阴（南门址全部大明）

南门址大体全明，形式整美，石灰壁面全存，下有方整阶段，东面石基形式大小与西面者同，且前后各有巨础，北础上有败木残朱，盖柱迹也。石灰壁面亦四层，盖修涂四次者，唯第一室（即最初层）保存最好，不失初形，然掘出甚难，非详加观察，细心工作，不为功也。此次发见较新者，唐代——最低渤海之城门，多一实例，亦颇有意义也。鸟山、三宅二先生亦颇喜，赐不敏以“城门专家”之绰号。盖去年半拉城内城门之发掘，为余所担当。今年又有此发掘，且多出于意外，初皆乱石败木，不特不明形式，且又不易施掘，依地屋下之新事象，步步导入，渐得端绪，得此成绩，可谓意外，劳心劳力，且无论已。然实得鸟山师、三宅先生之启，尔得行之者也。鸟山师约南门址完工，率人夫往河南屯古城发掘，独当一面，事非易易，恐惧颇无自信，当勉为之，以副雅命耳。

5 月 12 日　水曜　阴晚雨（间岛省“次长”来观）

南门址人夫 4 名，平面工作已完，为彻底明了其构造，于门两侧前后方础石之间，作宽 1 米深 50 厘米之南北沟二道。西面前后础石不存，深约 20 厘米，发见沿门址两侧出基石约 50 厘米，满铺河床卵石，于二础正中部，发见含有黑色败木之凹洼，四周有较大连络之围石，盖础石址也。又于西面中础址之南及东面、北础石上面，以见朱残迹及败木残片等。东中础址出土铁钉 1 枚，在明示东面每面础共六柱，上有相当柱架，皆可推测知之矣。

午后 3 时 30 分钟间岛省“次长”外 3 名来观，三宅氏案内说明，后同车回二道沟，谈调查诸事约 30 分钟回省。吾等亦归寓，已 7 时许矣。夜雨。

5 月 13 日　木曜　阴雨（南门上部复原之议论）

梦中闻檐流淅沥声，颇觉焦急，盖工作三五日即可完成，若天不佑人，连雨数日，岂不误事。饭后仍准备出发，拟冒雨工作，鸟山师亦老当益壮，先来相待出发。但春雨霏霏，风寒刻骨，既利用小学生“奉仕”作业，不便使甚感觉苦楚。况古址周围皆水田，又兼发掘新土，雨后运搬掘挖皆不便，乃临时动议本日休工。

虽因雨停止野外作业，实未静息，乃借机整理记录及略图等（南门址）。写一幅图给三宅氏作参考资料。

午后2时40分，鸟山师来馆，讨论工作进行诸要点，又论及南门址。南门六柱因有础石腐木朱土等证明，确实不误，唯无片瓦残存，其上部复原之推测较难。然出土铁钉10余，可知上有木质构架，究作何状，殊少证明，不敢臆断。然以去年余所担当珲春半拉城内城南门址观之，渤海必有不用瓦覆之建筑法也。盖半拉城出土之门址，宽约24米，柱础横6纵4列，计24柱础，东西端列中础，且有木柱之迹度为5间3门之巨物。然亦无片瓦残存，因此情况亦为渤海建筑研究一新题目也。晚仍阴云四合，微雨斜风不止。

5月14日　金曜　阴晚雨（古址全部大发掘）

现场泥泞殊甚，人夫14名做第三宫殿址前后阶及东侧整理工作。40名小学生洁净河原卵形敷石上之积土，岛山师率之。余及三宅先生指挥200名小学生分六组掘除二、四、五、六、七五古址及三宫殿址东侧深沟之试掘，均有相当发见。唯其原状尚不可晓。总之形式新奇，较东京城、半拉城二古址，又多不同处。二殿址出土炉址三。四殿址土深均在1米以上，七殿址础石上出土已败木柱，形颇明了，亦一新发见也。然余及三宅氏二人指挥6组无知儿童工作，巡回监视告说，殊少观察机会，成绩即不佳，且忙如奔命矣。

和龙县平泽君因事回署，约定明日可归。二道沟校长夜半来谈，并讯明日出动学生事。本日朝向本馆拍电，告迟归二三日。

5 月 15 日　土曜　阴风寒（大鸱尾之出土）

岛山博士指挥人夫 20 余名，学生 40 余名仍清理第三殿址。第二殿址及第四、五、六、七殿址，三宅先生及余共统之。约有学生 280 余名，共分七组工作，二人巡回督视指挥。因土层多在米余，少亦 80 厘米，宽则 70 米以上，真忙如奔命矣。各处同时进行，皆未完了。故大形虽明，细部尚有待掘处甚多。第二殿址东至第四殿址间，有连络建物，东端出土大形绿釉鸱尾一个，形与东京城出土者不同。均为残片，出于一处，必可复原，余物式多同前。平泽君由和龙县署回旅馆。

5 月 16 日　日曜　阴晚雨寒风（第四古址遭之难关）

鸟山博士率人夫 10 名，学生 60 名，仍清理第二殿址敷石四边及石上积土。四边大致已完，石积土仍存三之二以来。三宅及余率男学生 700 余名分八组工作，男生掘除积土，以洗面盆、木盆、铁桶等运搬。各处作试掘沟，积土多在 60 厘米至 1 米之间。学生年幼力弱，进率较迟。第二殿址东方与第四殿址中间，亦一建筑物，形亦不小，且于其西南角发见前面石阶已露出约米余，以土层、颜色、地势高低度之，有前面全部保存之可能。若然，可谓有益之发现也。石形长方，凿砻整美，内边稍低，外边高处宽约 20 厘米，亦有未凿低处者。明日继掘可穷究竟矣。第四殿址初掘出红色较薄之石片，其多亦有成列如础石者，且全地面为红色土层，皆以为无误。然以尺度之，距离不等，石片过薄，多有疑问。三宅先生穷精竭力，今日又于较深土层中以见真正础石列及敷石，且红土下又有黑土层，再下为河床敷石，尺度均等，距离相若，石多方正，多方考查，可为不误，不过全形尚全明。可见田野考古工作之难，有如此者。晚归值雨，夜又雨，颇虑现场有泥泞或入水之患，不然亦将不能照常工作，期限已过，岂不愈使人急躁也。夜雨无聊，寄上原馆长信一纸。

5 月 17 日　月曜　雨（阶石保存原在位置之古址）

冒雨往现场，学生因雨仅河屯校百余名，二道沟校未至。人夫 6 名，因时限已了，注全力于第四、二殿址，其余明了者固不待讨论，即已掘三分之一者，则皆覆土以待来年再调查。第四殿址非常难于解决，地层最上为黑色，混有瓦片之腐土。下为红色土层，深约 15~20 厘米。表面相当距离有红色薄约 5~10 厘米之石板，多破损呈凹洼形。红土下为约 5 厘米以内之黑土，绝无瓦片等物。下为巨础，石傍为河床石敷石。同红石与巨础位置层次不相合，乃以河床石敷石为准据，探基址之四角量其尺度，最下六础石不误，红石或为第二次建筑者。然尚有疑点，必得掘出全部，始得解说耳。若如今而止，恐无确论。二殿东方古址，前面阶石全存，仍保持原状，中央向南突出一石，盖为中央门前阶段石也。午后雨来，令学生回校。人夫作第四殿址掘沟，土泥泞甚，又加雨大，亦即停工。至 5 时许冒雨回旅馆。衣服皆湿，可谓淋漓尽致。且风寒如春，几不能耐矣。

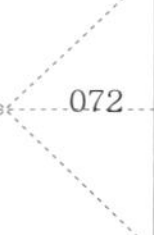

5 月 18 日　火曜　阴雨（遗物之清整）

午前因雨停工。午后至古城分区净洗出土品，以备装运。

5 月 19 日　水曜　晴（第六古址之情状）

学生 300 余名，青年团员 20 名，开拓团员 30 余名工作。注全力于第四、二殿址。第二宫殿址位于第一殿址（校舍所在之古址）后方，广在全古址中为第二位。曾经数度调查，故此次就其不明了处，再作较详之调查。其后方左右二小方室，大体全明确，唯四边及河床敷石如何形状，前面及左右连络处尚欠明白，只可以待将来耳。

三殿址亦加清理，大体完了。第四、六两宫殿址间，有石墙基一道，界于二址之中间，其南端恰好如第四殿址之前阶，阶下出土瓦当及相接之瓦列四五列，盖檐瓦一时堕落者，殊足注意也。晚宴由县主办，余定明日出发故也。

5 月 20 日　木曜　晴（告别流连月余之西古城）

午前仍到现场工作，并携带行李，预定由西古城赴八家子驿乘午后 4 时余火车回馆。午后 30 分，间岛“省署”、民生“厅长”外 2 名来观，拟午后回龙井驿，余亦乘便车回任。三宅、岛山先生仍须三四日之整理，始克完结。余虽照预定迟归，实则为全团中早归者，颇感自愧也。车中默向西古城告别，经东古城子，16 时许至龙井。

5 月 21 日　金曜　晴

10 时至新京本馆，报告调查经过，午后 4 时余至奉寓。此行告终矣。

编者附记：此日记原件于“文化大革命”期间赠予冯永谦留存。现已归还哲嗣李仲元。

滿洲帝國政府

校閱

一九四三年四月十六日－五月二十一日

間島省和龍縣西古城子調查日記

印—04　B列5　(12×22)

間島省和龍縣西古城子調查日記　　李文信

一九四二年四月十六日　金曜　晴　（出発）（由奉天博物館）

午后四時許搭車赴新京，換搭京图車赴間島市。

四月十七日　土曜　晴　（至間島市）

午前十時一〇分至延吉，遇三宅先生（後成）偕馬智千君亦到。同車長行，至目的地始知，亦頗趣也。遂至省署，午后因土曜，雖聯絡尚未完了，亦只好暫入旅館。

三宅先生住興亜塾，余同馬君因無外食券，住於満人旅館。

四月十八日　日曜　晴　（市内观光）

一日無事，观光市内。晚同馬君至三宅氏旅店小談，明日聯絡各事。

四月十九日　月曜　晴　（初至和龍之一夜）

午前仍至省署聯絡，午后二时搭京图線車向朝陽川，再換朝三線車至龍井驛。復又轉搭龍青線車，晚八時許至青道（和龍縣公署所在地），因無馬車在驛頭，月下徘徊一時餘始得車載物步入市内、住於滿人旅館中。遇中學校時代學生張君國鑄、系由國立農大林科卒業、配置於間島省下者。異地故人其樂可知、同謀一醉、幾於忘形矣。並訊知和龍縣内所有之風土人情及特殊之情調。

四月二〇日 火曜 強風微雨 （至目的地二道溝）

午前至和龍縣公署、出頭聯絡至調查現地工作諸事、並得文教科平澤一麟吉氏伴往。午后三時餘搭車由青道向八家子駒、復乘森林鉄路小車、冒一時餘強風雨而達西城村公所々在地之二道溝屯、住於鮮系二道旅館中。拜訪警察署長、村長、適均不在。初宿食鮮式旅館、頗亦適意、有電灯尚無黑暗之苦。

四月二一日 水曜 強風 （西古城及河南古城址之視查）

朝膳後先至村公所、聯絡人夫用具、往返車馬事。繼至和龍縣二道溝警署拜訪四系署長、因昨日未見也。後由村公所案内人導往「西古城子址」。址距村公所东方約八九里之西古城屯。内外二城均呈方形，内城中有遺蹟土台七八處，正中高址上為小學校舍，不明原狀。後址礎石尚多存在，惟城内外均為水田，破壞殊甚。名稱者因东方尚有一遼金式城址，名「东古城子」，為相对之称也。馬智千居於此，乘公共汽車向龍井村，轉朝陽川，而回新京。小學校内食自携之午餐，稍息。南去三四里，渡海蘭河，至河南屯八家子警察派出所，訪明河南古城址及东南山上之建築物址之所在。河南古城址与河北西古城子隔河南北略相對，形式雖不明，向而大小似相若。惟土壁頹敗更甚，内城壁尚可明白，外壁則南方尚高，东西兩壁形跡不清，北壁或在沿海蘭河南岸，或為河水浸滅，一時殊难判明。内城中央存土台一處，礎石整然，尚可考明屋式。磚瓦多屬渤海時代物，亦间有繩紋印之磚瓦，其制較古，仍存高句麗式樣，當是渤海初期物。若所見不謬，則此城必較河北西古城為古，以意測之，先建此城後遷於河北者，其原因或以河水氾濫，蓋今日北壁不明，以城式观之，或湮於河亦未可知也。　去此直南二三里有連山起伏，蓋為海蘭河平原之南边。一小山峯不甚奇秀，今名「龍德山」。其前（西南向）有平坡，前近两面環抱如左右臂，中如胸腹外突。两腋有泉，西者尤盛。泉由石隙涓涓然出，沿小涧成流，頗清甘。傍有鮮僧結一庵，名「藥水」，蓋緣泉立名也。其东平坡上断瓦殘瓶，满布地表。左臂上平處處有礎石，成列，建築址頗雄大。瓦瓶有渤海遼兩式，余復採得元代錢、窯磁碟殘片一大塊，此處經過時代之長可知。繞泉西可登背面山峯上，有一建物址較小，礎石半埋土中。拾得完整瓦當一個，純為渤海式。以地勢及址式觀之，必為西古城及河南古城附近一遊觀燕樂，或宗教聖地。泉水居亭再加草木繁茂，直不下於古之醉翁、冷泉諸勝境也。午后三時归，四時半始至旅館。路經水田，屈曲迂迴，往返將七八十里，及至寓，足僵神倦，不可言狀矣。

四月二二日　木曜　晴　（古墳群及山城之探訪）

本日出屯南门，作古坟群及山城之視查。南门外路西有孤立小山一，南面

石姿峥嵘，不可登探，北面稍緩，幾亦無路。全山作四階，頂稍平，如金字塔。依
形观之，当是瞭望(壘)堡也。未往調查，或為先史遺蹟，及有遺物之可能也。南
行渡河，地勢漸高，蓋二道海平原西面連山之尾部也。至此大屯之前，新八家子
河北岸，為古坟群所在處(古墳)。破坏殊甚，十不存一，巨石滿地，如入石海。东西約三
〇〇米，南北亦一〇〇米餘。此坟三年前曾經三宅宗悦博士發掘調查數基，概
況可得而知。例用自然巨石積砌，玄室大体方形，向南有較短之羨门，室頂
切角作蓋，互積而高，亦有用巨板岩為蓋，如巨石文化遺物之多尔门式者。
外面方壇，往々作階段式之三層，最下層(土)壇石外面，四角及四方，各立巨石以護
之。其制頗同高句麗。遺物極少，僅陶器片及革帶金具數事。以形(物)式觀之，
有遼代物同點，蓋渤海襲高句麗墓制而建築者。若然，則与西古城及
河南古城必有互相關係也。略視一周，過河至新八家子屯午膳。午后一時許
覓山城。趋屯西向南，横过龍青鉄路時，路此亦有小古坟群，破坏程度

更甚。過路為上南溝部落之入口，山勢奇拔，谿谷極長，沿小川迂曲清泉潺潺可听，惟乱石塞路，不良於足。行七八里，訊行人無知山城所在者。復前行直牧家人之言，以山城即在此谷入口之东上，当新八家鉄路之近南山菑。土壘頹低，無人知曉，鄉人相傳呼山上為城徑，故知必其處也。及取东方山路，隨峯轉路，便於望遠，跋越山谷，始至其處。山城向北，南依山峯，西北二面利用傾斜陡險山壁為垣，不加人工，僅东面平敞處，起內外土壘二道，北南直切，以故城為北南稍長，四邊不整之長方形。並無関門之設施，亦無大險可守，惟面对二道溝平原，「西古城」「河南古城」古坟庫及二道溝屯南門外上述之「階段小山等」，一望皆在掌上。似非高句麗時代之山城，或是渤海时代与古城有関之「瞭望山寨」歟。土人云城中有古瓦，余同三宅先生到處尋覓，迄無所得。於稍前方，发見水池二址，东西相連，然甚小淺，又可見非為宗險之設施，不过一时濟用而已。及取道东北角下山，山茶紅花盛開子番）繼盛開，第一握乘森林机車回二道溝，時已下午五時許矣。
晚七時許，同島苗罟松園秀芳氏來，云明日鳥山喜一博士可到，調
查工作，即可正式開始，將來準備焉。

四月二三日　金曜　晴

（二道溝山堡，邱山屯石罍古墳群之發見）

早飯后同三宅先生欲乘（向龍井）自働車至西古城，再步行轉向河南警官
派出所，聯絡向備人夫作發掘工作。蓋省縣皆以園長鳥山氏未到，故延
時日，吾人不甘空耗財力与時日故也。但車（至）定時未（來），云不来矣，時已
过午，告許乃止。午飯后与三宅先生分道往附近調查。余一人携用具
野篩等，（距）踏々出西門向南，至南門外小山上。山西、南二面（為天然）石壁，東及北
為人工砌石〇〇垣繞之。（所謂三面靠崖）北部及東南，似有門（址），惜已破坏，
跡不明白。下層壁內，南北兩端，各有竪穴式建築物遺址二。上壁北端
一、均中部低下三尺許。外有四壁基石，中無瓦片，或為柴木草葦為其

土守望之所者。山為楕圓，南稍寬大，与吉林市東西團山子略等。遺物極少，僅得壁史時代瓦陶片三枚。三宅先生後往，亦得先史陶片三枚。二道溝西方約里許，有部落名邱山屯。屯東有寺窟一，石多崩落，屯依山面河，东望二道溝屯，烟村堤樹，復加艷服長裙之挑菜鮮婦，直如圖画美。過森林鐵道，至北面山麓，發見石築古墳群一處，約十七八基，雖多破壞，而保存原狀者亦不少。天蓋石最大者，約二米八。餘在其北得缺損及部石斧一個，磨痕明白，確為石器。作附近略圖一幅而归。本日所得雖少，亦不負一日休閒矣。

四月二四日　土曜　晴和　（龍德山遺址之發掘）

午前七時餘，向河南屯調查龍德山古址。至警所訪警官神本君，因昨有警署電話，已備人夫五名，蓋此非西古城子調查工作之一部，乃三宅先生以文教部保存協會調查人資格行之者。適值鮮人結婚者，以四輪布棚馬車一乘，載前左右樹紙扎花枝各一，鼓樂大作，將迎娶焉。　率人夫至現坊，先攝影數枚，以紀原狀。繼即用鍬。吾人略測土台縱橫原狀，以備製圖。午后繼續工作，以人矣較少，雖拚死勞作，僅明中央一部，四週必待明日矣。此址假定為「龍德山第一古址」，其縱橫約為一米強，中央為石灰參土之地面，光滑平實。兩側及後方之左右，有臥甎壁基兩層，四角及東西面中央，后門兩柜處，各有礎石基址。附近出土石灰壁面殘片頗多，外面平滑，反面遺痕似塗於樹枝編籬上，蓋如今日鮮民之屋壁作法者。以故殘甎甚少也。瓦有二種，筒瓦堅緻，端部為寬緣獸面式，花紋清朗不苟。板瓦頭大，端部為半環式，端中部橫列並行線數道，線上相等距離處押以圓形花紋，如古泉狀，而成一花紋帶，帶上斜押方牙紋，下斜押螺旋狀文。觀二種瓦當，似屬遼式。後得龍頭及鳳鳥殘片等，亦相符合。惟零星小物，亦有似渤海者。意者為遼及渤海二文化層所遺者乎。總之殊有趣味，蓋東滿方面出土遼系統式遺物為首次也。且鳳鳥曾於撫順高爾山塔址、及朝陽縣狼山三學寺址出土二例，皆遼物，以彼例此，年代當不大懸也。（金上京址白城出土者，形式微異矣）

四月二五日 日曜 時零雨 （龍德山新型瓦璫出土）

早八時冒小雨經河南村往現地、僅得人夫四名、且皆工商不慣勞働者、故工作進度極遲。第一古地後方左右積土略盡、礎亦皆清楚明白出土。出土物有較為完全者、且有一蓮紋瓦璫為新型、亦屬純遼式、其花紋嘗見於三彩瓷器及銅鏡中、殊饒趣味也。午后約四時許雨漸大、縣聯絡員平澤君來云、有電至、烏山先生晚至和龍、約吾等同往、然吾等正在工作進行中、不得往迎、三宅先生率一名先發已歸途、泥濘難行、又兼田中助人夫勞作、十餘里短途、息而後達、倦殆已甚矣。

四月二六日 月曜 晴 （粉定、磁州畫花瓷片之出土）

早飯後三宅先生因事暫留旅館、余先往現地。第一古地四方工作大致完了、惟中央部尚未清整。午間人夫歸食、忽由河南屯營部轉電信、余擬回旅館、午后休工。出土物以粉定磁州花紋瓷器殘片為優秀、餘為已往所見者。即奔回旅館、亦無他事、蓋省署竹下氏同島山先生同至故也。

四月二七日 火曜 午后六時 強風零雨（西古城外南門之開鍬）

同團員及省署双方人員、作遺址全部視查。先至西古城子小學校、招集人夫、至者二十餘人、同來携午食、暫在城外南门址西側鑿斷面、惜時過短、尚未成功。計壁高二米強、用晒坯積砌、壁內有北南積石、類壁足石者一道、不甚齐整、或已失原形者乎。 午后往河南古城址附近視查、城東方里餘處有二建物古址、南山北麓一處、均甚小、又多殘損不堪、依瓦觀之、尚是渤海物也。 継至龍德山、人夫亦至、分為二組、第一古址三宅氏指揮、第二古址余率之。第二古址僅存礎石前列、後列運走。礎石列附近古瓦層厚約四。餘種、出土瓦為一種、為高句麗式及渤海式之間（備）或為渤海仿遺、蓋取法於高麗者。筒瓦三種、前大後小者、表面每有繩紋、為古式。尾部平直、及尾部有簷者、為較新者。板瓦有三種、一青灰色繩紋、前頭用刀斜切。二、灰色前有指印紋、上面有横摩蛇腹細紋。

三前辺突起、表面有小溝順列、頗類有紋陶甕之口部者爲新式。 第一古址由中央部作下層試掘、深一米許、出土赤瓦片及佛座蓮片佛像背光残片各一。背光辺有金箔、殊足注意、此處工作、暫告結束。

四月二八日 水曜 晴 （第三古址開始発掘）

至西古城子、将三〇名人夫分爲二組作工、余在南门址、鳥山三宅二先生在最后第三殿址。门址西北部、発見不整斉石塁、已如前記。西南方作同位同向深亦相等之試掘溝、僅於西南部、発見較大自然石塊二枚。又直東向作前辺掘溝、長約二〇米、均爲大小不一之敷石。 三宅鳥山先生在最后宮殿址工作、地域較大、週爲水田、置土頗費計較、大体順利進行。 省文教科長、縣同股長、及現地警署村長等均來現场視査一周。鳥山先生略爲説明工作計劃等。約二三日欲利用學生勤労奉仕、以補人夫労力之不足。 晩由縣方設招待宴於警署別室。

四月二九日 木曜 晴 （滿堆乱石之南門）

余一人先至現坊八時半人夫尚未集齊九時許正式開始工作。作門址全部發掘，前面由東南方、北面由西北方、向中央部推進，希發見前后双方互相関係、以導工作於便利。然門址内満布大小不等石塊，前後稍低，中部漸高，或為當時周圍土階之石壘。亦有三五大石成聚，又有為柱礎之可能，中央發見方長断面鉄釘一枚，与龍德山第一古址出土者同，当是城門木架等處所用者。又東西兩端均有石灰壁面之殘片出土，而中央獨無，前边中央部出土瓦当片一，為一往所見者。午後鳥山、三宅等同來，三宅先生率引測量班往龍德山及河南屯古城古址等處視查。　鳥山先生与余分頭督視人夫工作。

本日為天長節，午間作遥拜式，晚約五時半休工，以表慶祝之意。余以連續二週間之苦辛，復加近三日以來每晚來客，再整理日記出土品等，甚感睡眠不足，工作努恒胃疾漸發，又患下痢，晚归途中步行三休，始至旅館。

四月三〇日　金曜　晴　（病休一日）

恐下痢悪化，三宅、竹下、松岡諸氏強令休養一日，意不可拂，乃在旅館静休。午后腹疾覚佳，散步村中草地上，並作南方堡塞址遠望素描図一幅。给建大山本守農大新馬晋二教授及吉林師道孫小野博物館●上原之節信各一封。

五月一日 土曜 晴 （學生考古發掘奉仕之創舉）

因無（徙返）自轉車，開始仍在九時。竹下、松岡二氏回省，野平澤君回縣未归，諸般連絡皆未妥善。每日往返步行耗時费力，有碍於调查工作，即其一端也。今日仍分二组於内址殿址工作。三〇名人夫外，又加二道溝及西古城兩國民學校學生百餘名，工作较速。殿址出土版筒瓦（瓦）頗多。内址則满布石塊，东北角与西北相对有石壘，二壘间即内址正中部，黑灰土一道南北直穿内址而过，厚约三四十糎不等，盖（出入）道路也。

五月二日 日曜 晴 （第三古址大礎石列之出土）

人夫二十八名，仍在内址继續工作，無若何新發見。本屯國民校学生在最后殿址工作，由三宅氏指揮。鳥山師督視。發見平鉅柱礎石六枚，西半當亦有若數，後部尚未掘發，以基址度之，或為七間以上，其廣大亦甚可觀也。晚归步行山路，力盡神倦，而息至房。野平澤氏等归来，繼續連絡一切，以謀順利進行，備定馬車一輛，晚往復免跋涉之勞，以全力發掘，而亦調查事無遺憾。

五月三日　月曜　雨　（斜風細雨停止作業）

早八時許至西古城，現場人夫已齊，即時開工。二道溝及西古城國民校生奉仕隊亦继到，工作甚速。惜時雨已至，作輟二次，至午前十一時来，雨小而不止，不得已令二校生归校，恐春雨天寒，难免感冒也。吾等於午后三時餘，亦鑒於天無晴望，乃同乘馬車回房，晚雨不晴，簷流淅瀝，別有一番滋味也。

五月四日　火曜　陰　（陶器二種之出土）

仍續掘南門址，大致原狀尚不甚明白。由前面中西部出土陶瓷片二枚，一灰色有斜波狀複線花紋，為高句麗時期所常見者。一红色，裡面微黑，質亦較粗雜。三宅、鳥山二先生仍在最后宫殿址工作，露出僅另一耳。然礎石成列，间距四米，其大可知。出土物大類东京城者，緑釉亦甚華美。今日除青年團人夫外，又加西古城、河南屯二道溝三国民校學生協助，故工作頗敏速。晚二道溝国民學校、長来访，十一时许就寝。

五月五日 水曜 時微雨

（南門壁上石灰面之初見）

仍掘南门址，人夫二十四名，學生八十餘名。雖雨雲時至，作休不定，且门址全部皆擊向然大小不定石塊，僅内部北面左右兩端有較高雜乱石壘各一，中为黑色積土。午后忽於西側發見石壁基址，面塗約三高糎之石灰壁面，高尚存四〇餘糎。西連城壁，壁为晒坯所砌，层位數些然清晰，下厚上薄。壁土两面亦塗石灰，下为黑灰色石灰層，此灰層原料，尚不明。然今日滿人仍用此法，蓋土与石灰不合，每易脱落，以此黑灰介乎土石灰间，可加强其黏力者。其基或有之，發見可能，明日当试掘之。此不过今日所明瞭者。三宅氏已加寫真、後有如何形態、尚不可知。

五月六日　土曜　晴　（第二古址木柱花紋甎之出土）

仍作南内址、人夫千餘名、西古城子国民學校學生約千名、雖為四年女生、以面盆加頂運搬積土、非常整齊規律、且皆歡喜、誠心工作、故進行頗速。先生平海君亦指導有方、學生皆無勞苦倦容、使人感激不止、較滿系女學生不可同日而語矣。南内西方石墨土壁皆已明白、惟东方相对處、尚欠明晰。明日或有奇得、亦未可知也。於中央道址（黑土層）中部、稍东方深約五〇糎處、得釘一、馬蹄鉄釘一、形式与今日者同、亦頗有趣之發見也。中央殿址东方土台、假称第四宫屋址、亦發掘、露出礎石列、尚未全了。第二殿址出土圓柱敗木、径约三〇糎、為今次有趣獲得。又同處出土紅色陶土長方甎一塊、花紋為巻草式、極類唐及新羅時代物、為較新之發見、蓋以东京城之巻草花紋、由此加繁演变而出者。

五月七日 金曜 強風微雨

南门址人夫二十名、二道溝小學生七十餘名，因大風工作不便，進率較昨日為緩。然门（门址西面全部明瞭）左右石壘及城壁大体全貌可明。初發見内面石壘，益係頹落之乱石，非築有築造也。前此推測蓋誤矣。中央道路前方深亍。稍寬，出土殘瓶一塊，色黃灰，上面有细绳纹，反面有類似门框形之凹窪。中央北部出土屋尾鉄釘二枚，均存有木銹紋，依釘屈曲長度，可測知木材之厚度，又可推知此门確有木類構架，以梁柱门扉柵板之屬，亦有益物也。

五月八日 土曜 陰晚微雨

南门址人夫十七名，發掘古城校男女四年及優級生三十名，除土。東面城壁（第二古址後方双小室之發見）断面前后石基，石多不存，然因石灰落地，可測知其基址大小，出人意外者，（門東石壘）似較西側者為寬。（是否相同，明日可知矣。第二古址基石礎石均已露出。）此面尚未掘去，惟四週及前後階石、通路、週廊等如何，仍需時日。第二层址後方左右，有突出方形屋基与半拉城第二及东京城第五质址形式略同，尺度不一耳。西方者即花纹轨及圆柱败木发见处也。午後向岛斋公署松冈氏复来。晚微雨，夜初稍急。风雨阵阵，屋檐滴沥，旅中頗觉凄冷。

五月九日 日曜 午后时雨 空 （第四五古址之発掘）

南门址人夫二十名，二道沟学校学生约廿名，午前即将残土除尽，西面石壁南边掘去石灰壁面，下现出一阶段，宽度亦较前加大，明日原形当可大白。三週甚窄，形状全不明了，一旦原状发现，愉快可知矣。後方第二宫殿址东西两方土壇（第四、五古址）均有瓦当等出土。东方第四殿址出土垂莲纹瓦珰，花纹较奇，颇类新罗，而於半拉城已经发见者。工作後稍整理出土品，因微雨而归。龙井国民学校长袁居（鲜系）来，並是鸟山先生授业生也。昨年珲春半拉城调查时，曾经面晤。

五月十日 月曜 阴 （和龍縣長之來观）

南门址今日出土完了，西面原狀已明。石壘下围有一階段形，殊美观，亦新發見也。石灰面共有四层，盖年久塗積者。在外者多屈曲折卧地表，僅最始者尚存原狀。惟湿氣太重，清理不易，偶一不慎，易失原形，或脱落。近中央處已多不存，推定其實度，已覺困难，勉而為之，尚可謂不悪。為此次工作之精要處，亦愉快處也。和龍縣長車化善氏偕文教科長及警署人員來观，由鳥山先生說明第三殿址大致亦可，惟第二殿址，尚有應詳加调查處。鳥山師晚过旅館，議明日掘發第二殿址之計劃及要点。余明日仍須整理南门，約後明两日可往該處工作。夜宴至十二時，神倦力盡，幾至失儀矣。村長、校長、署長来訪，谈至午夜后始去。

五月十一日 火曜 微陰

（南門址全部大白）

南门址大體全明，形式整美，石灰壁面全存，下有方整階段，东面石基形式大小与西面者同，且前後各有巨礎，北礎上有败木残朱，盖柱跡也。石灰壁面亦四层，盖脩塗四次者。惟第一层即最初层保存最好，不失初形，然掘出甚难、非详加观察、细心工作不为功也。此次发见为较新層、唐代一最低渤海之城门多、一实例、亦颇有意义也。鸟山、三宅二先生亦颇喜、赐不敏以「城门専门家」之绰号、盖去年半在城内城门之发掘、为余所担当。今年又有此发掘、且多出乎意外、细皆乱石败木、不特不明形式、且又不易施掘、依地（下層）之新事象、步步导入、渐得端绪、详此成績、可谓意外、劳心劳力且无偏已。然实得鸟山师三宅先生之启示而行之者也。鸟山师约南门址完工、率人夫往河南屯古城发掘、独当一面、事非易易、恐惧颇无自信、当勉为之、以副雅命耳。

五月十二日　水曜　阴晚雨　（間島省次長來观）

南门址人夫四名。平面工作已完、为彻底明了其构造、于门两侧之前後方础石之间、作宽一米深五〇粍之南北沟二道。西面前後础石不存、深约二〇粍、发见沿门址两侧出基石约五〇粍、满铺河床卵石。于二础正中部、发见含有黑色败木之凹窪、四周有较大连络之圆石、盖础石址也。又于西面中础址之南及东面、此础石上面、發見朱殘跡及敗木殘片等。东中礎址出土鉄釘一枚、在在明示东西每面三礎共柱，柱礎上有相当棟架、皆可推測知之矣。午後三時三〇分、岡島首次長、[illegible]氏外三名来觀、三宅氏案内説明、後同車回二道溝、該調查事約三〇分鐘回宿。吾等亦归宿已七時许矣。夜雨。

五月十三日　木曜　陰雨

（南門上部復原之議論）

夢中聞簷溜淅瀝聲、頗覺焦急、蓋工作三五日即可完成、若天不佑人、連雨數日、豈不误事。飯後仍準備出發、擬冒雨工作、鳥山師也老当益壮、先來相待出發、但春雨霏霏、風寒刻骨、既利用小學生奉仕作業、不便使其感覺苦楚、況古址周圍皆水田、又急發掘新土、雨後運搬掘發皆不便、乃臨時動議、本日休工。雖因雨停止野外作業、实未靜息、乃借机整理記錄及略圖等。南门址寫一副圖給三宅氏作為參考資料。午後二時四〇分、鳥山師来館、討論工作進行諸要點、又論及南门址。南门六柱因有礎石腐木朱土等証明、礎实不接，虽无片瓦残存，其上部复原之推测较难。然出土铁钉十余，可知上有木质椽架，究作何状，殊少证明，不敢臆断。然以去年余所担当珲春半拉城内城南门址观之，渤海必有不用瓦覆之建筑法也。盖半拉城出土之门址，宽约二十四米，柱礎横六纵四列，计二四柱礎，东西两端列中礎，且有木柱之迹，度为五间三门之巨物。然亦无片瓦残存，同其情况，亦渤海建筑研究一新题目也。晚仍阴云四合，微雨斜风不止。

五月四日　阴晚雨　全晴

（古址全部大发掘）

现场泥泞殊甚，人夫十四名作第三宫殿址前后阶及东侧整理工作。四〇名小学生净洁泥原印形数名上殿址积土，鸟山师率之。余及三宅先生指挥二〇名学生，分六组掘除二、四、五、六、七宫殿址东侧深沟之试掘，均有相当发见，惟其原状，尚不可晓。总之形式新奇，较东京城半拉城二古址，又多不同处。二宫址出土炉址三。四宫址土深均在一米以上。七宫址礎石上出土已毁木柱，形颇明瞭，亦一新发见也。然余及三宅氏二人指挥六组无知儿童工作，巡回监视，告说，殊少观察机会，成绩即不佳，且忙碌万分矣。

和龍縣平澤居國華回署，約定明日可歸。二道溝校長夜中來談，並訊明日出動學生事。本日朝向本館拍電，告歸期二三日。

五月十五日，土曜，陰，風，寒

（大鴟尾之出土）

烏山博士指揮人夫二十餘名，學生四十餘名，仍整理第三層址。第二層址及第四、五、六、七層址，三宅先生及余共統之。約有學生二百八十餘名，共分七組工作，二人巡回監視指揮。因土層多在米餘，深八十糎，寬則七米以上，真忙於奔命矣。各處同時進行，皆未完了。故大形雖明，細部尚有待探之處甚多。第二層址出土（形與東京城出土者不同）。第四層址間有連絡建物，東端出土大形綠釉鴟尾一個，均為殘片出於一處，必可復原。餘物式同前。平澤居由和龍縣署回旅館。

五月十六日，日曜，陰，晚雨，寒風

（第四古址遭逢之難關）

烏山博士率人夫十名，學生六〇名，仍清理第三層址，劈石四邊，及礎石上之積土。四邊大致已完，積土仍存三之二以來。三宅及余率男學生七〇餘名，分八組工作、男生掘除積土，女生以洗面盆、木盆、鉄筒等運搬。各處作試掘溝，積土多在六糎一米之間。學生年幼力弱、進步較遲。第二房址東方與第四房址中間，並建築物形命不小，且於其西南角，發見兩面石階，已露出約米餘，以土壁顏色地勢高低度之，有兩面全部保存之可能，若然可謂有意之發現也。石形長方，鑿整整美，內邊稍低，外邊高處寬約廿糎，亦有未鑿全低處者。明日繼掘，可窮究竟矣。第四房址初掘出紅色較落之石片甚多，亦有成列的礎石者，且全地面為紅色土壁，皆以為無誤，然以尺度之，不等距離，石片過薄，多有疑問。三宅先生窮精竭力，今日又於較深土層中，發見真正礎石列及鋪石，且紅土下又有黑土層，再下為河床鋪石，尺度均等，距離相若，石多方正，又方考查，可為不誤，不過全形尚未全明。可見田野考古工作之難，有如此者。晚歸值雨，夜又雨，頗慮現坊有泥濘或入水之患，不然亦將不能照常工作，期限已過，豈不愈使人急燥也。夜雨無聊，寄上原館長信一紙。

印一04 B列5 (12×22)

五月十七日　月曜　雨　（階石保存在位置之古址）

冒雨往現场、學生因雨僅河屯校百餘名、二道溝校未至。人夫六名、因時限已了、注全力於第四、二房址、其餘明瞭者固不待論、即已掘三分之一者、則皆復土以待來年再調查。第四房址非常难於解决、地層最上為黑色混有瓦片之腐土。下為紅色土層、深約十五—二〇糎、表面相当距離有紅色薄約五—一〇糎之石板、多破損呈凹窪形。紅土下為約五糎以內之黑土、絶無瓦片等物。下為巨礎、石傍為河床石礫石。固紅石与巨礎位置層次不相合、乃以河原石礫石為準據、探基址之周、量其尺度、最下大礎石不悮、紅石或為第二次建築者。然尚有疑点、必待掘出全部、始得解说耳。若如今而止、恐無確論。二房东方古址前面階石全存、仍保原狀、中央向南突出一石、盖為中央门前階段石也。午後雨来、令學生回校。人夫作第四房掘溝、土泥濘甚、又加雨大、亦即停工。至五時許、冒雨回旅館、衣服皆濕、可謂淋漓尽致。因風寒如春初、幾不能耐矣。

五月十八日・火曜　陰雨　（遺物之清整）

午前因雨停工。午后至古城分區淨洗出土品，以備裝運。

五月十九日　水曜　晴

（第四六古址間之情狀）

學生三百餘名、青年團員二十名、開拓團員三十餘名工作。注全力於第四二房址，第二宮房址位於第一房址（校舍所在之古址）後方，廣在全古址中為第二位。曾經數度調查，故此次就其不明瞭處，再作較詳之調查。其後方左右二小方室，大体全明瞭，惟四边及河床磐石以何形狀，前面及右左連絡處尚欠明白，只可以待將來耳。三房址亦加清理，大体完了。第四六兩宮房址間，有石牆基一道，界於二址之中，南端恰以第四層址之前階，階下出土瓦璫及相接之瓦列四五列，蓋簷瓦一時遺落者，殊足注意也。晚宴由縣主辦，余定明日出發故也。

五月二十日　木曜　晴

（告别流連月餘之西古城）

午前仍到現场工作，並携帶行李，豫定由西古城赴八家子驛，乘午後四時餘火車回館。午後三〇分，間島省署民生廳長外二名來觀，擬午後回龍井驛，余亦乘候東田任。三宅、島山二先生仍須三四日之整理、始克完結、余雖照豫定遲延、实则為全團中最早歸者、頗感自愧也。車中默向西古城告別、經東古城子十六时許至龍井。

五月二十一日 金曜 晴

十時至新京本館、報告調查經過、午後四時餘至奉廣寺行告终矣。

关于辽萧德温墓的笔记和资料

编者说明：这些笔记和资料装在一用过的信封内，信封系《文物》月刊社所寄，其上戳记为“1966.4.30”。信封内装有：

1. 《大辽国兰陵萧公墓调查十日记》一册，其中记“（伪）康德11年11月11日有锦西省土默特左旗之行”，此日记为23页；

2. 散页“萧公墓调查记录”3页，从纸张和笔迹看，当与“十日记”为同时所写；

3. 一小信封内装有现场照片1张，信封有“吐左旗蓊山村新丘屯萧德温墓。文教部寄赠”字样；

4. “辽萧德温墓其平面及剖面图”草图（绘于米格纸上）与线图、墓门横断面图，计5张；

5. “萧德温墓羡门左壁画模本”2张，宣纸，水墨白描，尺寸各为84×63厘米；

6. 现场及墓志盖照片4张，分别贴于两张绿格竖排稿纸上，稿纸左下方印有“国立沈阳博物院稿纸”；

7. 活页笔记一页，记有“（19）55.1123.1 时至阜新县”等，其上画有萧墓平面草图；

8.“阜新县东新村辽萧德温墓调查报告”一份，此报告写于红格竖排原稿纸上，计 4 页，其中第 3 页上款“张（拙之）馆长”，署“东北博物馆文物工作队”（后又划去），末页贴有现场照片 3 张及文字说明；

9.“大辽国兰陵萧公墓志”志盖及纹饰拓本各一件。

土左旗大遼國蕭蘭陵蕭公墓及附近調查日記

康德11年11月11日有錦州省土默特左旗之行。因該旗管境蘑山村新丘屯於建國之前年因雨発見一古墓於屯西之山前。当时屯有熱河省督辦湯氏戚劉某聞之，乃私発焉，出土遺物及内部详情，屯民無知之者，惟墓誌銘及蓋仍存於発墓者私宅。建國後湯氏戚不知所往，誌石乃於康德8.9年之洵丢失，今僅存誌蓋而已。康德9年满蒙毛織會社設種羊場於某到鹿苑，乃由羊場主事人熊代晴繁氏発見墓誌銘蓋，訊明古墓発見始末，於康德10年報告文教部，當派建大山本守助教授預查，認有详细調查價值，故文教部派遣山本氏及余施行調查，由原発見人熊代氏引導之。按日記其工作，備忘於是日也。

11月11日　土　晴　（初到蘑山村新丘屯）

早10时余由奉天駅乘火出発，经高台山新立屯站而抵大巴站下車。當有羊場駐在员金田松市氏来迎。蓋原定山本、熊代二氏亦同时在此站相會，但昨日至阜新而旗署連絡事務未完，必待明日，又恐余一人初来，道迷生疏，故預令社員來接也。　由新立屯至大巴站約五六十里，雖多小山嶺，已屬土默特左翼管境，非復黑山縣境之準平原景象矣。大巴站乃一荒野，附近農户三五，並無大村。　隨金田氏由站向東北行，路極荒寞，北望五六里多小山丘陵，云羊場在山群東端較低處也。三里餘至丘陵上，北坡下為一小川原之沖積土地帶，雜樹蒼然，村舍園垣歷然在望，如觀立体地圖也。又里餘至羊場，場位於屯西端較高平地上。有正房五間，東廂為當时鹿舍云。大門右懸滿蒙毛織土默特左旗翁山村種羊場木牌。辦事室在正房西間。房門外左墻依立蕭思温墓誌蓋石。石綠色，頗引起余之愛惜。入室息休片时，駐在員于君乃引余及金田氏至村民舍丹民宅，民蒙籍漢姓海，為此屯一豪農也。　金田氏夜回種羊場，余宿於海民宅中。　此屯计大小農户百餘家，其中漢户不三十餘，且皆為近二十年移入者。蒙户则皆祖若父即生於此者也。惟土旗蒙民皆係農耕，除言語而外，全与漢民同，初視之不辨為蒙漢也。

海氏夫婦攜女孩二名、傭工三人、傭婦一名。馬牛羊雞狗豕數皆不少，種田五十餘垧，一標準的滿洲小農户也。房暖炕溫，与海氏語至夜深始睡。

11月12日 日曜 晴 （調查員現地視察）

今日為海氏亡父五週（俗呼五七）祭日，請喇嘛僧4人來宅誦佛經，余遷於東屋。旋于氏、金田氏亦來，即同早飯。並求海宅傭人牽驢一頭往大巴站迎接山本氏一行，因無車乃以驢負物也。後往迎者自歸，云山本、熊代外一人已至大巴站，但行李頗多，一驢不能負，乃向附近甲長氏某連絡，求以馬車送來，現在甲長処早飯，飯後當乘大車同來矣云云。午刻山本、熊代、浦谷三氏同來，乃相偕往蒙民裕生會連絡，繼至羊場安排食宿諸事，全部委託于得江社員代為処理。乃招小学生三人引路往西濟古坟附近視查。由種羊場西向為一東西小谷，谷水屈曲蛇行，兩岸台地上皆有古瓦片、瓷片等遺物散，蓋古居住址也。初過谷南岸今年因岸土崩頹，發見甎瓦窯址一基，只露一面，不知直徑，高約2.50。

下敷平甎，壁亦甎，因久燒鎔為一壁，外則土色赤黃約尺餘。甎為無文者。後至古時坡見坡甎似燒於此窯者。類此窯之遺址尚存在二三處，蓋亦同時物也。 又途中見於道側斷崖中顯露包含層，其中遺物如甎瓦瓷片等亦皆遼物。 古坡位於東南向之小山谷之澗流上端之二小溝中間較平之山坡上，後坡為一小突起山巒，左右二山較高，但不甚夸接，沿澗左右起伏作不平長崗，古坡叢門方向亦與澗一致向東南，谷口頗窄，局勢迴環互相犬牙，地形頗美。順古坡澗方遠望，約十五里以來，有較高山脈橫列，姿態絕美。

古坡左面山北亦一小谷，東南向，水流與古坡澗水合流。谷中近山足處有古井一眼，附近澗水兩岸台地上皆有建築物遺跡，數處曾出綠釉甎瓦殘片，瓦當兩種亦皆遼式，瓷片亦皆為仿定白瓷釉及灰綠長壺等為多。山谷下流即近村之澗流兩岸亦處處遺跡相連，但於澗南遺跡中有鈞窯窯變器片及青花器片等，暗示此遺跡蓋由元上溯至遼也。其瓦璫殘片之形式如下。

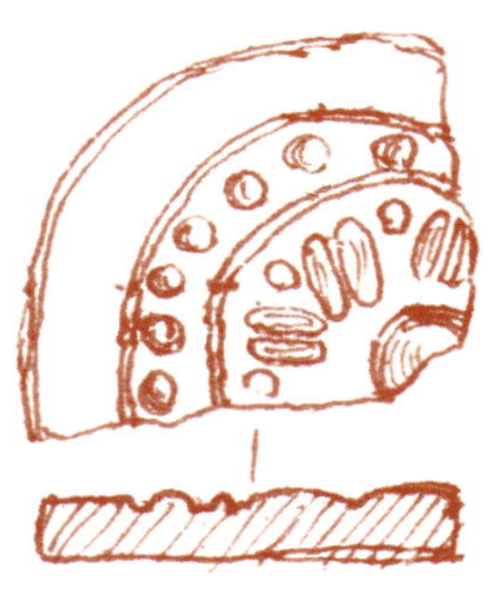

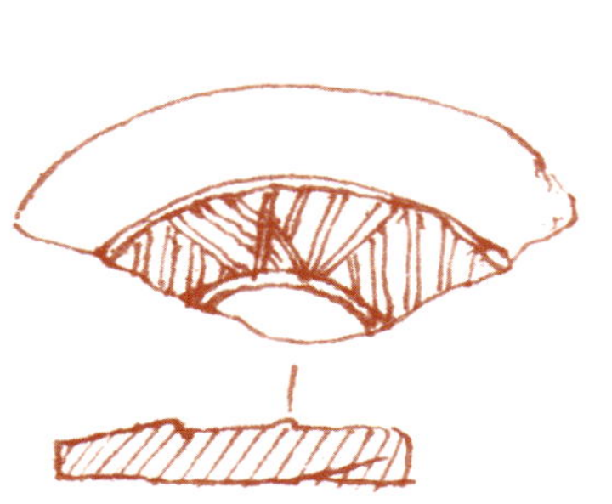

萧公墓附近遺跡出土之瓷碎3種。

又種羊場熊代氏朝陽坡地方採集之瓷片五六百枚，其中以白釉定窯系統者為主，磁州之鐵黑彩繪畫者亦不少，其中有高麗相嵌黑白花之青瓷大盤一大片，内外有花紋，釉色亦深沉古雅，十分可愛。今年夏季同小山富士夫先生於林东寒山北一城址，及赤峰街西五六里下窪子屯古城址，余於翁牛特右旗哈拉木頭古城址均有數片之發見，則高麗相嵌青瓷之入滿蒙蓋亦古矣。

今日调查员全宿於種羊場内。

11月13日 月曜 晴。（工作開始）

今日调查開始之日。因人夫用具等事，时已頗遲，於12时许始到古坟现場。先由喇嘛僧二人诵经祭奠，吾等引大夫行礼後，乃開始掘發墓门。因人夫较少，開始较遲，一日间僅将墓门上端穿一小孔而止。

(1)古坟所在地形——已如昨日所記，今绘略图於後，以资参考：

（2）地上现状——封土旧存（陡斜约20度）全无影相，今已实一荒芜灌莽之小山坡耳。附近无砖瓦散布，亦无石幢碑及石造物，更无围墙及人工修造之形迹，总之上地绝无坟墓之表征也。

（3）构造概况——穿地为巨圹，地上为厚约50糎之灰土层，次为厚约80糎之黄土层，再下则为不明厚度之黄色疏软岩层。巨大圹穴与涧流方向相同之一面，凿为宽约2米之渐次上达地面之斜坡羡道，道两侧用石块、砖块补筑岩壁之不足，羡门上亦用自然石块砌为横墙，盖皆防封土下颓者。　　墓室可分三部记之。主室八方形，上为圆旋室顶，顶上最高部用圆径约50糎之石板覆之。由破皮穴观之，壁厚为两长砖。室顶上圜圆顶四周用砖石砌与顶平，上面平铺长方砖四层，砖上铺大石一层，再上置尺径以内之自然石块厚约米许，再上至地表全为黄色砾石杂土。构造极为坚固。

(4) 当时墓内詳狀——據屯民蒙人李德[illegible]
当时入墓所見之狀况記之於下。由破孔
用大繩垂入，初入主室中，不辨方向，但
內無大量積土，景况極明白清楚。墓
室八角形，每面用横木如鉄路枕木狀
者，積之成壁，高與人齊，但室頂部分無
木質構造，因室內並無朽木殘材也。
八面[illegible]主室中央縱陈人骨一体於大
石板床上。頭上有袋形巨帽，面有銅片
假臉，兩手兩足有紅銅綫製之網狀袋
盛之。衣服厚約3寸許，見風即散。頭
向內，頭上就地置多字之方石，足部平
置字少之方石桌子。方石桌子附近瓷器片
發見於土下者極多，共拾得滿滿壹搭
子。（連袋）其中無完全者。白色者光潤，薄
幾如紙。亦有黄綠色者，又有灰青色者。
種類甚多，余僅能認出盤、盂之類。餘
多不知名。向前一前室，与主室相連處長
方額横砌一牆，前室無遺物，僅一銅鏡
長約八寸許，掛於右壁上。墓门亦有長方
額横一牆。门兩壁及顶上有墨画雲彩及
人物等。後由鹿圍經理將瓷片送交

奉天博公館。墓室木材皆為紅色香柏、计拆下六車、皆被鹿圈燒失作燒柴了。

11月14日 火曜 晴 (拓印墓誌蓋)

今日山本先生督率人夫工作。余在房拓製「大遼国蘭陵蕭公墓誌」蓋墨本八份。除報告文教部博物館外、調查員各一份。誌石為淡綠色砂岩、正方每邊91糎。全厚17cm。邊厚9.5cm。題字面每邊60cm。面題「大遼国蘭陵蕭公墓誌」三字三行誌蓋文。四斜●面每面刻三像、四邊计十二生肖像12体。四側邊每邊線陰刻如意式雲纹三朵。

11月15日 水 晴 (清理玄室)

山本、浦谷、熊代及余率人夫除墓中積土、午後熊代氏回奉天。於前室出土白釉瓷器片二種。途中於山谷口有建築址一處、加以详察、位於澗北面、可望見古墓。出灰色及綠色瓷瓦殘片。地勢並加甚大之人力、蓋与古墓有關、似無疑问。用近墓台中無平敞地址故也。

11月16日 木曜 晴（清除前室羨门）

今日清除前室及羡门，並将内部積土堆於右侧。左部清除完了，以後实测。羡门中積土已掘除完後，明日即可测量及摹寫等。於主室左部出汝窯油青色釉印花器片1片，色質温润，胎微灰而细腻。釉中有小気泡之所謂魚子紋。

11月17日 金晴（開始实测）

今日率人夫7人分二组工作，一组覆原墓顶破孔封土，一组清掃墓内各部分。山本、浦谷及余实测古墓平面图及縱断面图各一幀。余又作羡门前面及縱断面图各一幀。於墓中積土内出手足袋銅線網状残片1。銅線红色，網孔约1cm.许。製作頗精好，如下图。

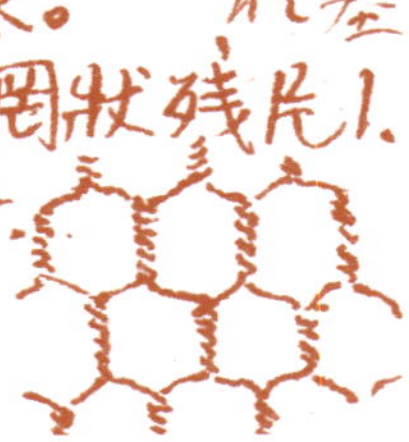

又出北宋景德鎮青白釉劃花瓷片1枚。似一盤片。外面縱劃並行條紋。內面下边為陰線圈紋。上部劃為細蕨狀紋。略如下圖。

青白瓷片
俗称影青瓷者

原大

又出薄銅片1枚。略呈長方形。一端有一孔。似為木質物之附屬另件者。

11月 18日 土 晴（壁画臨摹）

昨夜微雪。今朝快晴。率小童二人。至墓地分二組工作。山本·浦谷二氏記錄墓室羨等構造。余臨寫羨門兩壁壁画。天寒硯上結冰。乃將長方甎燒熱作硯床甚好。壁画因土塵不甚明晰處。用水稍加洗淋。水未乾燥中。筆姿·色彩均復現出且極清晰。凡此皆考古於山村僻地或交通不便如所应知者。画为墨笔东洋画。右壁下墨渍土坡横平。北端岩石突起。石下一長松献劲如龍。枝葉葱茂。南端平地上草莽数丛。乌帽褒衣者二人对棋。正面一僧旁观。棋局侧石台上陈盃盘盂瓶之属数事。僧衣略存绿色。松幹則為赭色。淡雅可爱。

左壁亦下為平地。内侧為岩石。一巨松姿態尤健。葉更较葱鬱。松下就石台坐一人面向外。不冠長衣。足着巨靴。顶髮四垂。微有髭鬚。頗类契丹人状。面前一利劍立插於地表。再前為三段方形火爐一。炉上烟焰直上。有燭天之勢。僅松幹淡赭。餘無色彩。

门上圆洞中画由内向外大小如意式雲头。左右各有飛鳥一羽。由内向外飛騰。因石灰壁面有脱落處。僅可認明後伸双爪及長尾双翅耳。雲紋圖案化，与立壁之人物画，不甚一致，蓋兩側之壁，与穹窿之上，視為二個画面故也。　発掘首入之村民李德云，前室兩立壁亦有墨画，每壁二人，其等12、3歲兒子，亦有樹木草花，惜石灰皆落地上，斷為碎塊矣。

11月19日　日曜　晴（保存覆土）

今日浦井義太郎氏回奉。山本及余率人夫10餘名往古坟覆土保存等。欲令国民学校生同往奉仕，一方說明此墓之來歷及地方人應加保存崇敬之必要。但因日曜日先生未到校而止。　墓门用巨石砌墙封闭，壁画部分恐有損壞，乃用長方紙襯之，外加土石，主室上立一木柱，前面寫遼國蕭公之墓」，側後面書「文教部、吐默特左旗公署立」「康德11年11月，禁止破壞」等字。墓後因水滴易於破坏，乃築防水小堤一道。直至午後五時許始歸庫。保存工事完竣，向工人說此次保存之理由及墓主人之略歷，並向墓內人一回敬礼.

晚飯後招集全体人夫發給工資，屯民皆甚理解，且大歡喜。　吾二人收拾行李遺物等，準備明日往大巴站車馬。就寢較遲。

11月20日　月　晴　大風（土城址、古塔之調察）

早膳後向蒙民裕生會辭行致謝後，乘車赴大巴站。因道路不佳，未及原定赴阜新吐左旗署时间。故山本氏亦利用时间同余一同往古城址。先將行李存於杜代營子屯甲長白相臣民宅中。請引路人一名導往。城址位於大巴站东方約5里许之沖積平原上。城东由北方翁山村来一小川。川东北為一長岡。再东北為一山，即蕭公墓之前面臨山。（按輿堪之說）城西来一較大河川，土名八道河。至城二里许轉向东南流。城东小川亦於此注入。八道河南山較奇拔，河北岸較平坦。（古塔一座[illegible]）再北皆為丘陵。城北十里许為翁山村新丘屯北面名山，亦即蕭公墓北名山也。由城南望，正為大河河道。兩岸山足犬牙交錯，遠山二三峰極秀麗挺拔可愛。總之城址所在地势極美。附近雖皆田畴，樹木甚多，尤為可喜。

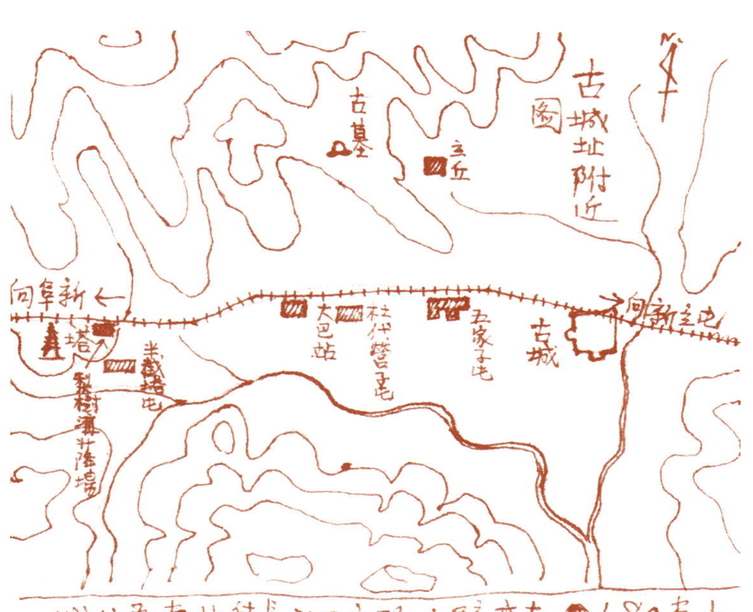

城址為南北稍長之四方形。土壁高存1.80米上下，中無土壇等跡。西、南有門跡，雙壁顯然明白，東無門址，蓋近河且為山岡，無交通道路故也。城西、南兩面尚存土壇三五相連，蓋建築物址也。鐵路由東壁近北斜穿北壁中央而過。遺物較少，但有磚瓦片及厚瓦殘片，處處散布。尚有製紙碎原料之石碾盤殘塊及小型柱礎等。陶器片多為純灰色，每有研磨之線狀花紋。篦齒紋者未見。瓷片元代青花之景德鎮器為多，無紋者青白色幾如俗呼之影青者。青花色稍深沉，筆姿荒率古拙，別具風致。底有大形雙圈者，亦有方框画八吉祥之四種者、底内有方体篆字式亦古雅、与明清代物绝不相似。龍泉窯一片、胎色灰而壁厚、釉青而不透明。均窯之天青釉器一片、胎厚色灰、盌壁内曲而唇厚。仿定白釉較粗糙、仿磁州者色如鐵銹。二者較[illegible]青花而多龍泉及均器。糖黄釉印花及素胎緑釉者亦少、瓷式均古、如醬黑、金醬黄釉者有外黑内白者、真定及三彩釉器未有採得者。

城址北壁178米、南壁155米、
西壁219米 東壁227米、
城址略測圖如下：

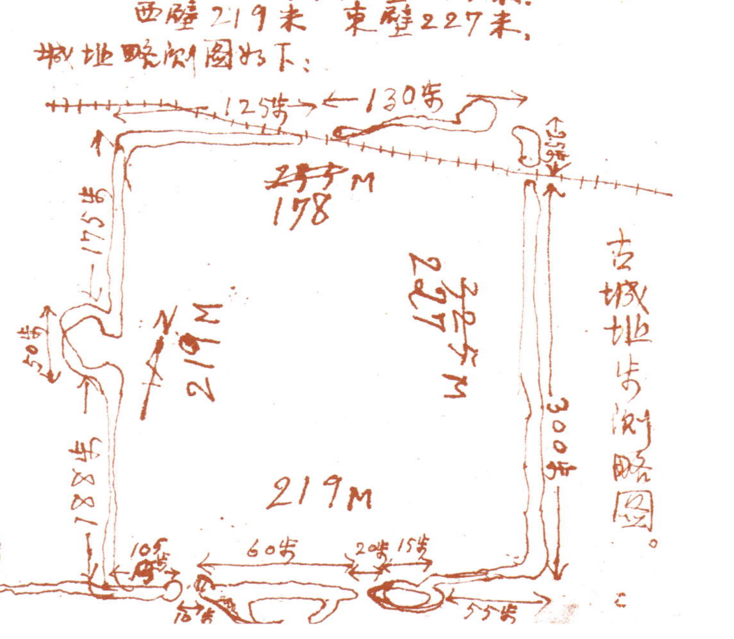

由古城回杜代營子屯白甲長宅之中途，路北爲王
家子屯，與杜代營甚鄰近之一屯也。有喇嘛一，白塔
青松，色調尤美，況在勁風初雪後，精神爲之一暢。
午後3時餘同山本氏同車往半截塔屯視察古
塔及其附近。半截塔位於大巴站西約
8公里之半截塔屯西山上，塔約五六米，爲大
巴站西梨樹溝保線區升降場，雖不賣
車票，但可用前一站票至此下車，如欲至
塔下視察者良便。由升降場至塔之途
中橫過一清中東道，道北小廟一，多用古塔
磚及古代石材建築。廟前一花岡岩小石
碑已折爲兩端，用爲階級石，但碑兩
面光滑無字，亦無花紋，蓋早已湮滅
矣。廟西階之傍(火山岩)深黄色石經幢
下層簷式幢頂一個。中央透孔(八面)，無
脊下端爲草葉裝飾形，僅存二三，餘
多破損不全。八面上爲瓦壟狀，模仿八
面二層以上建築物之屋簷，林東遼代
上京城附近出土者，有簷端瓦璫，簷下拱
料皆俱者，更有簷下每角出剎向外二飛式

天女者．此特简略者耳。在东阶依之黑白相错色灰花岗岩石椁盖一個．為四阿式屋顶形．横脊恰如两头俯虎．垂脊则恰如四足．四面相叠瓦垅状。此形石椁盖曾发见于各地．尤以擦顺查罗阿境为多．据之柏家屯现尚存数點。

归途中于屯西端喇嘛塔西侧路旁发见灰青色花岗岩两霤式屋顶形石椁盖一．顺長為横脊．前後為瓦垅饰無纹饰．製甚樸雅可爱．询其出土地點．屯民云即在其左近出土者。

屯中央路北侧一大榆樹．下亦有石椁盖一．褐色火山岩．小孔極多。上面為長方平顶．由四角伸四垂脊．四面為瓦垅．恰如四方二层以上建築物之第一层簷也．此式椁較普通．見於各地甚多。

石臼見於山上塔东遗址中者一個．村井台上一個．破坏残塊數見於石牆。古塔左近遗物诸多未見．盖皆与古塔為一时或前後不远之物也。

古塔位于屯西不甚高大之小山上，东流之八道河川即山足下，横流于河南，连山横亘，围绕起伏如屏，东瞰古城址一带，烟村连续，山川缭绕，颇具观眺之美。塔用有清长方砖建造，砖灰色，长46cm，宽22cm，厚9cm。塔基八面，面长约420cm。塔基如八角柱一段，中段每面斗栱四個。其间为佛龛，计每面三龛，中坐一佛。稍上一段形如栏楯，支柱如花瓶形者三個，角上为一神将作以肩背負重状，使氣用力，形態如生。支柱间共为龛四，中一坐佛，左右各有拱手侍立者二人，有类如供養者状者。最上段为二层蓮瓣，上端外展，柱状塔基恰形成一大蓮座形。塔基上为较高之塔身，八角各有半面浮起之九层小塔一座，俨为此塔之模型。小塔上为云氣一朵，似有他物，不甚了然。八面相同，正中为巨龛，中坐大佛一尊，左右各有直立菩薩。佛龛穹窿上为蓋宝，旒蘇瓔珞之屬，蓋上長形立牌一個，邊起流雲裝飾，牌中磚面磨研光滑，似有文字，惜位置較高，未携遠鏡，不得其詳。牌左右飛式天女各一，手似有持，首向下翔，風帶朶雲，形態飄舉。計每面造像約為二十二，八面統計為七十六尊。小塔、寶蓋、蓮花、瓶柱、栱枓之類亦復相稱。皆用磚雕鑿磨礱，頗稱精好。塔身上端枓栱耍頭亦極仿木製，上為層簷。簷上八面柱形一段較低且小，更上為簡略磚製層簷，漸上亦漸低小。每簷有椽材外露，朽敗不完，群鳥棲息其間。最上層不作屋頂，乃用磚砌為八面平台狀，頂上缺損，不詳其狀矣。土人呼為半截塔者，緣無頂上寶珠瓔珞之屬，以為上部仍有數層，今已不存者故也。塔下有院牆影像，東去十數步有廣大建築物遺址，磚瓦片瓷器片極多，瓷皆仿定窯系之白釉器，亦有[illegible]特有旗缸瓦窯古窯燒造者，是皆遼物無疑。此塔在形式上觀之，直亦遼物者也。

晚膳於此屯蒙民「尚生嘎」（漢姓齊）氏宅中，蓋引號[illegible]人種羊場于得江氏知友也。因定明日早車回奉，故帶同步行回杜代營子屯甲長白相臣氏宅，時已夜深矣。

11月 21日 火曜 晴（歸任）

早膳後于君勛攜行李用具登9時往奉火車經高新線回奉，途中望高台山突起於遼河西岸之太平庄上，意其處或左近必有遺留古物，惜今無緣往查，希諾來日之心情甚旺。望巨流河代家城及其東山山上城址，三年前同田中先生往遼濱塔視查，歸途借便[illegible]探檢一次，夢影存塵，上下於胸膛者久之。午後三時餘歸府。此行10日，亦告結束矣。

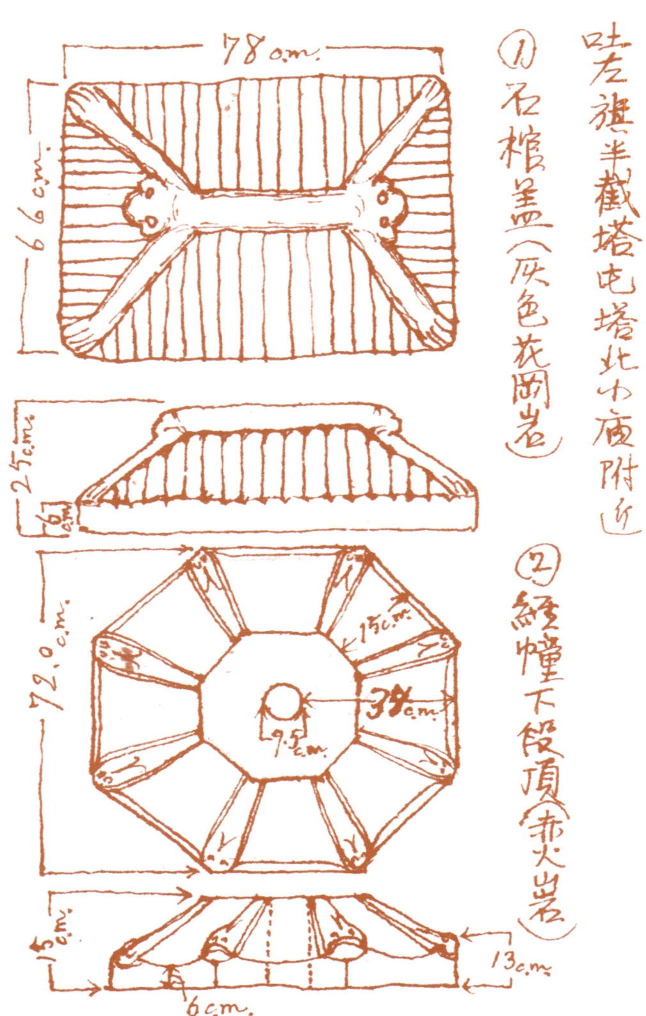
喀左旗半截塔屯塔北小庙附近
①石棺盖（灰色花岗岩）
78 c.m.
66 c.m.
25 c.m.
6 c.m.
②經幢下段頂（赤火岩）
72.0 c.m.
15c.m.
34 c.m.
9.5 c.m.
15 c.m.
13 c.m.
6 c.m.

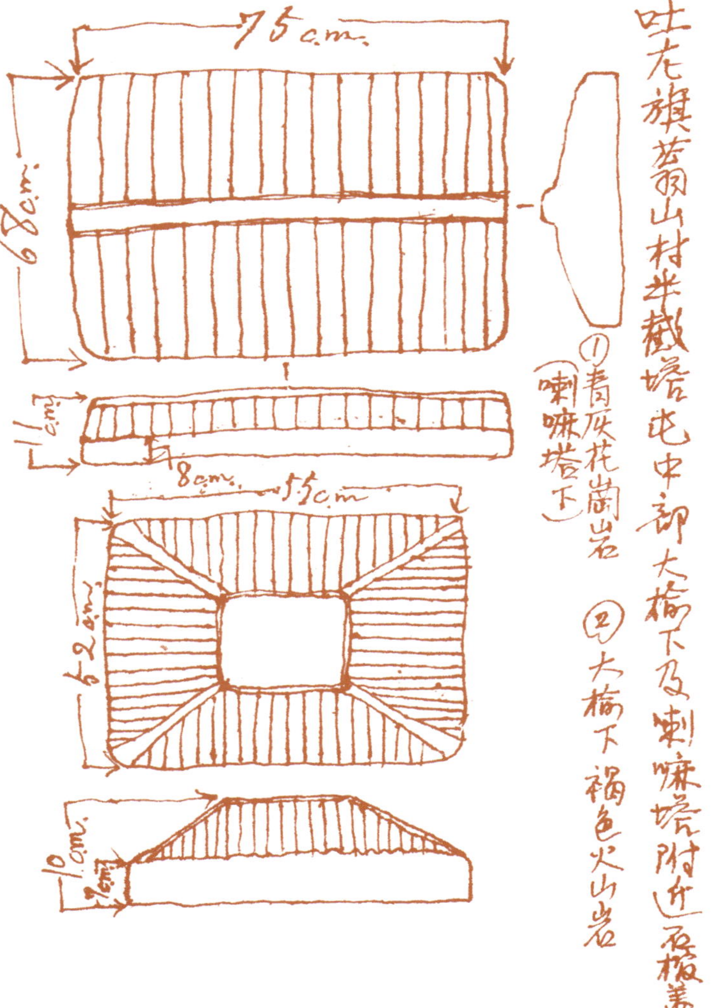

吐左旗蓊山村半截塔屯中部大桥下及喇嘛塔附近石板盖
①青灰花岗岩
（喇嘛塔下）
②大桥下褐色火山岩
75 c.m.
68 c.m.
11 c.m.
8 c.m.
55 c.m.
52 c.m.
10 c.m.

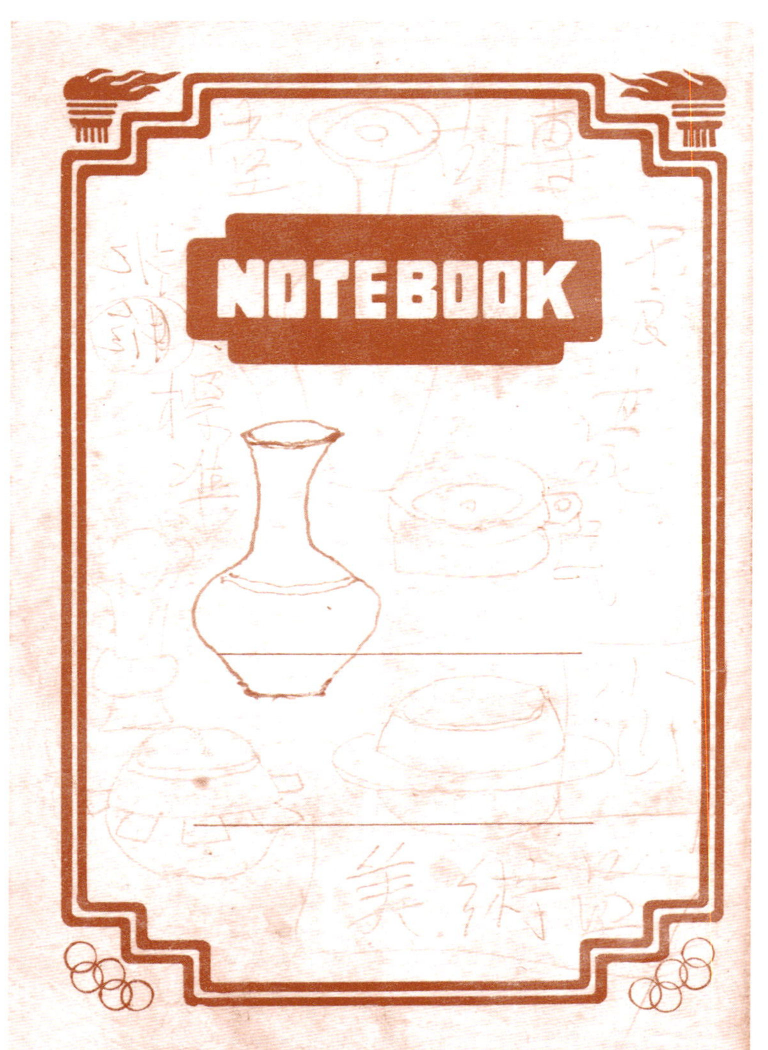
NOTEBOOK

黄公墓调查纪录

① 古墓所在地之地形

古墓位于新丘屯西五里许丘陵地带之小谷中，涧水由西北向东南流，至屯会北来合小涧水而向东南流去。涧水之上流分为二溪，古墓所位二溪之间。涧上端左右各有小山突起，不甚高，亦无奇岩巨石，半可垦田，小山前沿各为起伏冈陵，互为回环拖抱，谷口亦不甚宽展。古墓后纵亦为一小突起山峦，但较左右二山低甚，且顶全可垦田。前望东南方十里有较高山岳横列，姿势颇美。

②地上形狀及構造概況.

古墓地基為東南向小山坡，約為20度之斜面。地上已不見封土墳丘痕跡。古墓左近亦無建築物及石造物碑幢等古墓特徵遺物，今日觀一瘠墝荒涼山谷耳。

古墓穴地為巨壙，地質上為黑灰堆積土約50糎，下為淡赤色土厚約80糎，再下為鬆軟黃色岩石層，節理褶疊分明。

墓室磚築，主室八面形，前一面向前延長為長方形前室，前室前面有較為低小之長羨門，上蓋皆為旋頂。 墓室主室上蓋前面為100×80糎之陷孔。室頂壁厚2個長磚，主室頂圓四周用橫側磚砌平，上敷平臥磚三、四層，磚間塗以石灰，再上敷巨石一層，石上積較小石塊厚2米許，再上為黃土礫石參雜層，直達地面。

陷孔甚小，不類自然塌陷者，發現時因此孔陷入，然細考察之，蓋古時已被盜發，因而封土平夷，掘孔後土不堅固，故有近年之再坏也。

古坟各部高度记録

465
+270
735

①八角之壁高190cm.

②前室之壁高205cm.

③羡门之壁高185cm.

④羡门壁孔下至地面52cm.

⑤孔高50cm. 孔下宽20cm.

⑥羡门全高270cm.

⑦前室全高326cm.

⑧主室最高470cm.

⑨顶石直径55cm.

⑩前室长335cm.

⑨角隅木质椽架隙宽55cm.

500cm
20
40
60cm
28
天井及穹窿
298cm
宫直到(598cm)

20
33
52

孔
60
深40cm

275
+195
470

吐左旗蓊山村新屯

萧德温墓

寄赠文教部

至地面
4.65
A'
270cm
A—A'横断面

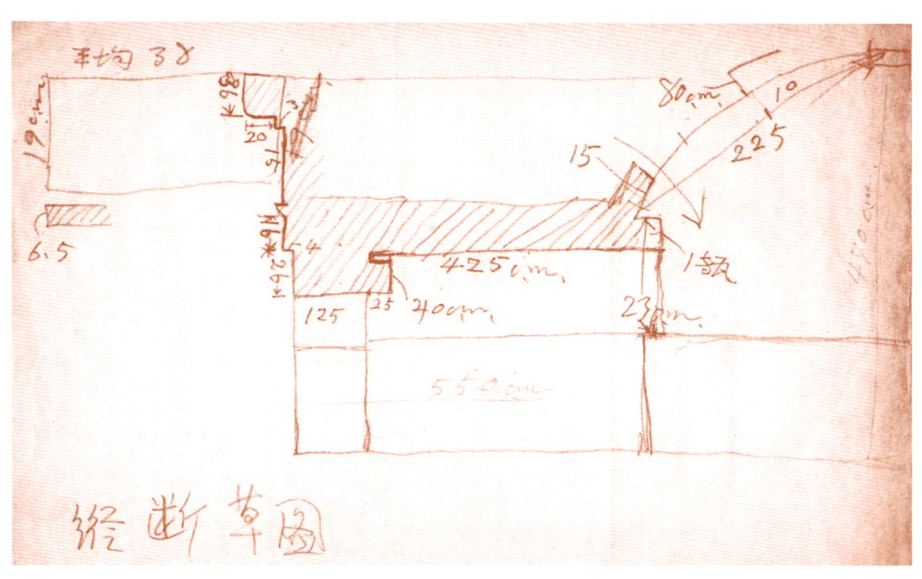

19cm
6.5
125
25
400cm
425cm
23cm
550cm
15
225
10
80cm
纵断草图

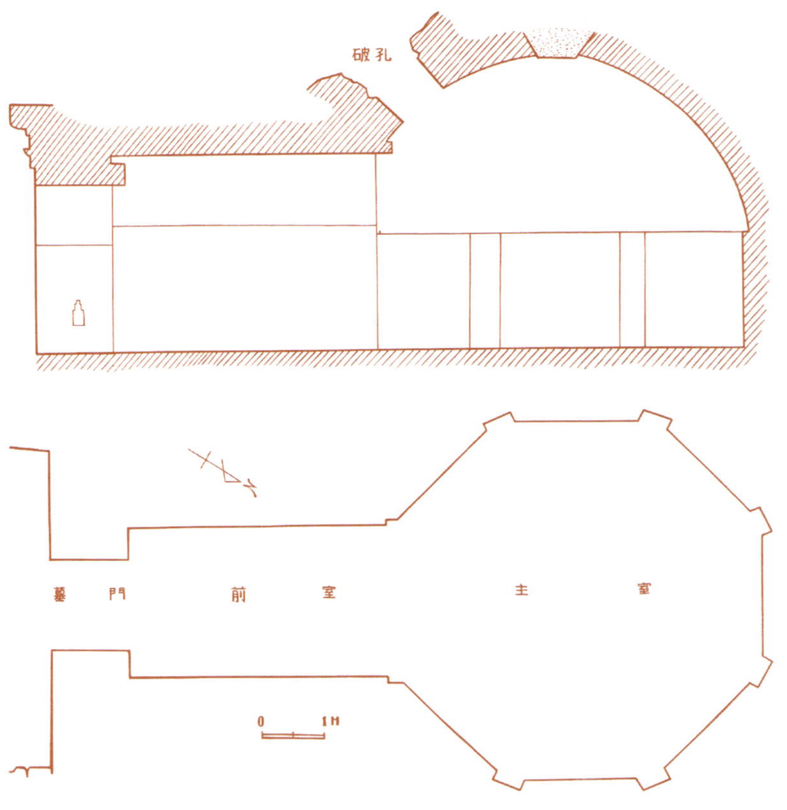

遼蕭德温墓平面及剖面図

吐默特左旗蓊山村新丘屯

萧德温墓羨門左壁画模本

萧德温壁画 1

萧德温壁画 2

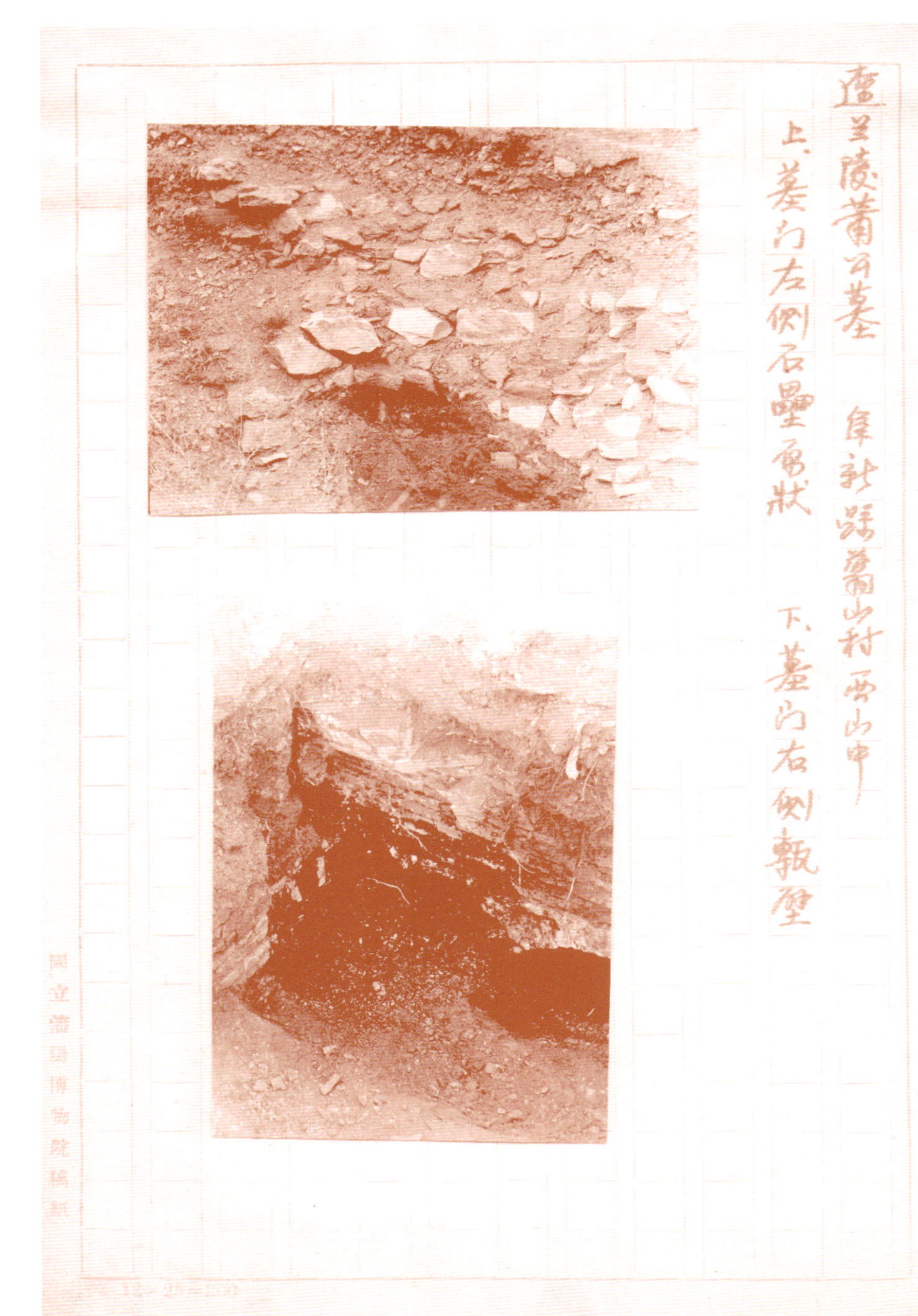

遼聖陵蕭可墓　（阜新縣蕭山村西山中）

上、墓内右側石壘原狀

下、墓内右側甎壁

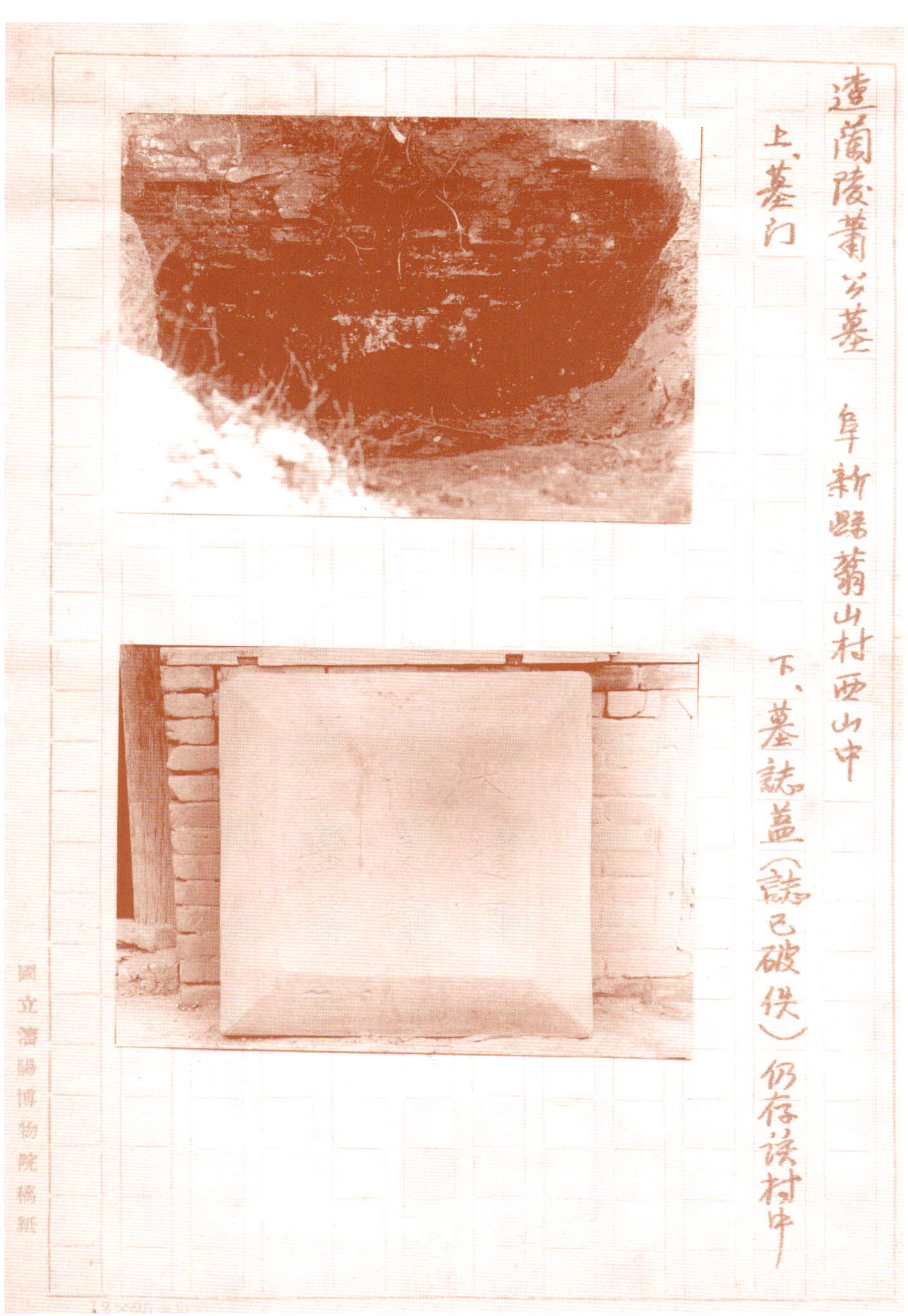

遼蘭陵蕭公墓　阜新縣翁山村西山中

上、墓门

下、墓誌蓋（誌已破佚）仍存該村中

國立瀋陽博物院稿紙

55.11.23. 1时到平乡县，与文教科叶、袁联系。
当晚到文化（杜代书记）联系，与赵区长、李秘书
11.24. 午到东郭村联系，与该村吴村长、5位要员（财粮）、肖青年均同去。
东郭村至大巴一六里，至白金05，至新館35。

番法遗塞

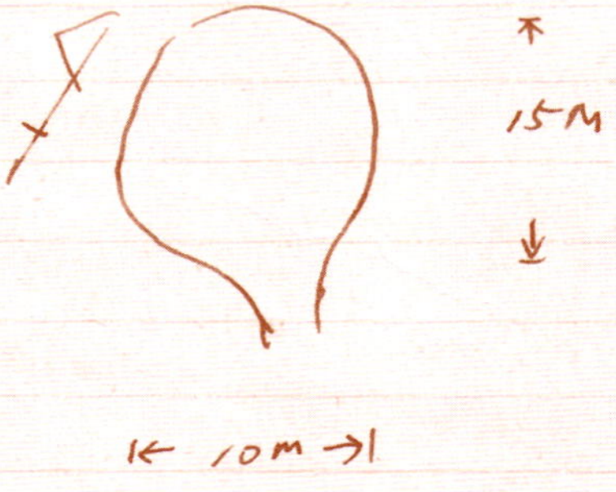

15M

10m

深平均约3M，填平约需300—350土方。

原稿紙

泉新縣東东村唐黃滔溫墓調查報告

本年十一月廿三日接省人民委員會指示，往泉新縣勘查唐黃滔溫墓情況，以便進行保存施工辦法。我們到泉新縣後，通過縣文教科，社代管了區公所，直到古墓所在地的東新村進行了瞭解，並在古墓現場作了比較詳細的勘查。茲將古墓情況及保護施工意見列後：

古墓的發現

一、據村民談，該墓在民國初年已被湯姓軍閥破壞，故偽時婀曾進行過一次瞭解，同時封閉了墓門和墓室上的破孔。初據時出有墓誌銘一合，（一九四六年發現）誌載墓主黃德溫，係閩王族太原相孝穆孫，防刺子，封蘭陵郡王。墓誌銘當時存該村小學校內，不久被村民打碎，分作了磨刀石。墓誌蓋在九三勝利後不久，也走上了同一命運。（墓誌銘有鈔本）墓中出土的其他文物如雞冠壺、影青瓷、红定瓷、海青瓷器及一般黑花白瓷、金屬面具、銅絲手足網套、各種裝飾品等，都被軍閥所盜取。

28×14

原稿紙

二、古墓位置的情况。

位置在阜新县杜代营子区东巴家卜村西台村，原名新丘屯的西浒禄山梁上。南到新义县铁路大巴站六里，西到阜新县四十五里，东到新立屯三十五里。墓室为灰青色长方砖建筑，石灰钩缝，墓室顶及隧道左侧部分使用石块。墓室分主室及前室两部分：主室八角形，直径六公尺，高四、七〇公尺，前室长方形，宽二、五五公尺，长四、二五公尺；墓门宽一、五五公尺。门前有层楼斗栱等结构。主室八角各留有宽五五公分深二八公分的大柱槽，可见壁间原有木质结构。墓门西壁石灰上面有墨笔人物画，拱门上方画飞鸟流云图，都草了成章，不很工致。有的部分石灰面脱落或挂有土锈，画面就有些不清。破孔在主室旋顶前方，直径约一公尺。墓门及破孔在十几年前已用残缺乱石封闭，但墓室及墓道上原有又深又大的掘沟，共未复土，山水存积和冲刷，对古墓很为不利。

三、保存施工的办法：古墓地表现存一椭圆盆形深坑，长轴直径一五公尺，短轴直径一〇公尺，深度平均约为三公尺。根据这种具体情况看来，第一种处理方法步骤是：先将墓门及破孔重新封闭一次，再将地上盆形

装訂線

28×14

原稿紙

深坑填平，然後在墓上堆起封土，墓後挑一道防水壕，墓前立標樁，保護較為妥善。約需土三五〇一五〇〇公方。另一种處理方法是：墓內及破孔既為舊不動，只填平地表深坑，上起墳头，墓後築水壕，前立標樁，保護。這樣處理較為經濟，可以節省一些工料。

該古墓正在小山崗上，取土比較困难，以五〇〇公方計算，並且要多用些石塊，約需八〇一一〇〇工作日，如用第一种施工法，則须加五〇個工作日上下，施工期似以春初秋末農閑时较為相宜，因該地除農民外無劳動力可用。

這些估计和意见，不能很精確，也很难切合实际，提出来供首长参考。是否妥当，請修正為敘局。

此致

張館長

南京博物館文物工作隊

28×14

辽黄陵區墓上大掘坑　一九五五、一、廿四日照

1. 大掘坑上口

2、大掘坑底及残文化料新暴露时的掘痕

3、墓道左壁石墙

金阿城址出土塑像、乌丹城张瑞墓碑、承德辽造像经幢资料

编者说明：此批资料有：1. 义县清河门辽墓等资料目录；2. 金阿城址出土塑像，照片其中记有“乌山喜一氏藏”；3. 乌丹城蓟国公张瑞墓碑照片；4. 承德辽造像经幢照片。

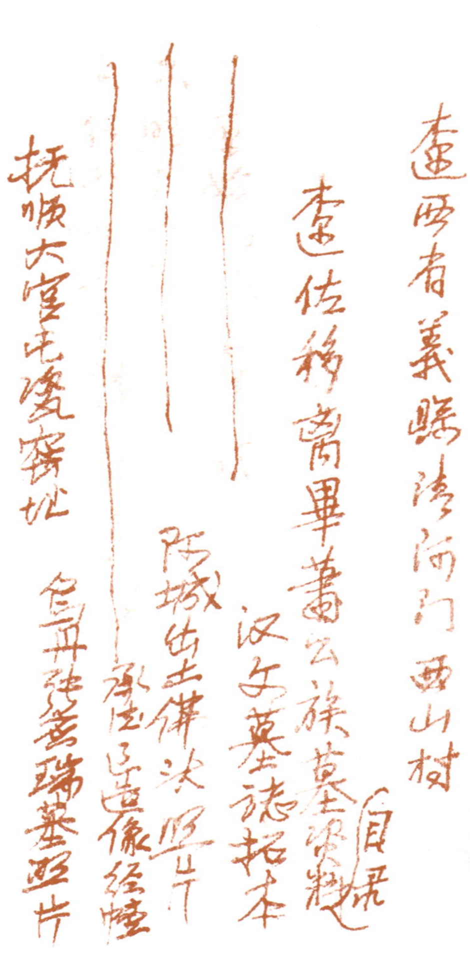

遼西省義縣清河门西山村

遼佐移离畢蕭公族墓資料目录

汉文墓誌拓本

附城出土佛[illegible]照片

承[illegible]辽造像经幢

撫順大官屯瓷窑址

[illegible]瑞墓照片

义县清河门辽墓等资料目录

金阿城址出土塑像土偶力士

金阿城址出土塑像土偶菩萨

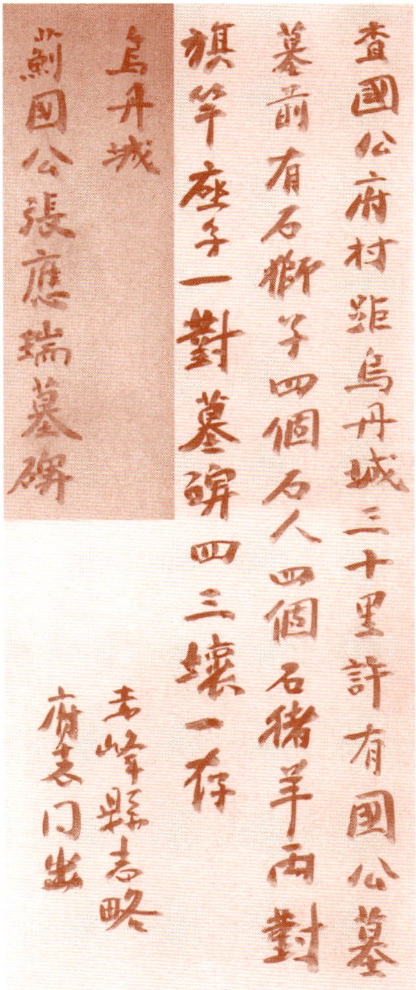

薊國公府村距烏丹城三十里許有國公墓
墓前有石獅子四個石人四個石豬羊兩對
旗竿座子一對墓碑四三壞一存

烏丹城
薊國公張應瑞墓碑

赤峰縣志略
府志門出

乌丹城蓟国公碑照片说明

乌丹城蓟国公张瑞墓碑照片 1

乌丹城蓟国公张瑞墓碑照片 2

乌丹城蓟国公张瑞墓碑照片 3

乌丹城蓟国公张瑞墓碑照片 4

承德辽造像经幢照片 1

承德辽造像经幢照片 2

承德辽造像经幢照片 3

承德辽造像经幢照片 4

手绘辽国地理图

婆綠水
田鶻
弱水
達靼界
陰山一帶
天德軍
木山
拂雲堆
中受降城
西受降城
東受降城
燕然山
狗泊
放馬泊
雲中府
朔州
白登山
代州
勝州
豐州
府州
夏州
黨項夏國
王门關
甘峡山
甘州
賀蘭山
涼州
龜茲
靈州
韋州
鹽州
宥州
銀州
火山軍
武州
寧化軍
岢嵐軍
嵐州
忻州
河東路
太原府
汾水
汾州
隰州
慈州
晉州
解州
鹽池
河中府
陝州
威勝軍
沁水
王屋山
濟水
祁連山
浩亹水
湟水
西寧州
廓州
湟州
積石軍
會州
蘭州
西安州
熙河路
熙州
河州
洮州
洮水
通遠軍
鞏州
井頭山
鎮戎軍
德順軍
秦鳳路
秦州
渭州
隴州
鳳翔府
環慶路
環州
慶州
原州
涇州
寧州
邠州
耀州
同州
京兆府路
保安軍
延安府
鄜延路
鄜州
丹州
綏德軍

编者附记：此图绘于宣纸上，尺寸为 105×60 厘米。

北蕃地理《武经总要·边防》文溯阁本（手录批注）

编者说明：此手抄批注写于绿格竖排稿纸上，稿纸印有“吉林第二两级中学校作文用纸”字样，计44页。除眉批之外，各页还带有行间注。第43页末记有“李文信据沈阳文溯阁本钞，并加眉上附注。又一九五九（年）、一九六二（年）又较”。

書名東宮中修，五年而成（慶曆四年（一〇四四）書進呈御覽）十卷。
此录自文渊、文澜二本，
二本也有小出入。
文中用弘治李鼎校刊本
校对，凡疑是，皆契丹史
通史七种编者案语。凡
似，疑者，皆我所记。一本
是文澜本。李文信
后又用明正德（南宋绍定）影本校（中华书局影印）
一过，也有不少出入。
一九六二.九.二四。
信案：正德本页十一行，行
廿一字。未见弘治本原
本，不知其行页款式。
库本似亦出自行廿一字
本，小注的鸭子河两条下接书后条可证。

欽定四庫全書

武經總要前集卷十六下　宋　曾公亮等　撰

邊防一　北蕃地理（正德本为前集卷之二十二，且无"边防"二字）

燕京州軍十二　灤·口

幽州四面州軍　西京州軍十一

雲州四面諸州

契丹舊地（正德本作"戎狄旧地"）

中京四面諸州　東京四面諸州

上京四面諸州

蕃界有名山川

詳校官臣劉權之
覆校官臣陸錫熊

馮家昇火藥的發現及其傳布，介紹武經總要本有下列各種：1、永樂初刊本，北圖㊂；2、萬曆刊本，原中研院史語所、北大。

奚　渤海　女真附（石法本無附字）

北蕃地理

契丹之（石法本之作先）先與奚異種同類，具為慕容氏所破，竄于松漠之地。後居黄龍之北，遼澤間。遼澤去榆關一千一百里（石法作「里百」），榆關去幽州七百里。地（其）南接海，東際遼河，西包冷陘（石法本作地界松陘山也），北界松陘，東西三千里。唐置契丹王兼松漠府都督。光啟中，中原多故，北邊無備，其王欽德（石法本作欽）稍蠶食達靼（石法作韃），奚、室韋之屬，咸被驅役，族帳寖盛。天祐末，遂僭號。欽德政衰，別部（部族石法作部族）部長（石法作酋長）按巴堅（按巴堅石法作阿保機）彊大，乃攻渤海扶餘城，下之，徙其民（人）而盡有其地（地石法作他）。又陷中國平、營二州。石晉有國，割幽、薊、瀛、莫、涿、檀、順、新、嬀、儒、武、雲、應、寰、朔、蔚十六州賂石本凡本朝之廷均抬頭另行書。

石本曰：幽州，中原舊地，古云云，今倒置。

徼，石本作徼。

之。周世宗復收瀛、莫，本朝陷易州。（石本契丹上有今字）契丹盡有奚、達靼、（靼石本作胡，中下有而）室韋、渤海、扶餘，（石本衍中字）及中國十八州（石本作十八州之地，其下有振武、丰州）而據其地，武、豐州舊在朔中，朝廷置吏領之，今亦陷。其國東南界新羅、熟女真，東際生女真，東北控黑水靺鞨，西抵夏國，西南距河東岢嵐、大山、（石本大作火）寧化軍、代、忻、并州，南瀕真定（石本定下有州字）西山界，泊保、雄、滄州，（石本滄作滄）東南泛海至（石本至下有京）東登、萊州。

燕州軍十二（石本燕下有京字，又月录亦有）

中原舊地。幽州，古冀北之地，舜置幽州。東有朝鮮、遼東，北有樓煩、白檀，西有雲中、九原，（石本九作戎）南有滹沱、（沱石本作沲）易水。唐置范陽節度，臨制奚、契丹。理幽州。自石晉割賂遼，主建為南京，又改燕京。東至莅家口三百九十里，正東徽（石本作徼）北至松亭關四百五十里。西

年 期 班

「牛山口」，一本作「中山口」。「徼」亦作「繳」。

「至居庸関一百一十里」明本作「一百二十里」。

「出北门」以下引王曾使辽录。「望京」下似有脱字。

「今」應為「金」。

「至古北河口」，一本作「北至古河口」。

「自北塹山」似有譌，按王曾行程录作「自此漸出山」。

「劉李河」，一本作「琉璃河」。

至牛山口百里。正西徼（石本作徼）北至居庸関一百一十里。東北至中京，出北门過古長城，至望京四十里。又過温餘河、大廈陂（石本作夏披）五十里至順州。東北過白嶼河七十里至檀州。自此漸入山，五十里至今（今石本作金）濵淀。入山詰曲，無復里堠。過朝鮮河九十里至古北河口，兩傍峻崖，有路僅容車軌（石本作転）。八十里至新館。過鵰窩（石本作窠）嶺（石本作四十里）二十里至卧如来館。又七十里至柳河（石本无河字）館。過松亭嶺七十里至打（石本打作朾）造部落。又東南行五十里，至牛山館。八十里至鹿兒峽館。又九十里至鐵（石本鉄作鐵）漿館。自北塹山。七十里至富谷館。又八十里至通天館。又二十里至「中京」。南至雄州，出南门，渡盧孤河（石本至上有「又七里」）六十里至良鄉縣。又過劉李河、范水、涿水至涿州六十里。至涿州或新城縣下，里程似有脫誤。

「平州」似有譌誤，当作川。

「门」字似譌誤

「保障」，明本作「堡障」。

「山口之西」，一本作「山路」。

「五里」一本作「五十里」。

新城縣。又四十里至白溝河。渡河至雄州。

關口

幽州：四面平州（石本州作川）無險阻可恃（石本恃作時），惟古北口以來據其要害，可設兵屯，置堡砦。唐范陽節度之地。古北口、松亭關、野狐门等路併之保障，至今石壘基堞尚存。有入番之路數十。

大林口　幽州正南。東至塩泊（石本塩作鹽），北至灤州石城縣，西北至荷家口山路。

（石本荷作待）荷家口　幽州正東三百四十里。正東至灤河，即灤州。北至平州。山口之西屬幽州，東屬平州。

松亭關　關東北五里至灤河關城。自幽州東趨營、平路甚

吉林第二兩級中學校作文用紙

年　期　班

「北路」似爲「此路」。

「西至平薊」,一本作「西至平州薊州」。文淵本作「至西平州薊州」。

「徒」似衍文,山亦似衍。

「二百七十里」下有「在今密云縣東北一百二十里」十二字。又「僅容車軌」一本作「中路僅容一車」,下有「澗巨石磊塊凡四十五里」十字。

「隘口」作「隘東」。

「北至北安州」一本作「北至安州」。

「山口之北」一本作「山口之地」。

「西北一百二十里」下有:「在今順天府北,兩山夾峙,一水旁流,跨關南北四十里,懸崖峭壁,最爲要隘」。

平坦,自古匈奴犯邊,多由北路(四庫北作此)。幽州東北四百八十里。北趨

澤州路,至中京四百五十里。西至平、薊(四庫平薊二字下均有州),有檀、安、燕氏二山(四庫本氏作氐)口

通車馬。

古北口山　幽州正東二百七十里。兩旁徒(四庫无徒)陡險(險作峻),中有(四庫无有字)路,僅

容車軌。本范陽防扼奚、契丹之所,最爲隘口(四庫隘口作隘東)。

得勝口　山口在幽州正北,山口盤道數层,俗(四庫俗作裕)名思鄉嶺。南

至檀州。北至北安州。

宋王口　幽州北一百二十里,居宋王山口之北(四庫北作地),屬山後。

曹王口　幽州(四庫作幽州徽山一百二十里)北一百二十里,居曹王山口之北,屬山後。

居庸關　幽州西北一百二十里(四庫作一十里)。關之西北二十里即居庸山(四庫作即居庸關山)。一

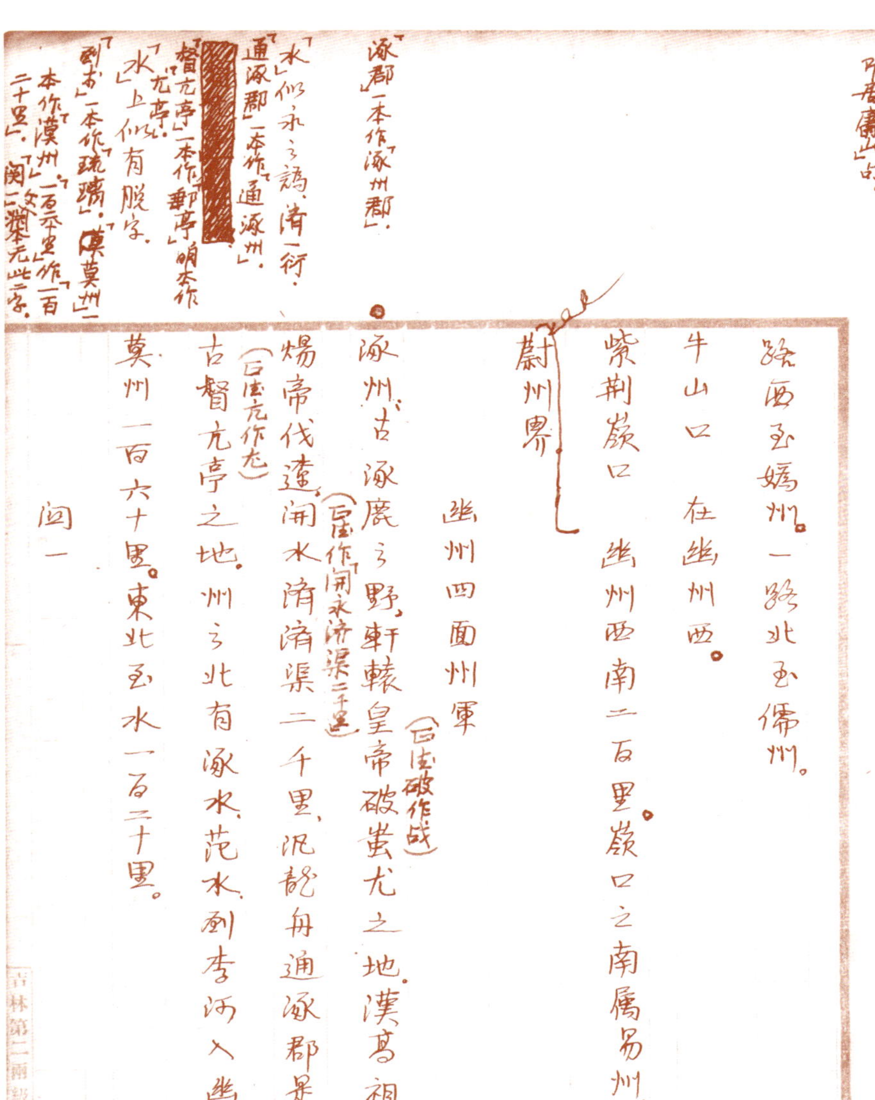
二十九字。又无「関」之西北二十里即居庸山的。

「涿郡」一本作「涿州郡」。

「水」似永之譌，「濟」衍。

「通涿郡」一本作「通涿州」。

「督亢亭」一本作「郵亭」，明本作「亢亭」。

「水」上似有脫字。

「劉李」一本作「琉璃」。「莫州」一本作「漠州」。「一百六十里」作「一百二十里」。「関」文淵本无此二字。

路西至嬀州。一路北至儒州。

牛山口　在幽州西。

紫荆嶺口　幽州西南二百里。嶺口之南屬易州，北即山後蔚州界

幽州四面州軍

涿州，古涿鹿之野。軒轅皇帝破（曰生破作战）蚩尤之地。漢高祖置涿郡，隋煬帝伐遼，開水濟渠二千里（曰生作開永濟渠二千里），汎龍舟通涿郡是也。新城即古督亢亭（曰生亢作尤）之地。州之北有涿水、范水，劉李河入幽州界。南至莫州一百六十里。東北至水一百二十里。

同一

吉林第二兩級中學校作文用紙

「慶長城塞」似有脫誤。

「慶」一本作「廢」。「二百三十五里」明本作「二百二十里」。「東南至」（宋本東南）一本作「東至」。

自似衍。「二百五十里」一本作「二百五十五里」。

祈溝關　東北至涿州四十里，西北至易州六十里。（石注无十字）

薊州，漁陽郡。隋置總管府。唐開元中，分漁陽、玉田縣置州。（石注玉作王）東至平州三百里。西至幽州二百一十里。（石注作西至幽州二百一十里）南至海口一百八十里。（石注无一字）北至慶長城塞二百三十五里。（石注慶作廢，並作二百二十里）東南至平州一百八十里。東北至盧戎一百里。（石注卢下有龙字）西北至檀州二百七十里。

檀州，治密雲縣。（石注李字作季）漢李廣弭節白檀是也。隋置州，為燕之邊陲障塞。唐置威武軍。東至薊州二百一十里。西至幽州界北長城四十五里。南至幽州五十里。（石注作五十五里）東北至長城障塞，自（石注自字作百里）西北至蔚州二百五十里。（石注作一百五十里）

順州，治懷柔縣。唐開元中置。東至薊州百三十里。南至幽州

「北人」明本作「北虜」，一本作「北主」。

「南至」一本作「南北」。

「二百十里」明本作「三百一十里」，一本作「二百一十里」。

「南為海隔」一本作「為南海隔」。

九十里。北至檀州八十里。（石注北至作东北至）

平塞軍（石注平作平）在涿州西南。北至易州四十五里（石注作四十里）。南至廣信軍四十里。

易州，漢涿郡故安縣地。隋為上谷郡。唐武德中平竇建德，改為易州。石晉割賂北人（石注人為虜），尋為定武軍節度使孫行友（石注本友作支）襲取之。雍熙再陷（石注熙下有中）。有駿牛山、五迴嶺，易水、徐水，東牛欄二砦。南至莫州百八十里。廣信軍七十里。東北至幽州二百十里（石注作三百一十里），西北至紫荊嶺一百里。通飛狐口至蔚州三百八十里。西南至定州一（石注无一字）百四十七里。

濼州（石注作义丰县）。治義豐。唐末劉守光據州叛，暴虐尤甚，營、平之地於中國南為海隔，其民不得已歸於契丹（石注契丹作北虜）。會石晉割賂燕、薊、易、定

「帥」一本作「師」。「烏灤河」一本作「灤河」。「為名」似「為城」之譌。

小注「守捉」明本作「守他」，一本作「把守」，此是「守捉」倒誤。又「西北」一本作「又至」。

「二百一十里」一本作「一百二十里」。

「北」作「遼西郡」。「遷」而「遷」誤。

「臨榆」明本作「臨渝」，下同。

「萊」一本作「來」，下亦作來。

「海州」，州衍。「潤」明本作「閏」。

「東北遼東澤」一本作「東北至遼東澤」，明本作「接遼東澤」。

「營平之地因渤海之叛」一作「營平之叛」。

「遼」而「遷」誤。

「榆關」明本作「渝関」。

帥（石渡本師王都作王都）王都，盡驅其民入契丹，因以烏灤河為名以居之，縣邑猶不改望都、安喜之名。東北灤河，按賈耽所說，自薊州西北一百二十里至鹽城守捉，又西北度灤河至盧龍鎮。（石渡本捉作把）西至石城九十里。南至海二百一十里。北至平州四十里。

遷州，古遼西北之地，臨榆（石渡本作渝）關在州東北五里。先是平渤海，遷其民置州以居之，仍名其邑曰遷民。東至萊（石渡本作來）州七十里，西至潤（石渡作閏）州四十里，南至海州三十里，北至利州四百五十里。

潤（石渡作閏）州，盧龍塞，東北遼東澤（石渡本作接遼東澤，又光作先）。唐光啟中，契丹有營、平之地，因渤海之叛，既討平，遷其部落置州以居之，取潤（石渡作閏）水為名。東至遼州四十里。西至榆（石渡作渝）關四十里。南至海三十里。北至中京五百三十里（石渡作五百五十里）。

平州，盧龍郡。漢屬遼西郡。三國志曹公北代烏丸，田疇從盧

「隋至」似倒误。

「龍鲜水」一本作「龍泉水」。

「羊洛」或即「陽乐」。

「今有羊洛城」明刊有「語訛也」三字。

「榆関」明大本作「渝関」。

「把」似「捉」誤。

「会仙石」明本作「会遷石」。

「古北口」一本作「北口」。

「招贤州」明本作「招延州」，不見遼史地理志。「东小凌河」一本作「东至小陵小淩」。

龍道引軍，塹山堙谷，五百里登白狼山，即此路。隋至（石注无至字）置北平郡。有長城、臨榆宮（石注作渝）、碣石。有玄水、盧水、沮水、潤水、龍鮮水、濡河。又有黃洛水。今有羊洛城（石注本羊洛城下注語訛也三小字）。西至冀州三百里，南至海二百里，北至上谷口八十里。東北至榆關守把（石注把作捉）百九十里。西北至盧龍塞二百里。

北安州，後魏置安州，築城在幽州之北，正當松漠（石注漠作漢，又丹作毋）之地。契丹今建為北安州。墨斗（石注斗作鬥）嶺、牛山、會仙石、濡河、柳河，皆在其境。東北至中京二百五十里，西南至古北口二百八十里，南至幽州二百五十里。西北至柳河五十里。

招賢（石注賢作延，又薛雲室地理叢考亦作延）州，置州以渤海部落居之。東小凌河。西南至幽州四百五

十里。南至潤州界。北至澤州。以上並幽州四面州軍。(已注本以上至州軍一句起行書)

西京州軍十一

雲州：雲中郡，平城、白登山、單于台並在其境。唐置大同軍。雍熙中王師北伐，潘美、楊業並出雲應路，連拔雲、應、寰、朔四州，師次桑乾河，會曹彬班師，遂不克守，還四川(已注川作州)民於內地。今契丹僞号西京。東至嬀州路至幽州七百里。正南微北(已注南作西)至單于都護府三百里。南至代州界二百五十里(已注作西南至代州界五百五十里)。北至長城(已注作至北長城)舊界三百里。西南至并州七百里。西北至黑山七百里。東北至陽河曲畜(已注畜作蕃)三百四十里。

雲州四面諸州

「四川」爲州譌

「正南微北」有誤字，「南」或爲「西」字，以形近致誤。「都護府」一本作「都会府」。

「西南」一本作「西北南」。

「陽河曲畜」似有譌奪。

「嬀川郡」，文淵本作「嬀川軍」，明李本作「嬀川軍」。

「改為可汗州」，文淵本作「改為克汗州」。

「又北七十里至鎮城」，文淵本作「又百七十里至鎮城」。

「徑」似有陘誤。

（石注：本「嬀川郡」作「嬀州郡」）嬀州，嬀川郡。唐初置北燕州，貞觀中（石注：「貞」作「正」）改嬀州，取城中嬀水為名。涿鹿山、磨笄山、版泉在焉。石晉割賂契丹，周世宗時，戎主避歸周之名，改為可汗州。東北至儒州二百里。西南至蔚州二百九十里。東南至幽州二百里。西南至代州四百二十里。東北至（石注：「善女」作「美女」）善女四百里。北至張說築長城九十里。（石注：本下一〇号，接书「縱夷鎮」，不提行）

（石注：「戎」作「夷」）縱戎鎮，後魏築長城，今契丹改為望雲縣。按《皇華四達記》，嬀（石注：嬀州北一百四十里）州一百四十里至廣邊鎮，一名白城。又東北五十里至赤城。又北七十里至鎮城。（石注：本「徑」作「陘」）徑山在鎮城西北，即奚、契丹避暑之處，今曰炭山。

蔚州，安邊郡，有胡盧河，即周禮并州漚夷川也。漢塞飛狐之（石注：本「狐」作「孤」）口，言其隘也。有松子口，即古之松陘嶺也。本朝田重進將兵

「西至朔州」文淵本作「西至蔚州」。

「西至代州四百六十里」，嚴（注）耽曰「一百九十里」，明抄本作「二百九十里」。「北至天成軍」文淵本作「北至天池軍」，明抄本作「天城軍」。

「西北四百二十里」文淵本作「二百四十里」。

「趙希贊」明本作「趙希賢」。

「以降」似奪「以城降」。

「西黄河」文淵本作「西南至黄河」，明本作「西至黄河」。

「茂成川口」明本作「草城川口」。

「大山軍」明本作「火山軍」。

北征，牙將李存璋（石本作璋存）与契丹軍帥（石本軍作酋，又其民作夷民）率其民空壁來降。重遇無一兵一矢〻〻皮損。會幽陵不守，棄之。東至易州三百二十里。西至朔州三百八十里。西至代州四百六十里。嚴耽曰西行一百九十里（石本作西行二百九十里）至炅邱縣（石本邱作丘，上有黒方无字），又二百里至代州」。南至真定府五百里。北至天成軍（石本成作城）百八十里。東南至幽州五百里。西北至乱柳関九十里（石本作西南至乱柳関九十里）。

朔州：漢馬邑城。唐初置州。西北四百二十里即單于台。東北四十里至白登山。桑乾河、參合坡（石本坡作陂）并在其境。本朝雍熙中，王師北伐圍城，節度副使趙希贊以降（石本作节度副使趙希賢以城降），令曹彬班師，尋棄之。東至蔚州四百里。西黄河。南至南界茂城川口四十里（石本南至作南主，又茂城川口作草城川口），川口至岢嵐軍三十里。北至應州二百里。東南至大山（石本大作火）軍界六十里。西南至神

「媯州」明本作「媯川」。

「西至新州」文淵本作「西至蔚州」。

「彰國軍」文淵作「彰德軍」，明本作「彰国軍」。

武縣，（石注无至寺字）自縣南至（南）寧化軍二十五里。（唐图作西北至雪山百六十里）北至雪山一百六十里，與岢嵐軍分界。

新州，治永興縣。後唐同光中升為威塞軍節度使，（石注本无使字）以媯、儒、武三州隸之。契丹改為奉聖州。東即桑乾河源所出。東至媯州九十里。東南至幽州三百里。西南至蔚州百里。南至雲州四百里。

儒州，治縉山縣。（石注本作唐北河北道，又創作滄）唐隸河北道，不知創州之由。（石注至上有东）至望雲縣九十里。東南至幽州二百五十里。西至新州一百二十里。（石注元一字）西南至雲州九十里。西北至九十九泉。

武州，（石注本治文德縣，旧曰毅州）治大德縣，舊曰毅州，長興中改為武州。地有武川。石晉割賂契丹，（石注契丹作胡虜）改為歸化州。南至新州七十里。

應州，（石注治作洎）治金城縣。後唐天成中（石注本天作大）建為彰國軍節度，（石注本作彰国）以寰州隸焉。

「混源」文淵作「崑源」。

「振武節度」文淵本下有「治」字，明本下无「使」、「治」二字。

「拂云祠」文淵本作「佛云祠」，下同。

本朝雍熙中，潘美乘雲、朔之捷，兵至城下，節度副使艾正以城降。東至雲州二百里。（宋本无至字）西至黄河。南至朔州二百里。北至混源縣八十里。

寰州，治寰清縣。本朝雍熙中，大將潘美北伐，出雁門西徑（宋本經作陘）路，与敵（宋本敵作虜）遇，力戰至城下，州將趙彥辛以城降，會幽陵不守，棄之。

振武軍，單于府。陰山之陽，黄河之北。漢遣因捍將軍公孫敖築塞外受降城。唐為振武節度，治東受降城。善陽嶺、燕然山、李陵台、竇憲銘在焉。東南至幽州一千二百里。南至朔州三百五十里。北至黑沙磧石口七百里。

安北都護府，唐朔方軍与突厥以河為界，北岸有拂雲祠，突厥將入寇，先詣祠祭酹，牧馬料兵而後渡河。張仁愿乘虛

「置都護府」文淵作「至都護府」。「北至陰山八十里」明本作「北至陰山八千里」。

「契丹舊地」文淵作「戎狄舊地」。

取之，河北築城三所，以拂雲祠爲中受降城，與東西兩城相應，皆據津濟。開元中，豐勝二州界置都護府。東南至東受降城二百里。西南至西受降城百八十里。北至陰山八十里。西北至磧石口三百里。

故豐州：九原郡。隋開皇中置豐州，又云唐貞（四庫本貞皆作正）觀中平突厥置州。天寶中於木剌山置橫塞軍，尋改爲天德軍，郭子儀爲之使，仍兼九泉（四庫泉作原）太守，以歸附之衆置都護府，惟領蕃（四庫番均作蕃）兵。西受降城在州北河外九十里。

契丹舊地（四庫本作戎秋旧地，秋當是狄）

中京：（四庫本中京作中原）舊鮮卑之地，在饒樂府西南，奚王（四庫本王下有國字，東作地）牙帳之東，奚部落、

「塞主」，文淵本作「遼主」，明本作「虜主」。「僞號」，文淵作「僞造」，明无「造」字。

「一路由松亭關，一路由古北口」，明本作小注。

「松山館」，文淵本「松亭館」，明本作「松山府」。

「宫室」疑爲「官窑」之誤。

「姚家岩館」，明作「姚岩館」，文淵作「桃岩館」。「山石」疑爲「岩石」。

「漢」疑爲「潢」。常疑作嘗。

「契丹置饒樂州」，明作「契丹置」。「饒樂府」，文淵作「契丹至饒樂州」。

「秦」疑爲「泰」。

南距古北口，北距潢水（石注潢作况），東即營州，千餘里皆其境土，後爲契丹所併。景德中，塞主（石注本塞主作虜主）築宫室城垣，建爲中京，僞號大定府。東至營州界青山嶺一百七十里。西即山後外州界。東南至建州（石注建作庭）二百三十里。南至幽州九百里，一路由松亭關，一路由古北口。（石注本一路至古北口六字爲小字夾註二行寫，并无下由字）北至上京六百九十里，正北八十里至臨都館。又四十里至宫室館。又七十里至松山館。又七十里至崇信館。又九十里至廣寧館。又五十里至姚家（石注本无家字）岩館。又五十里至咸寧館（石注本咸作减）。又三十里渡漢水石橋，旁有饒州，蓋唐朝常於契丹置饒樂州（石注本州作府）。又五十里至保和館。又七十里渡黑水河至宣化館。又五十里至長泰館。西二十里即祖州。又四十里至上京。東微北至木葉山五百十里。

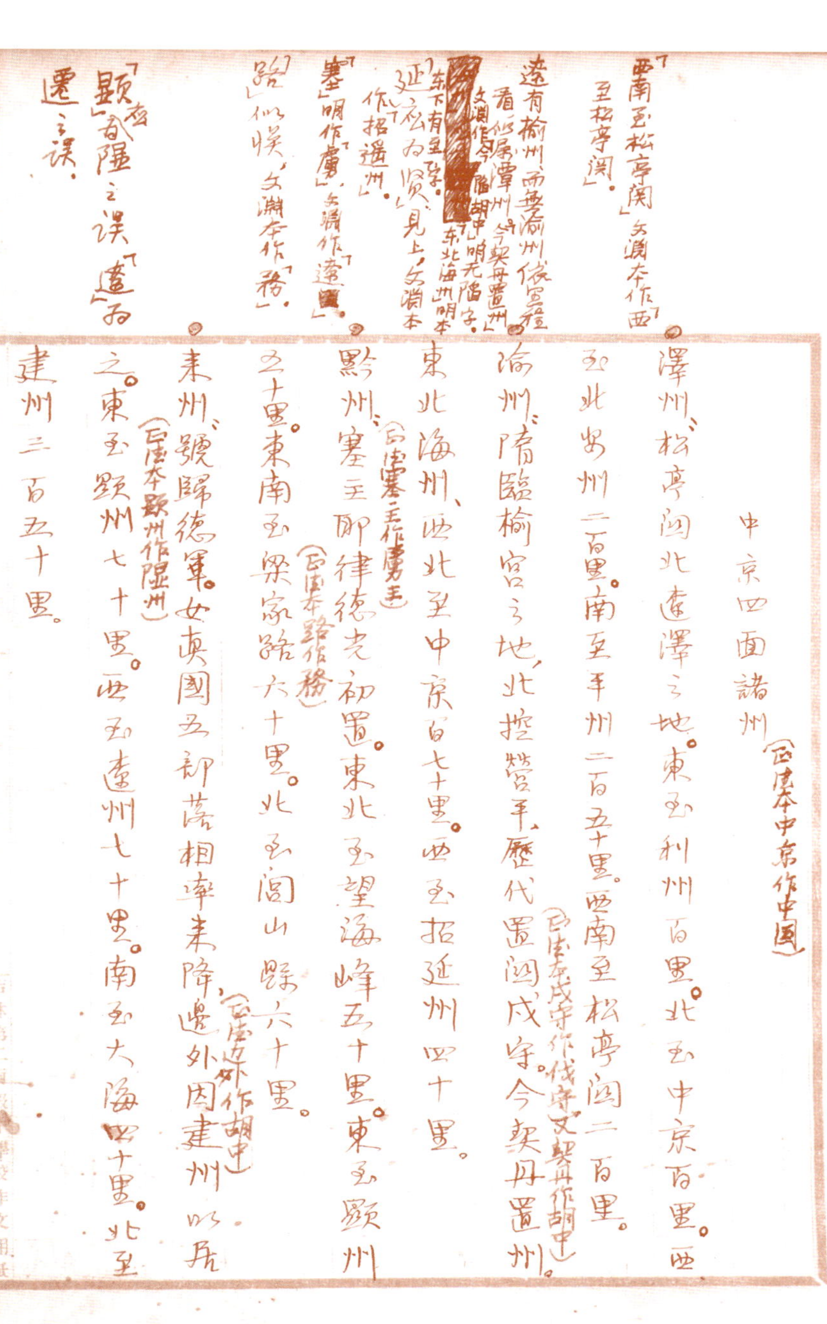

「西南至松亭関」文淵本作「西至松亭関」。

遼有榆州，而無渝州，依宮程看似屬潭州[?]。「今契丹置州」文淵作「今陷胡中」，明元陷字。

「東北海州」明本「東」下有至字。

「延」疑為「遥」[?]，見上。文淵本作「招遥州」。

「塞」明作「虜」，文淵作「遼」。

「路」似誤，文淵本作「務」。

「顯」為「隰」之誤，「遼」為「遷」之誤。

中京四面諸州（臣注本中京作中國）

澤州，松亭関北，遼澤之地。東至利州百里。北至中京百里。西至北安州二百里。南至平州二百五十里。西南至松亭関二百里。

渝州，隋臨榆宮之地，北控營平，歷代置関戍守（臣注本戍守作伐守，文契丹作胡中）。今契丹置州。

東北海州，西北至中京百七十里。西至招延州四十里。

黔州（臣注本塞主作虜主），塞主耶律德光初置。東北至望海峰五十里。東至顯州五十里。東南至梁家路（臣注本路作務）六十里。北至閭山縣六十里。

來州，號歸德軍。女真國五部落相率來降，邊外（臣注本邊外作胡中）因建州以居之。東至顯州（臣注本顯州作隰州）七十里。西至遼州七十里。南至大海四十里。北至建州三百五十里。

179

金史地理志利州有蘭州寨，並見李來蒙野黑之墳碑。

「蘭州」不詳，或誤「潭」爲之。

「𡉏」應作「陵」，下「𡉏」應作「凌」，小丙大明本作「凌」。「平州五十里」文淵作「平州五十五里」。「西北至」灤处无「至」。

「嗣王繼位」文淵下无小注。

「毋楫」文淵作「毋棹」。

至渝州尚有利州或潭州。

小丙丙大、「陵」明本作「凌」。

「地」應爲治、

「東至遼河三百里」誤、

利州，昔（石法本昔作嘗）承天后所建。东至建州百二十里。东北至建州百十里。西南至蘭州六十里。南小陵河路至平州五十里。西北至中京百五十里。

建州，契丹（石法本契丹作胡中）地，今号保静軍節度，本遼西之地，德光（石法光作九）立為州。嗣王繼位，契丹号穆宗。三兩之地復為周世宗所取時（石德本二时字）江南諸國欲牽制中原，遣使（石德本作遣使）齎金幣泛海至契丹國，乞出師南牧，卒不能用其謀。入貢（石法本貢作蕃，又下有人字）使舟楫水師悉留之建州、霸州（石法本建州下有徽州），並置營居之，號通吳軍。東南至叢[杖]山二十里（石法本作三十里）。東北至霸州九十里。南至渝州五十里。西南至小陵河十里（石法本陵作凌）。

興中府，營州地。漢末烏丸（石法作烏桓）、鮮卑所居，唐平盧軍節度使地（石法本地作治）所。今号興中府。東至遼河三百里。西至中京三百里。西南至建

「北至潢水四百里」文淵本无注。
「松陘嶺百里」文淵本无注。
「平壤城」亦為燕郡城，
新州即杏堝新城，后更名武安。
「徽」亦作徽。
「地」下有股字，明本有宜字。
指朝陽四家板古城。（以下照文淵閣本鈔錄）
州，亦为川。
「营州东百八十里」明本「营州东北八十里」。
「宜州」与下条「东京」首句错简。
「波羅」亦作「汝羅」，「寺抵」即「守捉」，明本作「东经汝罗守捉」「渡遼州十七驛」。
又下有「东京」，不亦当出此条。
「渡遼州」似為「遼東郡」即東遼。

州六十里。北至潢水四百里。（石注本潢作湟）舊契丹界。西北至松陘嶺百里。舊奚界。東南至安東都護府二百七十里。歸平壤城。（石注本壤作壤）東北至白川州七十里。（石注本白作曰）

新州：本契丹國之地。東至徽州二百里。西至惠州一百三十里。（石注本作百五十里）南至霸州三百里。北至永州三百七十里。（石注本北至、次西至、次南至）東至[illegible]

白川州：梁城在遼澤之中。東距醫巫閭山，西至營州。（石注本州下有宜字）地桑柘，民知織紝之利。每奉中國幣帛，多書白州稅户所輸云。（石注本白下有川字）東至黔州七十里。西至中京四百三十里。（石注本作東南至宜州）南至宜州百里。西南至霸州七十里。

宜州：按室韋四達記，（石注本達作建）營州東百八十里。凡九遞至燕郡城，自燕郡東經波羅寺抵渡遼州七十里驛，（石注本作汝羅守捉）（石注本七十里驛作七驛）至安東都護府約五百里。今以契丹地圖校，至東京五百二十里。

賈耽道里記原文：營州東百八十里至燕郡城。又經汝羅守捉渡遼水，至安東都護府五百里。——信注。

吉林第二兩級中學校作文用紙

據上条，「東京□治所」与上条「宜州」「西百八十里」錯簡，不應提行。

「東」與下「有」□至字，應為宜州下注文錯簡，上段宜州即合。

按始平軍為遼州、遼濱縣。東至以下是遼州中注明之注文錯置於此，作「遼遂縣」。「北至」應為「西至」，「北白川州」下注文脫「遼」，誤作遼。

西州注亦不全。

東至下應接上条「乾州百二十里」，南至錦州八十里，至海百二十里，云云。

「暉州」當即「徽州」，下三州似皆「頭下州」。「胡中」一本作「遼中」，明本作「虜中」。

東京，（〔石〕注本「東京」上提行）即安東都護府治所。（〔石〕注本無「府」字）州城即古之燕郡城是也。本遼西（〔石〕注作「本遼之西地」）之地，漢魏間烏桓、鮮卑所據。在營州之東，契丹置崇儀軍節度。舊有江南水東，號通吳軍，置營居之。東醫巫閭山。西至霸州二百里。南至錦州九十里。（信按：下条前四字，應為宜州北方注文，誤書於此。）

北白川州，遼州、遼縣故地。（〔石〕注本作「遼隨縣故地」）（〔石〕注本「本朝」提行者）本朝天禧中，契丹建為州，仍曰始平軍。東至乾州百二十里。西北至宜州四十里。南至海二百里。北至中京五百五十里。北至醫巫閭山八十里。

（本亦作「北白川州」或「西北至白川州若干里」耳）

海北州，古城也。在遼河之西，滄海之北，阿保機建為州。東至錦州八十里。南至海一百二十里。（〔石〕注無「一」字）西北至中京五百三十里。

暉州，胡中呼為暉州。禄州、穆州並曰于越王城。耶律遷寧者，

應為遼西州之脫誤。「北白川州」為上条「北至白川州若干里」文斷誤。

「于越王」明本作「越王」，「宗中」作「宗州」。

宗州穆州至謂之于越王，似原注混入正文者。

「東至」以下，全不可曉。按「宗中」應為「宗州」。

明抄本祿州、穆州均另行。

祿或即福字之誤。

「山岩」明本作「山砦」。

「孟」應為「盂」。

「西北曼头山」明本西北至曼头山。

「山地」似「東北」之誤，里程亦誤。

明本作「山北」。

「本朝景德初」明本作「本」。

「朝中初」。

「城方二里之至低小」明元之字。

「城內」明本下有「有」字。

城方二里至人多漢服一節，係宋自宋綬行程錄，見宋會要。

「漢」為「潢」誤。至上京有西字。

遼中大將也（石法本遼作虜）。蕃語謂之（石法本無于字）于越王。不知創立之因。東至宗中（石法本東至宗州），西紫濛川。南酒糟河。北漢水（石法本漢作潢）。祿州（石法本另起行）東曼头山。西南暉州。北夢送河。

穆州（石法本另起行）東醫巫閭山。西中京四百里。南醫巫山岩（石法本作南医巫閭山砦）。北酒糟河。

恩州：德光所建，本烏桓舊地。南至中京六十里。西至馬盂山六十里。西北曼头山三十里（石法本作西北至曼头山），山地（石法本地作北）至宜坤州五十里。西北至上京（石法本作西南至上京）二百五十里。北至高州百二十里。

惠州：阿保機所建，在鮮卑之地。本朝景德初（石法本提行，作本朝景德中初），契丹入寇河北，德清軍失守，俘虜人民，於此置城居之。城方二里，之（石法本无之）至低小。城內（石法本內下有有字）瓦舍倉廩，人多漢服。東至新州百三十里。西南至中京百二十里。南至建州二百三十里。北至漢水石橋至高州百五十里（薛季宣地理叢考作「北渡潢水石橋至高州」）。

「北」至「百」。明本「北」作「百」字。

西北至饒州里程过短。

「大遼」河：遼应爲梁字。

賈耽道里記原文：安东都護府故汉平（壤）襄城也。东南至平壤城八百里。西南至都里海口六百里。西至建安城三百里，故平郭县也。南至鴨渌江北泊汋城七百里，故安平县也。

「約五百里」明本作「約三百里」。

「泊約」爲「泊汋」

葛州：契丹收新羅諸國，俘虜人民，置州以居之，仍置倚郭一縣，以三韓爲名。南至中京北（石注本北作百）四十里。东南至恩州五十里。西北至（石注作西北）饒州六十里。

東京：遼东安市城也。城之东即大遼河，城之西即小遼河。（石注作之西即小辽河）秦屬遼东郡，漢屬幽州。唐太宗平高麗，因名所幸山爲駐蹕山，山在東北。後爲渤海國，契丹建爲遼州，得其地爲东京。岩州（石注本作嵒州 下同）在其东，即李勣所平白岩州也。《皇華四達記》曰：自安东府东南至平壤城八百里。西南至都里海口約六百里。西北至建安城約五百里（石注本作約三百里）。正南微東至鴨綠江北泊約七百里。今以契丹地形圖參校，惟建安（石注本建作遼）城不知處所，其他地形遠近率同也。东

「东北至女真界五百里」明本作「东北至熟女真界五百里」。

「至楊家岩」明本下有「館」字。

「遼州」當爲遼西州。

「北中」北字疑衍。

「建安館」明本下有「又」字。

建安館、當在建州，（「会安」=館）富東會安當是富水館，而會安爲館字離析致误。又富水館當在富庶縣。

「驛河」明本作「驛程」。

「鴨綠水九十里」明本作「……九百里」。

「黄龍府九百里」明本作「东北至黄龍府七百里」。

北（石涼本无北字，并作熟女真）至女真界約五百里。西至遼河百五十里。又八百八十里至中京。西六十里至鶴柱館。又九十里至遼水館。又七十里至閭山館，在醫巫閭山中。又九十里至獨山館。又六十里至唐葉館。又五十里至乾州。微北六十里至楊家岩（石涼本作至楊家岩館）。又五十里至遼州。北六十里至宜州。又百里至牛心山館，在牛心山北中。又六十里至霸州。又七十里至建安館。（石涼本五十上有又字）五十里至富水會安。至中京三驛河（石涼本河作程）名去七十里。南至平州五十里。自平州至幽州五百五十里。北至濠州百二十里。东南至鴨綠水九十里（石涼本作九百里）。西南至錦州四百里。北至黄龍府九百里（石涼本作东北至黄龙府七百里）。西北至顯州三百里。

東京四面諸州

遼水方位误，或大係水之误。

「本渤海」明本作「本州海」。「邑」皆是「地」之訛误。「西北至遼河」明作「西至遼河」。「女真界」明本作「生女直界」。「西至德州」明作「西北至惠州」。

里至全误。

「东鴨绿江」明本「东至鴨绿江」。遼下脱水字。

瀋州，德光所建，仍曰昭德軍，契丹舊地也。東至大遼水，水东（薛季宣地理叢考作「东水」）至女真界。西南至东京一百三十里（石本作百三十里）。北至双州八十里。

韓州，在三韓之地。本渤海（石本渤海作州）西北邊之邑，舊有三州，契丹併爲韓州。東北至女真界（石本作生女真）。西至德州九十里（石本作惠州）。西北至遼河六十里（石本无北字）。南至通州八十里（石本无州字）。

同州，阿保機所建，仍曰鎮安軍。契丹舊地。東至生女真界。西南至东京二百里。西北至双州七里（石本作七十里）。东北至集州七十里。

擢州，地控新羅界，胡中要害之地。东鴨綠江女真界。西大遼。南石城。北至东京百五十里。

信州，唐天后時置州，以處契丹失活部落，隸營州都督。明年东南至長春州，乃誇詞也。段当是黃龙府注文，因失點誤接于信州条下。薛氏地理叢考有黃龙府条，并注有要到長春州語。

「黃龍縣」下，文淵本无小注。「小注」「古渤海之地」明本渤海下有國字。

渤海州屬东京道，遼志僅見其名。

「渝州」不見遼史，以方位里程看，可能是棋州。

「貴州」应为貴德州。

「顯州」明本下有「本」字。

遷於青山州安置。今契丹建為彰勝軍。東南北三面至生女真界各三十里。西至逆流河（石法作道流河）七十里。東南至長春州百二十里。（石法本古渤海國之也）（石法本北作比）北至黑水河三十里。地有黃龍縣。古渤海之地，今虜中號黃龍府，自云高祖射黃龍之所，誇詞也。

銀州：阿保機所建，女真國舊地。東至逆流河（石法本作道流）五里入生女真界。西至双州七十里。南至東京三百里。北至渤海州六十里。（薛季宣地理叢考作「北渤海州」）

双州：（石法本丹作居）契丹號保安軍，有通吳軍營壘。東至逆流河二里入生女真界。西至遼州七十里。南至瀋州七十里。北至渝州百二十里。（薛季宣地理叢考作北榆河州）北皆生女真界，西至瀋州八十里。

貴州：古城方二十里，曹魏時公孫康所據城也。漢樂浪等地。東南、

顯州：（石法本作本渤海國）渤海國。按皇華四達記，唐天宝以前，渤海國所都顯州，

唐爲康州，集或爲嘉，因音相近而誤，因遼别有集州奉集縣，不爲顯州支郡。

「遼主」明本作「虜主」。「都署」作「都部署」。「銀野砦」作「銀冶砦」。

「遼州」疑爲「遼西州」之誤。

「岩」一本作「嵓」。「白云山縣」（南集州）明本作「至南集州，北至白云山縣」。

後爲契丹所併。又有集、唐二州，並撥（石陸本唐作康，又撥作棧）屬本州。東至遼州九十里，又三百九十里至東京。西至宜州百二十里。南至乾州七里。北至（石陸本无至）醫巫閭山。

乾州：在醫巫閭山之南，古遼澤之地，遼主（石陸本作虜主）景宗陵寢在焉。今置廣德軍節度，兼山陵都[塗]署（石陸本作都部署）。東至顯[塗]州八里。西南至銀野砦（石陸本野作冶）二十五里。西至遼州六十里。北至兔兒橋四十里。

宗州：石（石陸本石字上有在字）熊山之陽，管熊山一縣，古[塗]遼東之地。東遼水。南至顯州一百里。北濱水。

岩州：（石陸本岩均作嵓）本高麗所據之地，唐太宗伐遼，師次白岩城下，因之建爲岩州。今契丹置兵屯守，州名不改。東至女真界百九十里。东

「遼主」明作「虜主」。「至石城」。

「六十里」明本下有「來遠城」三字。

「遼中」明作「虜中」。

似單成一条，蓋另行書。

「遼中」以下疑别为一州，依往[?]置里程推测，当是定州。

「興化鎮」見《東國輿地勝覽》义州牧，古迹，古定州。

「大陵河」明作「大淩河」。

「吉州」当是「宣州」之誤。案：然当是怀化軍刺史州，为保州支郡，《遼史·地志》只记軍名，失州名。又有吉州，福[?]曰軍，

南至东京五十里。南集州白雲山縣。（石刻本白作北）（薛季宣地理叢考亦作北）

開州，渤海古城也。遼主（石刻本作虜主）东討新羅國都，其城要害，建（石刻本建作逮）為州，仍曰開遠軍。西至來遠（石刻本作來远城）一百二十里。西南至吉州七十里。东南至石城六十里。遼中（石刻本作來远城虜中庚戌年）庚戌年討新羅國得要害地築城以守之，即中國大中祥符三年也。东至新羅興化鎮四十里。南至海三十里。西至保州四十里。

保州，渤海古城。东控鴨綠（石刻本作鴨渌江）江新羅國界，仍置榷場通（石刻本作通至互市之所）互市之利。东南至宣化軍四十里。南至海五十里。北至大陵河二十里。

吉州，三韓古城也。契丹置兵防控新羅諸國。东石城。西南鴨（石刻本作渌）綠江。东至大鹽（石刻本盐作監）州百里。西至海。

鹽州（石法本作監州，下二盐同作監）：三韓之地。舊有城邑，置兵防置（石法本置作制）新羅諸國。又有小鹽州（石法作監），相（石法本相作栢）去八十里。东保州。西至海。南即海北小鹽州（石法作監）。

錦州：遼西之地（石法本作錦州，又之地作之北）。南至大海，北距柳城。阿保機建爲州，今號臨海軍。东至顯州二百里。西南至嚴州百七十里。南至大海二十里（石法本作三十里）。北至宜州百二十里。

嚴州：柳城之南，古遼西之地。阿保機建爲州。東至錦州北七十里（石法本作百七十里）。南至南四十里（石法本南至海四十里）。北至霸州二十里。

隰州：遼主（石法本作虜主）隆緒建爲州。东至海二百里。西至来州八十里。南至海五里。北至建州（石法本建作逮□）三百三十里。

上京：潢水之北，东至（石法本作东际）遼河，西包冷陘，南由溪人（石法本作奚人）部落相接。距

「防置」明本作「防制」。

「綿」应作錦，明本作「錦」。

「南至大海二十里」明作「南至大海三十里」。

北，应为百，明本作「百七十里」。

南至南、下南应为海，北至霸州里程误（十应为百）。明本作「南至海」。

「達主」明作「虜主」。

「二百里」当是二十里。

「东至遼河」明作「东际遼河」。

「溪」应为奚。

「居長」明作「君長」。

「焉」疑作「爲」，明作「爲」。

「東」「爲」「卓」明本作「車帳」，疑是「車帳」之誤。「至臨潢府」明作「置臨潢府」。

「昭陽」明作「韶陽」。

「徵」疑爲徽。

至黄龍、龍化里程方向有误。

「西至新州」明作「西南至新州」。

幽州千七百里（石印本作一千七百里）。本鮮（石印本鮮作觧）界之地，居（石印本居作君）長姓大賀氏，有八部。唐貞觀中（石印本貞作正），諸咸請（石印本作諸部咸請内属）内屬，乃置松漠府以居之，賜姓李氏，兼松漠都督。至阿保機始私（石印本私作松）立年號，稱大遼國。建所居部落焉（石印本焉作爲）西樓，有樓數間而已。後燕人所教（石印本教作敎），乃爲城郭宮室之制。邑屋門皆东向如東帳（石印本東帳作車帳）之法。至德光建爲上京，至（石印本至作置）臨潢府。（薛季宣地理叢考作「南潢」）東至潢水二百一十里。西南至饒州三百里。西至鹽泊八十里（石印本作八百里）。

上京四面诸州

長春州：契丹國舊地，仍曰昭陽軍（石印本作韶陽軍），本爲罪謫者配隸之所。北至黄龍府百里。东北至龍化州四百里。南至徽州三百五十里。西至新州（石印本作西南至新州）四百里。西北至上京二百里。

「潢之北」明作「潢水之北」。

「韓淀」明作「韓淀」。

「烏」當爲烏，明本作「烏」，文閣本亦均作「烏」字。

「遂州地」明无地字。

「龍化门化州也」明本无门字。作「龍化，即此州也」。

「尉」，當是「徽」，明本作「新州」。

「泉」當是宗字之誤。

暉，當是徽。

據上条西至降聖州則「北至」当是「东至」。

永州，在木葉山之陽，潢之北，（石印作潢水之北）契丹國舊地也。一路西北至韓（石印本韓淀作韓淀）淀二百里。一路西北至上京三百里。

烏州，（石印本烏作烏）本契丹國舊地，爲烏（石印烏作烏）素部畜牧之所，今建爲州。東南至群鹿二十里。东北至遂州地（石印本无地字）七十里。北至鴨子河三十里。

龍化州，（石印本作州在木葉山東十里）在木葉山東千里。阿保機始置四樓，此即是東樓也。會病卒，葬于西南山，即今祖州也。以所卒之地置州曰龍化，门化州也（石印本作即此州也）。東至泉州，二十里。西至降聖州五十里。西南至蔚州（石印本西南至新州）（薛季宣地理叢考亦作「西南新州」）四十里。南至遂州二百里。北至夢送河五十里。

降聖州，契丹國舊地。东遼河。（石印本作泉辽河）西野狐山。东南至暉州三十里。南平頂山。北至龍化州五十里。

「二千里」明本作「二十里」。「西南至上京」當是中京之誤。「踏弩河」當即遼史「沱漉河」、「撻魯河」，今洮兒河。「又西南」明本作「又於西南」。「遼主」明作「虜主」。「中京」當「上京」之誤。北至潢河十里以下，似有誤記。「西北門」明本無門字。

宜坤州：契丹為啟聖軍節度，即應天太后所生地也（石印本作所主地也）。東至長泊十五里。西南至上京二百里。北至踏弩河二千里，河北至大水泊五十里。

祖州：阿（石印本阿作何）保機既創西樓，又（石印本又下有於字）西南築一城，以貯漢人，今名祖州。在唐置饒樂府西北，祖山之陽，因為州名。阿保機葬所也，今號天成軍。南至饒州百八十里。北至上京四十里。

懷州：契丹號奉陵軍。州將兼山陵（石印本山陵作少陵）都部署。即遼主（石印作虜主）德光葬所也。東南至中京三百五十里。西（石印本無西字）至平地松林四十里。北至潢河十里，河北至上京百五十里。西北門（石印本無門字，又韃作達）至韃靼國三百里。

慶州：契丹舊邑（石印本無邑字），號黑河州，置州在黑山之陽。北至黑山三十

「遼主」明本作「虜主」。「葬所世」作「所生也」。蓋明人由慶字附会為所葬。

「沱河」明作「牝河」。「东至」作「东北至」。

「仍名曰夫餘国」明作「仍名曰夫餘府」。

里，即遼主隆緒葬所也。（石室本作即虜主隆緒所主也）近年改為慶州。東自金河館（石室本作东自令河館）至曼頭山。西（石室本作西韃靼達国界）韃靼界。南至潢水二十里。北至室韋國七百里。東南至上京二百五十里。

饒州，唐建（石室本建作達）饒樂府都督以處奚人部落。契丹建為饒州，在潢水之北、石橋傍，以渤海人居之。西南至平地松林百里。南至中京五百里。北至沱河（石室本沱作牝河）十里。东至（石室本作东北）上京三十里。西北至祖州七十里。

通州：夫餘國在高句驪（石室本高句驪下有北字），本濊貊之地。其國長城之北，西與鮮卑接，地方二千里。後為渤海國，阿保機平之，為东丹（石室本丹作冊）王國。今改為通州，仍名曰夫餘國。（石室本作仍名曰夫餘府）

「云州八百里」明本作「云州六百里」，「匈奴」作「賊兵」。「北境塞」作「北塞」。

「力奪」明作「斥奪」。

「復治陰山」明作「復治焉」。

「西北八十里」明作「西北八百里」。「遼中」作「胡中」。「雙山」作「霍山」。

舊界有名山川（正德本作山州）

陰山：東南至雲州八百里（正德本作六百里）。秦始皇并天下，北卻匈奴，築長城，濱涿河，以陰山為塞是也。前漢侯應曰，北境塞至遼東，外有陰山，東西千餘里，草木茂盛，多禽獸，本冒頓單于依阻其中，理作弓矢，常出幽州為寇，是其苑囿也。孝武（正德本力作斥）力奪此地，然後邊境少安。長老言，匈奴失陰山之後，過之未嘗不哭。周隋間突厥復治陰山。

炭山：本匈奴避暑之地（處），多豐草，掘丈餘即有堅冰（正德本冰作水）。賈耽所說媯州西北八十里（正德本作八百里）至陘山，即奚、契丹避暑之處。唐史載契丹之地西至冷陘是也。今遼中（正德本遼中作胡中）目為炭山，近又名雙山（正德本雙作霍）。自幽州西北踣

「居庸関」明作「居宝関」.

本条「本阿保機葬处,至後渡土河一段,係杂引宋綬行程录一节。该录见宋会要一六二冊蕃夷二、契丹条。

「長白山」明本下有「在女真故会宁府南六十里,横亘千里,高二百里」。「上有古城」明本无此四字,而有「故名。其巔有潭,周八十里,南流為鴨绿江,北流為混同江,东流為阿也苦河」二十九字。信按:明本此文,当是后人小注混入正文者,由「女真故会宁府」一语估计,小注时代可能在元明以来。阎本不取为是。

洼河館、即居庸関(石法本居庸作居宝)、鶻窠館(石法本窠作巢)、赤城口,始有居人。望雲縣、受賜州(石法本州作川),

凡十日程至炭山。

木葉山:本阿保機葬處,又云祭天之所。離中京皆無館舍,但宿穹帳。將至山三十里,始有居人,瓦舍、僧居。又歷荆榛、楛(石法本楛作枯)草,復渡土河,始至焉。初阿保機強盛,於木葉山置樓,謂之南樓;山北置樓,謂之北樓;大部落東千里置樓,謂之東樓;今上京置樓,謂之西樓。四時遊獵於四樓之間。西至上京三百里。南至中京五百一十里。

長白山:草木鳥獸皆(石法本皆作盡)白,上有古城。

曼頭山:羌戎之地,有曼头山,在甘書界(石法本界上有州字)。今北土亦有曼头山,南距潢水(石法本作本契丹之地),契丹之地,遼主(石法本遼主作虜主)避暑之處,今更名大安山。渡踏婆(石法本踏作蹈婆作奴婆)河至大水泊(石法本作小京)。南至中京。

「南距漢水」明本下有「本」字。「遼主」明作「虜主」，「至大水泊」作「北至大水泊」。「南至中京」明作「南至小东京」，信案：「小东」二字，即爲上京之誤。

「在北平」明作「在古北平」，「有石好道」作「有石好甬道」。

「小遼水」志为大淩河、

東至宜坤州（石本作宜神州），西木葉山。

鮮卑山：柳城縣，秦漢時鮮卑所保。

醫巫閭山：周礼曰東北曰幽州，其山鎮曰醫巫閭山，其川曰奚養，即遼东山也。唐築巫閭守捉城，契丹改爲閭州。又置乾州、顯州，在山之南，二州相去七里。

首陽山：古孤竹國之地（石本作里）。伯夷、叔齊，孤竹君之二子，餓死首陽之下（石本作首陽山之下），即此山也。

碣石山：地理志碣石山在北平（石本作右北平）驪城縣西南。漢武帝登之以望巨海，而勒其石。枕海有石好道數十里（石本作如甬道數十里），大石好柱形，世名天橋柱。

十三山：北醫巫閭（石本作北臣巫閭山……西小遼水）。南距大海。东至東京。西至小遼水。

狼山：北黑山。東祖州（石本作很山）。

駐蹕山：在東京之東，唐太宗駐蹕之所。

「德勝」明作「得勝」。

「八百五十里」明作「八百十里」。

「新羅」實為高麗。

「白滄水」明作「白槍水」，「小遼山」明本無小字。

「天(玄)盛」大、「滄」為獪。

「田」訛字，應為「舊」，因簡字田田形近致誤。明本作「舊」。

「鴨子河」今松花江，東流而注入北，應即混同河。

婁斗嶺，亦名慶雲嶺，在德勝嶺之北百二十里。唐置婁斗軍，使御捍奚界。(石注本作斟，在作不无之字)

鴨綠水，高麗國西，源出韃靼國，水色似鴨頭，去遼東五百里。高麗之中也。此(石注本國作白山)水最大，波瀾清澈，恃之以為天塹。水闊三百步，在平壤城西北四百五十里。水東南二十里分界，至新羅國興化鎮。自黃土嶺二十里，東北至東京八百五十里，南至海六十里。(石注本云下有大字)

遼水，在漢樂浪玄菟之地，(石注本菟作荒)東西四百八十里。水經云：遼水源出韃靼國西南山，南流會白滄水(石注本滄作槍)至安市城，今歸東京。小遼水(石注本无小字)源出小遼山，西南流與大梁水會，在國西也。

潢水，出西北塞外，不知發源之所。水北即紫濛川。有石橋，本契丹國田地。(石注本田作旧)

踏蹲河，源出木葉山，東流入鴨子河。在曼頭山北。

易水，源出涿郡故安縣，(石注本陵作遂)東流過武遂西山、范陽容城。

桑乾河，隰水源出雁門，東流與桑乾水會。(石注本下連接馬邑川條)

「拒馬」明本作「巨馬」。

「金泊河」明本作「金河泊」。

「泊东西」一本作「泊东」。

「遼主」明作「虜主」，下全同。

此条由中京至长泊的交通道，係采自宋绶行程录，「南北即長泊」爲「东北」之譌。

「牧羊山」明本作「牧牛山」。

「南至仸州」明本无至字。

馬邑川，水出馬邑西，东流至易州、幽州东南隅，东入于海。

拒馬河，（石集本作巨馬河）出代州郡廣昌縣淶山，即淶水也。有水二源，俱出深山，過容城北，东入於海。

白馬淀，秦起塞西自臨洮，北臨瀚海，即此也。（石集本也作地）

金泊河，（石集本作金河泊）唐置中勝州置陽壽縣，後改名金河，今屬振武。隋大業中，煬帝親巡。

沐金河西東，北幸突厥啟民帳是也。泊東西二十里，周圍十里，上承紫河、汶濛水，西流入河。

長泊，周圍二百里，泊多野鵝鴨，遼主（石集本遼主作戎主）射獵之所。道出中京之北四日程，經榆林館，

鐵鳥館，香山子館，南北即長泊。北至上京八百里。西至宜坤州十五里。

九十九泉，水經曰阻陽城东八十里有牧羊山（石集本作牧牛山），山下有九十九泉，即滄海之上源也。後魏多

佳九十九泉。遼主（石集本遼作虜）每南牧，多聚謀於此。（石集本於作即）南至雲州，北至炭山。

鴛鴦泊，在狗泊西，鹽泊東北。西南至幽州千三百里。南至仸州佛岭嶺至泊八百里。（石集本无至字）

名称今多用沽字。

「高接漢界」明作「南接漢界」。

「落黎泊」玄另為一目提寫。

「南至退渾都落」

「都落」玄〔都〕明作「退軍部落」。信案實「吐渾部落」為是。

「大水泊」即鴨子河泊，有時亦直稱鴨子河，在長春州境。今洮兒河下游月亮泡，遼帝春獵釣魚之地。

「遼中」明本作「廣中」。

東南嫣州檜杆嶺（玄注本杆作鉼）至泊千里。

清泉淀，（玄注本淀作定）幽州西北清河館至清泉淀三日程。

尼姑河，水經曰尼姑河（玄注本作水經曰姑河）從塞外來，一曰尼水。（又尼水作姑水）出樂夷鎮北九十里，過漁陽（玄注本作魚陽者）南，與溫餘水合為姑河，今號尼姑海口。

大鹽泊，（玄注本鹽作監）周圍三百里。東至上京一千五百里。契丹中又名廣濟湖。遼中呼為麋粟到斯（玄注本作廣中為麋粟到斯臬）臬。

灤州東南有大鹽泊、小鹽泊，高接漢界。（玄注本作南接漢界）

小鹽泊，周圍百里。東至上京二千里。契丹又名惠民湖。落黎泊，（玄注本此条目低一字，但自占一格）東至炭山。西至鹽泊。南至退渾都落。（玄注本渾作軍，都落作部落）北至狗泊。（玄注本落黎泊提行寫，惟較各題低一格，故開本即接書於小鹽泊条下，實应提行另作一条）

大水泊，周圍三百里。至上京五百里。南至幽州千三百里。遼中（玄注本作廣中）呼為撒[illegible]臬。

一在曼头山北。西至木葉山。東至鴨子河。

鴨子河，聖宗改爲混同江，今松花江。

「千」，疑爲「十」，明作「三十餘里」。

「駋駒兒河」即遼史臚朐河，今仍此名，又通作克魯倫河。泊似衍文。

「三十六部」明本作「三十六郡」。

鴨子河，在大水泊之東，黄龍府之西。是鴨鴨（石注本作鴨鳴）生育之處。（石注本處字在新末）

（石注本放馬泊此条低一格，誤爲鴨子河注文）放馬泊，番子中呼爲掃討放馬泊。在天池之北。（石注本此条書頂低一格，接書於鴨子河条下）

軒車泊，周圍三千餘里（石注本作三十餘里）。南中京，北上京。

駋駒兒泊河，（石注本无泊字）源出塞外，在契丹國西北。契丹命府王妃撻覽捍韃靼即此也。（石注本作府王妃与撻临兒捍達靼即此也）

狗泊，西鴛鴦泊。北韃靼（石注本韃作達）國界。東南南山炭山。

平地松林，東至懷州四千里。西南至幽州千七百里。

紫濛川，奚契丹三十六部（石注本作三十六郡），北沙漠，即紫濛川白馬淀是也（石注本作紫蒙北）。僞燕慕容廆世（石注本慕作暮）居北蕃，邑於紫濛之野，元康中，定都大棘城，在大漠之南。唐營州節度張守珪破契丹，出師於紫濛川，大閲軍實。

奚　渤海　女真　始末附見（石注本始末附見四字小字側書）

「都部」明本作「都督」。「陰涼川」作「陰涼州」。「湖」應為「胡」。

「漢」字上脫「忽」字。「漢州」明本作「汴州」，當是由汗汴形近致誤的。

「渤海至女直」句明作「渤海之別種也，契丹謂之虜真」。

奚，本匈奴別種，牙帳在東湖之地，酋長號王，唐制兼饒樂府都部（石：底本作都督）居陰涼川（石：底本川作州）。東至營州五百里，西南至幽州九百里。後徙居琵琶川，在幽州東北數百里，古北口之北。天祐初，契丹漸盛，遂受制焉。或徙居嬀州（石：底本居下有予字），依山而居之，有東西奚之號。今契丹盡取奚之故地。

渤海，夫餘之別種，本濊貊之地。其國西與鮮卑接，地方三千里。唐平高麗，就平壤城置安東都護府統之。通天中（石：底本作万歲通天中），契丹攻陷營州，靺鞨酋人反據遼東，分王高麗之地。渤海因保挹婁（石：底作婁）故地，中宗封為渤海郡王（石：底大下作中宗封為——），兼漢州都（石：底本汉作汗）督。天祐初，契丹阿保機兵力雄盛，東北諸蕃多臣屬之，以渤海土地相接，有吞併之志，攻其國夫餘城下之，以長子突欲為東丹王，領兵守之。

女真者，渤海之別（石：底本作渤海之別種也，契丹謂之虜真），因辟契丹諱曰女直。地多山林，俗勇悍（石：底本下作勇力得）善射。後有首明李本有賓州，閣本无。

「郢州」明本作「鄞州」。

領三十餘，分領其種。地多良馬。（石印本无良字）本朝來貢方物。建隆中詔登州沙门島人户，置舟楫（石印本作檝）濟渡女真馬往來（石印作來往）。淳化中契丹怒其朝貢中國，去海岸四百里置三柵，以兵三千絶其貢獻之路。今附契丹者為熟女真，置一十八州：

耀州　嬪州　海州　銅州　教州　崇州　盧州（石印本卢州第十二）　興州　荊州　荷州

韓州　麓州（石印本麓作[illegible]第十七）　廣州　郢州（石印本作鄞州）　鐵州　定理府　懷北州

居於東京三面，（石印本接本于州下）皆係主州名。（石印本州下有主字）民籍每州千户至百户。依（石印本依上有餘字）林山不服人者，謂之生女真。

—卷十六下完—

李文信據沈陽文溯閣本鈔，並加眉上附注。又一九五九、一九六二又校。

西陵本十八州
鄰壤海銅教
潔兴荆燕朝
卢寅鄆鉄定理府
恒此麓虔

关于沈阳八家子遗址及和平区、铁西区出土文物的资料

编者说明：此批资料分为两个部分，第一部分有：1.“八家子调查记录”1页，其中有“卅六年（1947）二月廿三日”字样；2.沈阳市大东边门外八家子遗址照片3张，贴于竖排绿格“国立沈阳博物院稿纸”上；3.八家子遗址（1951.10.8）调查笔记1页、草图及宋、金钱拓片各1张。第二部分有：沈阳市和平区、铁西区出土文物照片或资料9张。

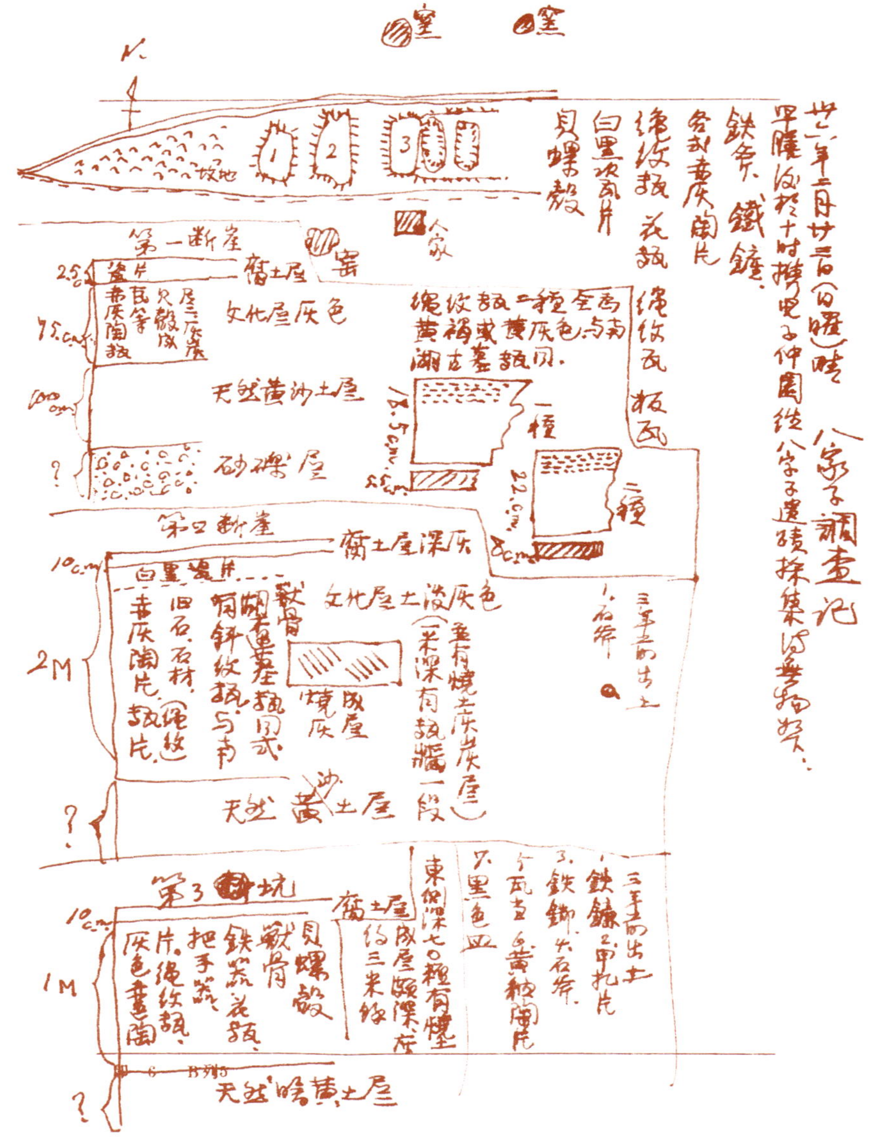

1947 年八家子调查记录

瀋陽市大東边门外八家子遺蹟—漢魏高句麗遼金各代物、

(上)東西端

(中)、東端

(下)中央部文化層

1947 年八家子遗址照片

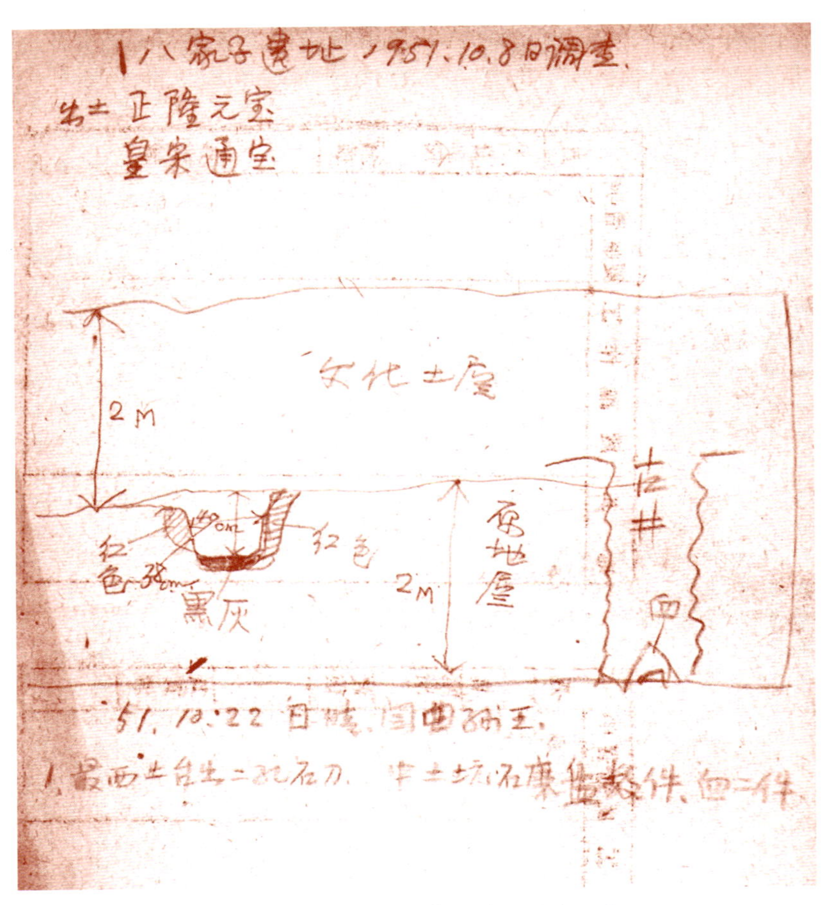

1951 年 10 月沈阳八家子遗址调查记录

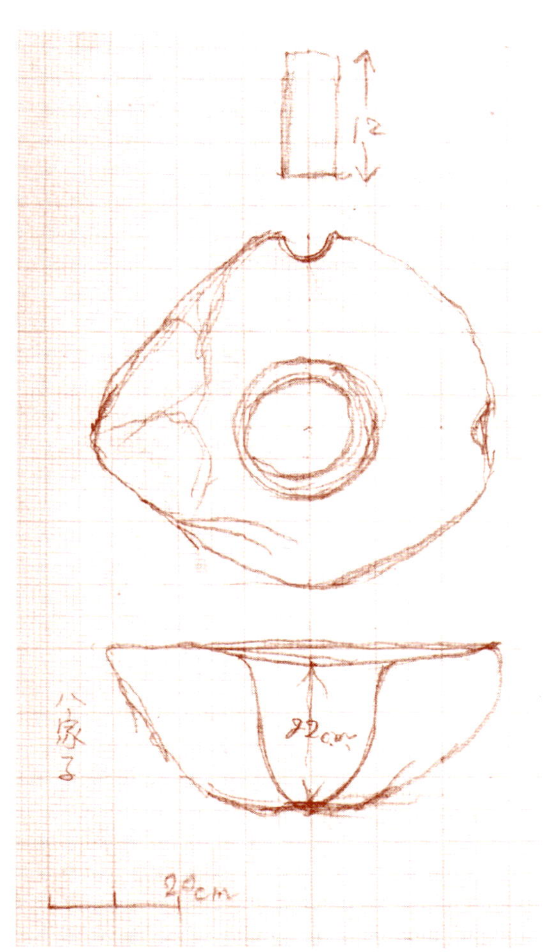

沈阳八家子石臼、石杵草图

沈阳八家子遗址宋、金钱拓片

沈阳市和平区出土物之一

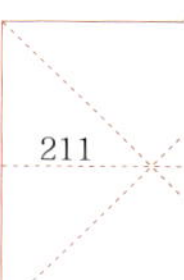

白釉盃

瀋陽市和平區第一号墓出土

沈阳市和平区出土物之二

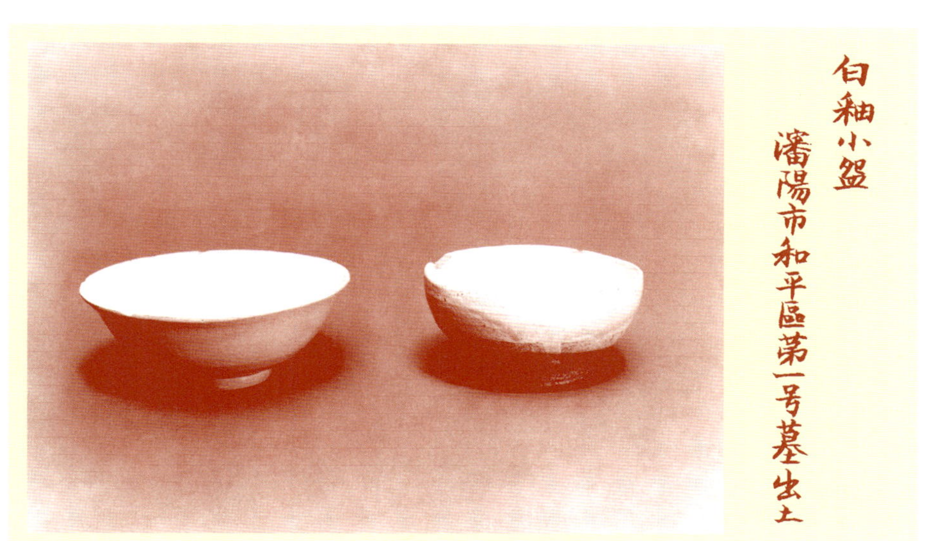

白釉小盌
瀋陽市和平區苐一号墓出土

沈阳市和平区出土物之三

黑釉四耳瓶　瀋陽市和平區第一号墓出土

沈阳市和平区出土物之四

沈阳市和平区出土物之五

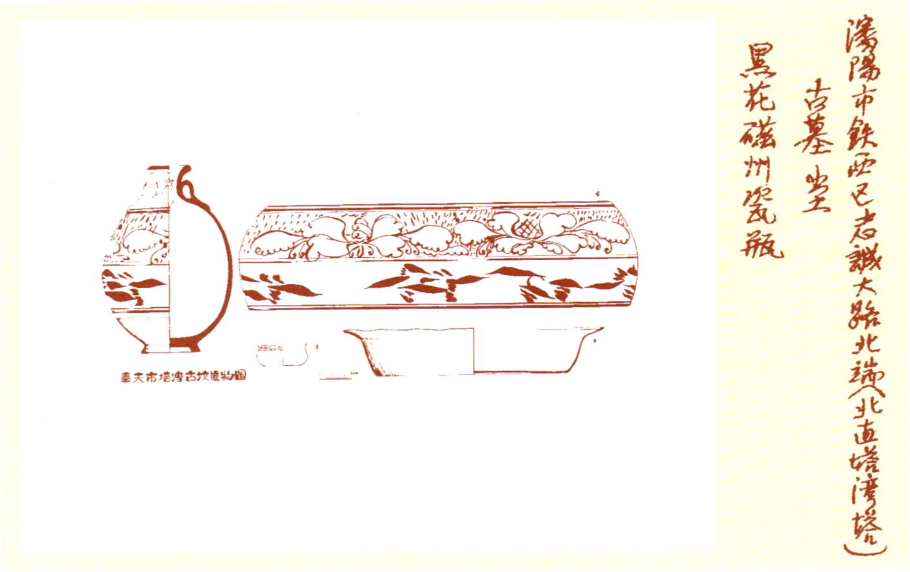

瀋陽市鉄西区建設大路北端（北直塔湾路）古墓出土
黒花磁州窯瓶

奉天市塔湾古坟遺物圖

沈阳市铁西区出土物之一

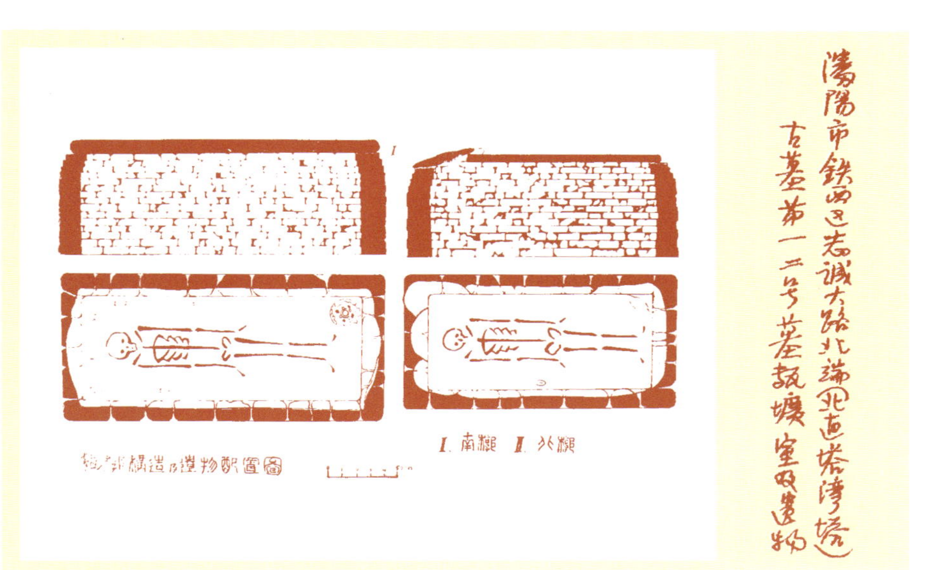

沈阳市铁西区出土物之二

沈阳市铁西区出土物之三

沈阳市铁西区出土物之四

依兰县倭肯河新石文物调查日记

田野工作日記

李文信 1950.

(1)三姓倭肯河新石墓葬文化

(2)義縣清河门西山村遼佐移离畢蕭公墓

(3)东北考古調查团活动日記

賈蘭坡　北京西四兵馬司9号 地質調查所

楊公驥　長春東北師範大學國文系。

常志平　吉林省公安廳警衛團排

楊廣惠　〃

張力果　長春东北师範大学地理系研究生

王承礼　長春东北师範大学歷史系三年

崔威河　〃

宮洋生　〃

朱建華　長春東北师範大学歷史系二年二班

徐凤邑　〃

黄维新　吉林省文教厅文化處

李　询　東北师範大学社会科学院

徐國楨　吉林市人民政府文教局

王亚洲　吉林省人民政府文教廳文化處

依蘭縣倭肯河新石文物调查日记

23/4 1950、4、23日午后5时50分北行急行車出發。与曲瑞奇同行。

24/4 火 雨。午前一时许到長春，(晴)天降微雨。4时過松花江，陶頼昭。午前6时餘到哈，往道外七道街航運局詢问往依兰江輪，據云水位過低，現不通航，決意由佳木斯換汽車赴依。 午前10时许搭乘赴佳木斯普客，經呼兰、綏化、鐵驪、湯原县到樺川所地的佳木斯市。火車中听说[illegible]呼兰石人城出土运到公园的石人已坏。

25/4 水 晴。早5时餘到佳，8时乘汽車經大賚崗、宏克力沿江东岸溯松花江上行，午后3时餘到依兰县城。全行程為220華里。 赴县府报到联络，由教育科長柳彥章接洽，继到文化館看出土石斧及白玉環，並听取曹滨林同志当时見到遺蹟現場情况。 继到县工會接見原發見人亞麻場長劉永慶同志，略述來意后，照顧食宿方便，即命往住該場。到場由劉口清同志招待。 少傾劉場長回場，又详谈遺蹟情况，並提出继續發見的出土物。又招到原打石材工友郭義 來談發見經過详情，場内工友袁景賢也補述继續發見出土品及出土位置等々。 飯後县委趙樹鵬、依中校長馬明礼、同厂史教師楊慶芳三同志来谈，各述当时所見情况。

综合当时數人所見的情况：

發見时期——1950.3.21~22(旧曆2月3.4日)由县委报省转知。

發見原起——给亞麻場作石材的郭工友打石中發見人骨，又出土倭々头形石器，到次日劉場長听说就到現場看々，又發見了一個磨製黑石斧，知是新石器

1.

时代遗迹、即令停工保存现状、以便报告上级、

目见的情况及遗物

一位置在倭肯河东岸、依兰桥北方、山坡上约30余米地点、坡势很斗、係当时要採道石材。遗迹上離地表数米、出现时两壁是自然石、起初宽约三尺多、越往里去越宽了、壁高约有1米30cm、。像一個洞穴、上下都有三米见方大扁石、穴中是碎石和土壤、並有空隙、近壁石面掛有白灰迹痕、可使人知道壁石原形、上面石下掛有滴々下垂的土珠、像雨水滲進了土泥。並有像细树根的东西已变燋黑了、很像木炭。人骨似为二具、在外的头微南、足微北斜、伸展、大腿骨北出土石斧、胫骨内側出土白玉環及褐色玉珠各一。又向内继出一人骨、头足与前骨相反、头向内、(先出土下胫骨)足向外、伸展、出土白、黑玉環三个、(一块微是黑的、一個原损、存一半)白玉牙状垂饰品二件、均有细孔、一下端微缺损。在初見出土物是倭头形器、已被石工打缺下半、又出有黑色管状石珠、已拿掉了。

倭头形石器

黑石(玄武岩?)斧

白玉環

牙狀玉器

26/4日 木曜 晴 強風 正式発掘

午前随藍庵二廠汽車往採石場遺蹟地、对現狀視察一遍。（県委赵树鹏、中学校長高明礼、同教員丁史、楊慶芳、西庵廠長刘永慶、文化館長曹溪林诸同志同来）把穴门部前次翻存積土清除、以便瞭解全部情况、在土中発見人骨、獸骨、魚骨、火燒骨片很多、出土残缺半部白玉環一片、黑石珠二種、梳紋陶器片大小二種。青年下顎左半一部、鼠類顎骨一片。木炭碎削二塊。

遺蹟形狀是就北面自然崖壁、南築石墻、上蓋宽米半、長3—2.5米、厚约5、60cm、天然大石板、造成横二米上下的長形洞穴、穴長現約12米、壁高3米餘不等。上蓋上面土厚约1米餘。穴口較低、越進越高、约為20度倾斜角。口部北面天然石壁已被採石人掘去5米許、相对南壁、已失原形、大体多南向倾倒、石壁已间有被採取的。上蓋大石板均沿山势斜度向下移垂、距原位一位、如魚鱗狀排比積压、共存6塊、所以穴上造成一小突起。又南壁和蓋石向内的一面、多掛有氧化石灰狀物、甚者有滴滴结成鐘乳現象的。而且南壁石和蓋石的邊角突出部分多現圓滑狀態、氧化現象亦較顯著、不知是經過人工築造使用、与新出石脈的新石材不但体形不同、色素也顯然有别。穴底文化土層约分三段：為下黄色土夾雜石削、没有遺物、上一層為灰黄土層、包含人?獸骨片、陶片、玉環石珠等。上层為灰黑層、偶有散乱骨片、極為零星。再上則為自然碎石、多掛白色石灰、毫無層次秩序、似由上部垂下的、且因南壁南倾、文化層也南部下降、上面積石也較多。

地势在傍肯河将入松花江前约三里的東山上、山西距河岸约70M，小山為河东岸連山由松花江岸南數第二峰，山西坡傾斜约為60度強，有露出岩頭。標高约為250米，山上可望見松花上流来路，牡丹江西岸諸山也瞭如指掌。河岸南去约百三米又一連山，形勢也大致相同，在其北端河上有木式橋梁一座，為依佳公路必由之經。小山西岸一片平田，直对五国城址。微南门為縣街，烟樹瓦舍樓顶煙囱很多，地勢高爽。

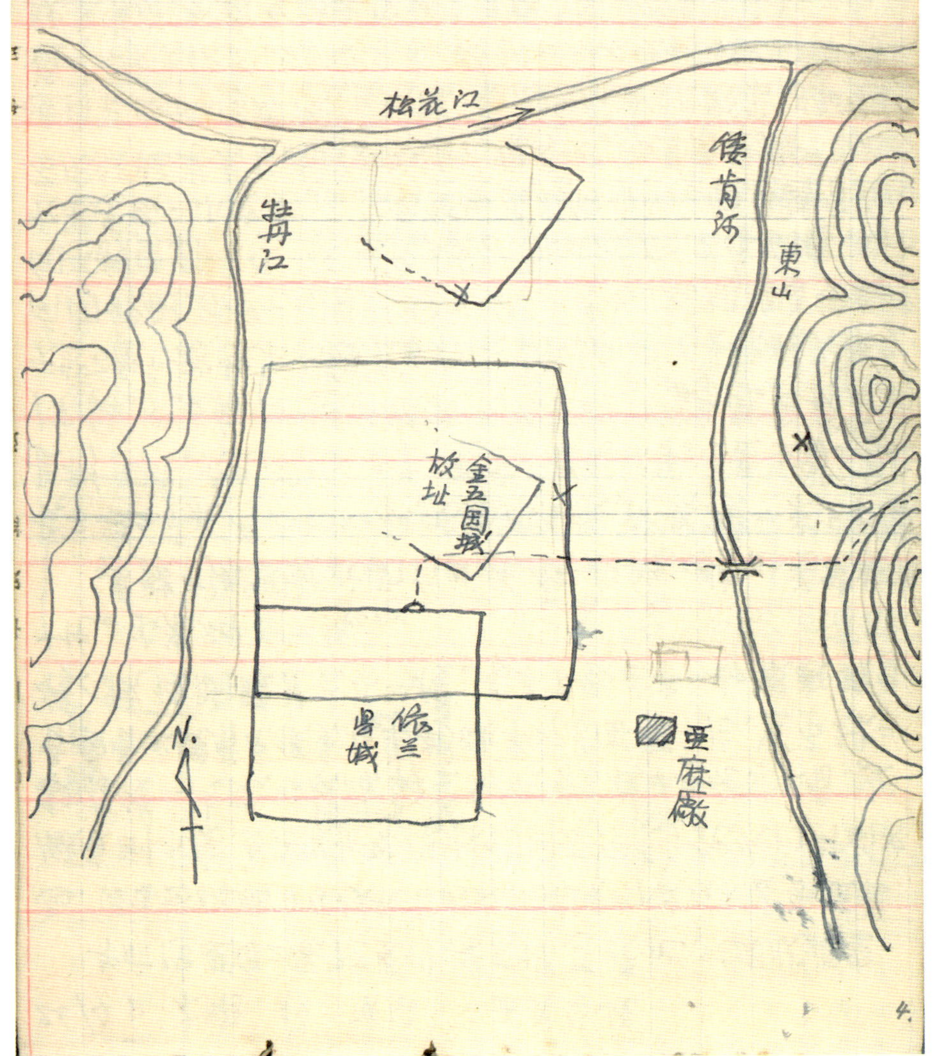

约3.20M

← 约6米 →

2M

平面图

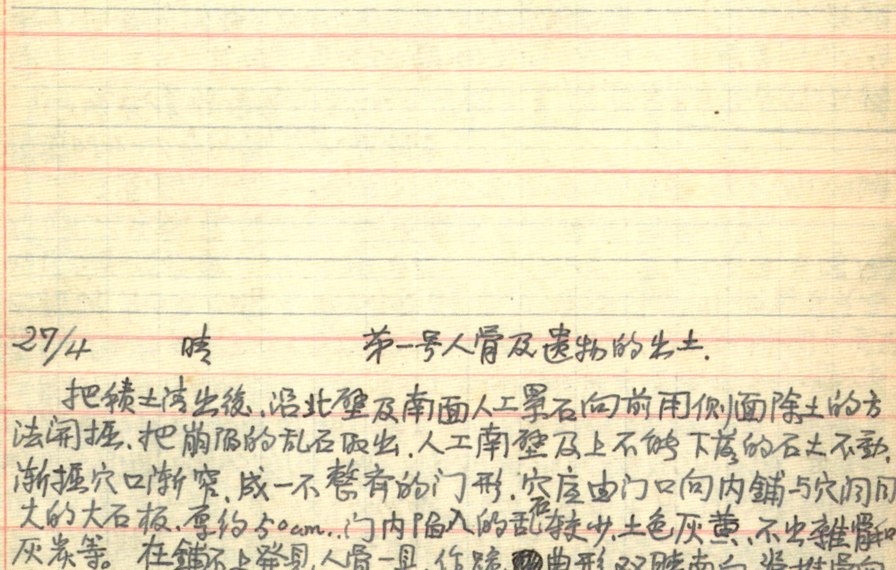

27/4　晴　第一号人骨及遗物的出土.

把积土清出後，沿北壁及南面人工累石向前用侧面除土的方法开掘，把崩陷的乱石取出，人工南壁及上面的下层的石大不动，渐掘穴口渐窄，成一不整齐的门形。穴底由门口向内铺与穴洞同大的大石板，厚约50cm。门内陷入的乱石较少，土色灰黄，不出杂骨和灰炭等。在铺石上發見人骨一具，作跪曲形，双膝南向，脊椎骨向背壁，头骨在上层约与膝盖垂直。骨骼虽有部分破碎，但大体各部都有，并且原状也很清楚。惟头盖因在上部，土湿多粉碎，仅颚齿等。

遗物：大型白玉璋子一件。石管珠一件，一端微损。兽牙一個。

继续向内开掘，又出一层铺石，高度与前大同，上部又發見人骨，因照像、实测顶骨等，时已收工，未能继作。

早晨开工前因工人没有，借机会把李山遗迹附近略加步测，作一遗迹附近略图。洞穴上部也详细勘察一遍。形状是洞穴北面天然石壁上部大石因崩坏下落，遗處黄红色，很少草木，乱石也较少，洞後部是露出岩脉，十餘年前曾採去一小部分。大形並無改变。穴南人工壁上平铺大约3×1.5×.60上下的大石板七片，有的稍离位，有的仍接联，也有的因随山坡下滑，造成如鱼鳞片重叠形状。其为原穴盖石的情形，非常明显。据石工说已有几块被採去了。南壁人工累石因壁外多用碎石土壤充填，较北面天然石壁很弱，所以壁石多歪倒，因山势和盖石重力及两壁支力强弱不同的关係，多向南倒。並且也被採去四五大块，致使南壁骤看很难復得原形，但取去大石的遗痕和仍存壁之间的土壤色素，一望而知是一道人工石壁，与陷入的大小乱石中杂含腐土和夹有杂骨、灰炭的情形显著有别。

又遗迹南去约200米，相同的山坡岩壁下也有类似的洞穴形迹。惜为时日人力等所限，没作试掘。

晚饭後县委赵树鹏同志等数人来谈，因出土全部遗物行将运沈，依三人士真难得看的机会，约我明日在文化馆展览一天，並告我们在晚间给群众加以说明。我与曲瑞琦商议之下，以为可以，但说明一节，只是我们個人的感想，不是正式的發表或报告。於是把原有的和新出的材料整理後，说完了名称和目录，交付清楚，才就寝。

第一折發人骨出土遗物

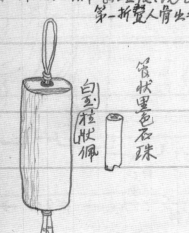

白玉柱状佩

管状黑色石珠

28/4日　　晴.晚微雨

午前继発掘第二号人骨.其位置较第一号高约30cm.的左前方10余糎。骨骼保存尚好.也是跪曲折叠式。惟其部適被一大石所壓.很难取出.以故肢幹骨多損折不完整。幸颜面骨尚完好.後脑骨也可復原。其骨骼方向也和第一号相同。在其南邊出土另一顎下及小孩下顎骨,但並没見有肢骨等。

遺物有圍繞骨骼外部出土小長方形骨片很.長7.8cm.寬2cm.上下.兩端並穿2孔.也有一孔的.片々疊邊接連.作成片段.很像骨作的甲札。這種同形鉄製的甲札.曾由高句麗新城址(撫順高尔山)与鉄鏃共存。古文献也有記勿吉人以骨作甲的說法.這種推測也可作一参考。　在這種骨甲片的裡面平行共存有穿孔怪物形片狀白玉佩件一個.中部斷折。黑色石珠一個。白玉半環形單孔佩件一個。

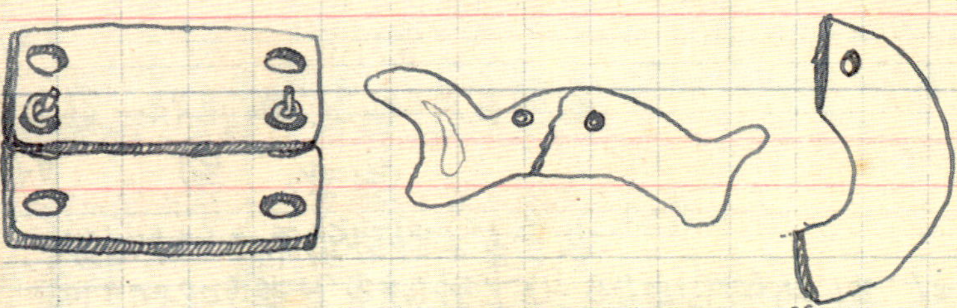

遺迹形况:门口向後壁不遠即是大石.不似隔縫的夹有泥土,石縫中也没有黑色土和雜物.当是人工壘成的。门内南壁為一塊大石,其内端微向南围斜.所以洞穴也因之南進一角。上部碎石不多,似乎上蓋部並没大坏。僅々有此一段洞穴原形存在.頗有助於全遺迹構造的説明。而本遺迹的性質是墓葬也可肯定不疑了。

午后發掘工作已了.僅对全部加以实測绘圖.攜帶资料於二时許回亜麻廠。

飯後急乘車往県北门外傳為五國城古址一遊.城址东壁及北壁东部尚極明顯.高的约有三米上下.其餘部分多已湮滅。在城中採得白釉绘鉄色花器2種.無花黑白釉器2種.陶瓦片很多。其確為金代遺迹毫不容疑。惟是否即五國城尚不能定。若有时间作全面採集當更能有所發見。　回城到文化館參观出土物的人擁擠很多見館長曹溪林同志说完送還遺物及照片事後，特往县委會访趙县委云已到县政府，我等往县見教育科科長李科員并访黄見县長稍談调查经過，趙县与曹館長陪到公会堂開會，我略把發掘调查经過及出土物的用途等说明後，並請该地方热心同志再多發見等等，约一小时结束回寓，天已微雨。

稍候曹館長送回資料，我等整理裝包捆掷。诸事停當即就寝

29/4日　雨　就途回濱。

朝6时30分乘汽車往佳木斯，路中凡两时修，12时到佳。午后7时25分坐綏佳線火車返哈。

30/4日　陰　在哈

午後一时到哈，同5时坐車返濱。

1/5日　陰　到濱

义县史迹文物调查日记

義縣史迹文物調查日記

1950.5.9日被派往義縣調查古墓、借便視察奉国寺、万佛堂、嘉福寺塔近來保護情况。同行有照像專人于世杰研究員、測量專人曲瑞琦助理研究員、我担任調查發掘進行諸工作、由助理研究員孫守道和曲于輔助。一切接洽生活庶務共同办理、曲又担任會计保管事项。

9/5日　晴。　準備·出發

午前同楊孟雄科長到文管處听取處方指示、文化部護照、錦省府、義阜两縣府介紹函等也一併办好。另一方于曲孫三人分头領取檢点各项工作用具。下午往到經費處、印行图版。午後各人整理用物、背囊、行理等、擬在午后十一时餘火車經錦縣前往。届时一同登車、同行除本調查班人員外、另有楊科長同花信義二人往錦縣和北京運取文物。車上客不太多、說說笑笑、頗不寂寞。

10/5日　晴

早六时餘到錦、于曲孫三人在站等候、我同楊花到遼西省府分头办理各方应办的事務。我们由教育厅秘書科寫好向義阜两縣的介紹函、先行回站、以便8.30时火車往義縣。楊花候王廳長到后再行接洽。届时登火、10.10时到義縣。往縣府見教育科王同志要介紹信、並探问奉国寺、万佛堂、德河门古墓的保管情况、但他在言語之间很為模糊。奉国寺、万佛堂也没有如省府公文所說有人看管、古墓一節、更為不明。

由縣府談了后、乘馬車由北门外渡過大凌河、奔道往万佛堂視察、河水雖不甚深、但陷沙極為難走。沿河北岸西行、10年前曾通行無阻的汽車路、已有不少部分被水崩塌、車行河

1.

床附地上能掌困难，午后二时许到万佛堂村。村在佛窟西北里许处。村东南为稍高的一小山头，到河岸边为露出的绿沙岩层。岩质脆软，易于酸化。今日在佛窟北上部仍有採石场一处，多造水槽石柱之类。窟中佛像大致与前同，惟西窟前河岸上筑有的洋灰保护加强工事已在去年涨水时冲刷掉一半，致西窟仍陷摇摇欲坠状态中。东面由河床往佛窟的升降石阶也破坏无存了。

佛窟分三部分：中区保存最好，除窟外略坏外，大体窟内构造和雕刻，尚可看出初年形态。窟外左右各雕天王一，左侧的体躯残坏不全，仅余首部。通窟内有三门，门上刻有小佛及卷草图案花纹。窟为圆角正方形，后、左右三面各刻佛像三尊，配有侍佛。大尊佛背后作成龛形，上有天盖飞天像的浮雕。窟顶为微平的横盖式，浮雕飞天每边四个。窟中一方塔形大柱，四面各雕一大佛二佛侍。上部也刻有万佛型式的小尊佛和卷草带形图案等。惜像多损缺，多用泥进行塑补，涂有彩色，显然粗俗。由窟前西廊西转为西窟。廊中雕小佛很多，分为三小区落。北魏景明造像碑就在廊路西端路南。此处是西区东面一窟，仅存窟后半部空室，主佛不存，浮雕有局部淹没的。前临危壁，可想像过去破坏的情形。再西一窟仅存主位一佛，窟顶已大部不存，仅余北后一小部如背光状，侧侍也不全，浮雕也存者无多了。由中窟东去为禅室，已倒塌无遗了。再东去10余米，由北向南河上突出一小奇岩，上有成化时修建的白灰小塔，南嵌石牌，记修建始末。由岩腰过东面南转，至东窟门。内分三小室，佛均不存，仅有浮雕残迹可见，今有泥塑佛像数尊，很粗俗不佳，也多不完整。东魏造像记碑原存本窟上部向南岩头，今已不能往看，据乡人说该碑石全岩似渐下降云。

後嶺上有古建築物遺址，地表散布"六朝陶片""遼瓦当片"遼金元明四代陶瓷片很多。分佈範圍也很寬廣。

(1)六朝陶紋　　　　(2)遼瓦当片

嶺西坡有殘缺石經幢頂座等殘件混錯堆起的一小石塔，僅存瓶形幢身及笠頂各一個，幢身一面刻有文字，但模糊不清。午后4时餘由原路回義县，宿青山旅館。

11/5日　暒晴　　由義縣奉国寺到清河门西山村古墓现場。

早起赴东街奉国寺（俗名大佛寺）視查。該寺是东北最古木式建築，其正殿——大雄殿為遼代遺構，屋簷大出，蓋作古代的四阿式，内正面塑大佛七尊，两侧為天王等像。後门内迎面有岩上觀音一尊，时代較晚。梁上畫有飛天散花等彩繪，有遼[illegible]，其為遼代原画無疑。周壁佛画时代則較晚。解放战争时殿东上蓋曾受一炮弹，西阿曾受国民党軍空一爆弹，会坏兩丈餘，大佛並未損坏。後大佛心臓不知為誰掏取四尊。今寺後完小学生因無校舍，曾在大殿受課两月餘，学生無知，致将大佛手臂指掌蓮座侍佛損坏不少。後経县署出令保護，才渐之好些，但院中今作故衣粮米市場，人馬往来，柏皮被馬啃光，垣牆拆修学校，不修運阿垣作，景狀也很难保存。見寺院住持僧某，囑其好生看守，又見市場主持机构的軍属社董事人，聯絡協助保護，免得千年文物自就破坏。前殿山门牌坊均較晚，皆是元明遺物，或係明清重修者。二门石獅一对是明代物，前门外殘破石獅一对則像是遼物。寺内石刻甚多，最古為金明昌石碑，次為元，次為明，清碑更多了。

6时許余到县政府教育科取介绍信，併臨时向該科建議三点：(1)利用大佛寺住持僧發給保護該寺的告白，以便保護。
(2)利用万佛堂原住老头杜萬由該村通知他照旧看管。
(3)請完小校長对学生说明大佛寺应該保存的道理。

午前8.30时分搭火車赴清河门区政府，11时許到区，由韓忠秘書写一介绍信，持赴西山村府，見村長刘风　同志。旋赴西山下古墓現場勘察一周，知另外一墓顶盖及左半壁已塌崩不存，内部似没有搅動，尚可發掘。併对附近略查一遍，發見前方田地中散有古瓦陶瓷片不少。　又详看已掘古墓，内多積水，僅存门中看视而已。

回寓所（村長东隣刘占山宅）拟定工作計劃：约有發掘方法、工人数、工作次序、测量、照像、發掘指導分工、记録……等。晚在寓召村幹部會議，本村三屯负责人士均有出席，议定工價每人每日三升粮，合錢六万元。自吃自。每日8小时工作时间，当日開錢，工人由西山、後窪、趙家窩堡分出。即分為三组，各推小组長一人。每早7时開工，午休一时，午后5时收工。

同时又对去年已掘古墓的情况加以探訊，據云：

(甲)許万青同志谈話（他是始终参加發掘人之一）
(1)發見人：本屯地主王平的小兒子放牛时發見了板盖的小磨樣的一角，回家报告了村上，才想去掘。
(2)發掘日：约在發見数日後，在陰7月初五日開始的。1949.8.28日曆
(3)人工日数：每日工人20—30，作10餘日，共约200多工，最多一天到过40人。
(4)原状態：墓门前横墙的影壁，我们由那向里掘，頑加石灰貫築，很难掘進，後来区政人給炸崩開前室一角，後来向墙掘，發見了圆拱门形，里面都是乾插砖的。折開里面地上有方四寸的门块。二门似乎没有门扇，内有水深有七尺多，从上面往外流。正室里棺木很多，像有简孔週

周接成圆形的，正如車輞木那样很多。主方扁柱形上中下有三孔的约20多根。木板也不少。但是多朽成小塊了。總计木料有十来車。以後我没進去，就不大清楚了。

㊁ 王武装隊長谈话（他是领導工作人的一個）

① 墓门前横墙如庙前影壁，上有方椽头，再上有好几层起叠，层层下有红、绿、蓝三色。把前屋右角崩坏後才看見墙上有圆门痕迹，里是乾磚砌的。

② 二门有门扇，但是倒塌了，门扇上各有大铁環一個。

(3) 運出木材约有三四大車，大扁方有三孔的似乎有8塊，分作两個大床，一在里边，一在外边，横排着。

(4) 人骨：头盖骨黑色，大腿骨一段，下额骨，尻骨，盆骨等别的朽了。

(5) 遗物：能确定位置的如下图。金镯圆條状没有花纹。面具微有绿锈，面貌如女人，得耳钳子一隻。羊角一個，失落了。

㊂ 王贵卿同志（村書記）说見一黑漆片残片，上朱漆書有"子年"，上下不详。

㊃ 刘占山同志（居民）说曾出尺径大铜盤已破，他卖来铜器座一個。

白釉

柏木床

柏木床

白釉壺

黑釉

大方磚正纹铺地

白釉

床下多出床

金器

瑪瑙盌

玉盃

面具漂動着

王隊長口述的遺物配置圖面。

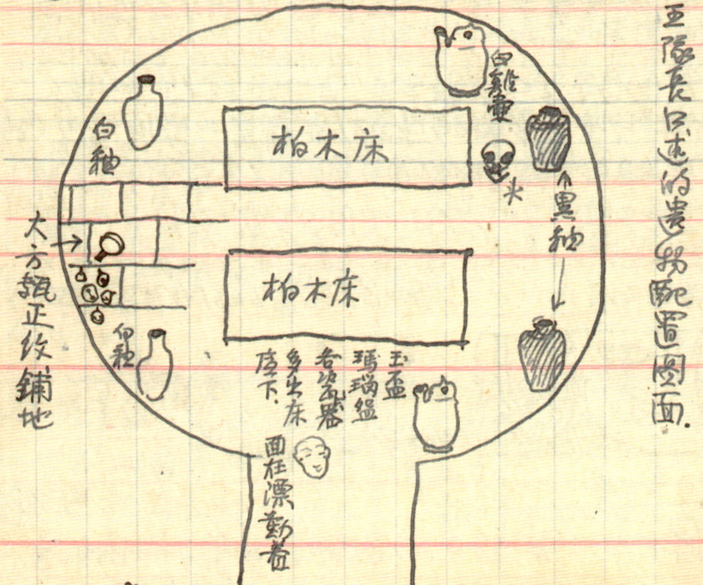

12/5日　晴　　开始发掘。

早7时队到古墓现场，雇用人工40名。按既定计划作业。略图如下：

状态
墓室
取去的土
黄土层
黑沙积层

(1)古墓发见在1949.农历7月以後(　　　　)但在数十年前地方人就知道此谷出古砖瓦，有人曾用山水流出的古砖瓦在墓南小山上盖过小山神庙。据居民刘占山说在今日二坟前方原是平地，後来水流出一小沟露出大砖墙一道，初掘砖多两断，放几天就好了。

(2)古墓所在——义县北72里有乡镇名清河门。其西北约四里有一小山村名西山屯，原名张家口子，古名向阳堡。为一东西的大沟，民户沿沟南北居住，约60户。由沟涧向上溯至西山前左方的沟头时，有二古墓，东墓已被掘(乙号)西方的(甲号)就是本次工作的目的物。(南距明边一里)(西北到黑城子约九十里)

(3)四至——南到义州72里(俗称50里)到锦州140里，东南到北镇(广宁)90里。西南到朝阳240里，东北到阜新90里。清河门本是明代义州卫北方关门之一，有东西横亘的边墙一道，形迹显然，长数十里蜿蜒在目，墙体分正副两道，沿墙设有堡台台舍。墙外高山及墙内向卫所联络的道路高山也都有烽火烟墩的遗址。由清河门东去白土厂门，西去九官台门，也都是当时出入的要隘。西山村本在边外，原属阜新，但因清河门为区府所在，偏居极北，所以才把西山村划过来了。

(4)地势——西山是泥岩质山岳，土色多黄红，间有呈绿色，土地很不肥沃。古墓在山东南，地位高敞。墓後是西山东方一脉，脉来余势分为二小岗环抱如双臂，正前方三百余米是一小脉之突起山头不很高，正如俗说的二龙戏珠的地势。远望不但清河门西的风景在望，就是更远东方的细河之流也可看的很清楚。更远四里余里就是闾山的群峰，烟岚霏微，极为美好。西山向西有山骨嶙峋的碹子山，东为乱石山。北望高山重重，约三十馀里一山秀援如花葩，名莲山，是百里内最高最美的一山。真东听说古墓很多，民国初年居民曾掘数座，并出有大安年（辽耶律[illegible]）的墓碑（恐是墓志）尚存很多座因被禁至今未掘云。（闻之乡民谈话）

今日工作状况，仅掘除墓上仍存的半部积土，深到墓壁之直壁上端约2.80m。墓室直径约四米强。墓顶下陷的残存部分约为全墓的$\frac{1}{3}$。直立壁上存有墓上的圆形封石，石大约为60×40×20上下程。为本山石材。陷入的旋顶可见的约23层砖（封石约8块）。封石距旋砖约40cm，中为黄土。封石存在原位没大变位置的三层，存墓后右方一段长约3M余。在掘土时于立壁等高线的中央部封石中发见白瓷长颈瓶颈一段。

午后同曲瑞琦往山东北圈山屯[illegible]石山西会看视居民传说多年前曾掘被禁而罢的一古墓，但毫没看出有墓的痕迹。归途在墓地东方採得两孔磨石刀一片。收工回家时又在墓前不远的沟东岸採得新石陶数片。

晚膳后在屯东屯北田中採得辽金元瓷片很多。

据后窑工人张朝[illegible]谈，距此40里左右有荣花营子房子山（莲花山东大川）确有他亲自看见的一古墓，至今没掘，他是那地方人，他姐[illegible]某死了，外甥女孩娃对的，也常来常往，知道的很真确。看见的原因是他扶犁耕地，犁子掘入石隙中拿不出来，掘出一看是一个上粗下细的石柱子，柱子孔是空的，用鞭杆探入向四方一绕很是宽大，知道是坟，（土人称古坟）向人说将要掘，被蒙旗军队听说了，把我押了好几天，后来谁也没敢再动云云。

13/5日 晴

工人24名，仍分测量照像发掘三组进行。曲瑞琦率二少年工作画画附图。于世杰担任各种照像工作，孙守道同我率工掘发。

今日一天把古墓所存顶

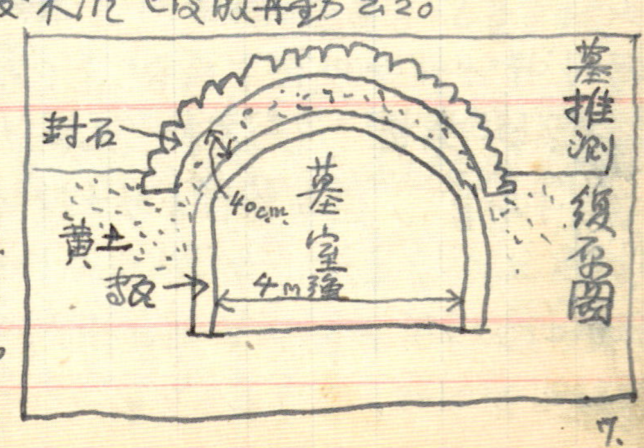

部封石、封土、瓴旋顶均行折除，直至主壁上端，不能向崩陷程度。续向圆形墓室下除土，発见了轮圈状井幹式的围壁柏木残部，每形长约1M—1.20M，厚薄不甚均一。其接法正好是古横卧瓴壁接头的样子，很是圆整牢固。墓室东南方發见了上拱洞已坏的墓室门，宽约一米上下。墓室门前左方露出一层後左角形砖瓦壁，或是墓门前横壁左端向南折的部分，但全体尚未现出，不知是否推测正确。

遗物出土白瓷長颈瓶一件，半成破片，並且缺颈口部分，昨日所見的同式瓶颈在拼接之下，知道不是一器了。

午间一小时休息吃飯後，往南方里许明代堡址地带视察。在墓前圆形小山西端上採得磨石斧一件，刃部已坏大半，但磨刃尚存小部，形極整齊。另有河床磨光玄武岩半段似小斧，但全部不全，不能確定了。晚歸在墓前小山後大田中採得新石器陶片五六大片，似一器被毁的，但底口已缺损不存了。在此田地东部我昨天曾採到一件加工很好的扁圆形石器，当时不敢直定为石器，今日總据過去的表見品——石刀（二孔）磨石斧、红陶片、观之，此地確係一新石文化遗迹地帶。也有打石器痕迹。

石刀

明代边墙平地用土築，现颓成大土壕势如土脈自然突起形状。主壕存高约三米上下，外有副壕稍小。每隔数里，有壕堡址，堡壕作横長方形，在高地上為多，中有高台，上作兵舍，前有院墙，每有蓄水池迹。遗物有大形绳纹七、八道的長方

兵舍址
副壕
主壕
水池址
明边堡图
（古墓前的）
明山上烽台
（此屯圖山"就是由此種山势得的）
有作一层圍墙的

瓴，為数很多，但建築时附近運来使用的，果然，不知当时此地薛墓已

有被破坏的了。瓷片以景德镇青花粗盘最多，胎粗厚，多铁质纹，故表面反出丹红色，内呈青灰色。青花至暗，釉不太透明，多有釉面龟裂与橘皮点纹。另外一种乳白釉盘，口边内绘双细线，骤看很像元代白釉黑花器，但胎土细而不硬，釉白而不厚润，花纹纤弱，形式也缺全元旧式，而多与明代以来中盘相同。较精的青花器极少，胎薄而坚白，釉水很厚，久属小气泡极密，很与北宋青白瓷（影青）相近。青花特深翠入骨，与外釉也浑然为一，底多有似字非字方印款。

14/5日　　晴

13人工继续作墓室内及门前露出铺墙角部分。主要情形如次：

(1) 周壁均有圆木（辋状），虽有部分朽败不存，二木间也多不密接，但全墓室都有是无疑的。

(2) 墓内门两侧有厚7糎宽5糎强的立框仍存下半段，可知当时有墓门扇。

(3) 墓前横壁由前左一角渐渐相对方延长。原状现不能明确。

(3) 先出土白釉鸡冠壶（环把式），次出另一器，均成残片，大体均可复元。次出墓志铭一块，记"殁横帐晨始事"。次出墓志盖，刻"佐移离里萧相公墓志铭"五字二行；四边斜面俱刻缠枝牡丹花纹。次出青白瓷莲花形盘二件，尚不全。次出人骨，虽不全但已有二下颚。以上在墓室后方。次在前左方出土墓志第二块，记"山西路、先令公之茔圭于故……"又在积土中出梳纹灰陶

(3a) 瓶底部残片一件，红色陶片出于墓前的三片。是否墓中物现不能确知。但其为辽物是决无可疑的。

(4) 开始测绘甲乙二墓间保地图，午间由张守道奋勇入乙墓室积水中试行实测，大致完成计划。

晚饭后乡民数人来闲谈，仍说起北方叫黑莲花山古墓群仍有没被盗掘的，他们愿同去盗掘，并说赵家窝堡某翁青年时期曾参加过那地的掘坟工作，现能指出未掘的古墓数座云。又有人说北去八里的大营子屯后地上有孤立的大土包，该屯去年曾化400工掘一次，但作法不对，没什么发见，我们想可能是土坟。你们应去看看，我们若应有工作也可去看看情况，回头报部再说。

15/5日　　雨

昨夜陰雨，早起仍不晴。探訊工人及劉村長，說土黏鉄鍬，現場泥濘，不能工作，就是勉强去作，也等于白糟錢，不得已通知工人停工。但無人工作，難保有人前往開看攪動了現狀，並且墓誌沒有起出，昨天收工前曾經當群工人前把牠揭起，看明下面並沒有什么貴重物，以免起墓賊不良思想，但一天沒人，總覺不妥，商議之下，派一工人前往看守。

午前利用雨日時間，整理出發以来的採集品，及甲乙二墓的出土物和蒐集物。編號、登表、寫號、清洗、分收。又實測乙墓木材。

(1) 万佛堂遺物——打製石鉞形器二件，六朝陶片10餘片，遼瓦當、瓦片等數件，遼金元明瓷片多數。岩石標本數種。

(2) 西山村瓷片——分佈在屯東方、北方、西方三面，東方尤多。種類如次：

(一) 白釉盌碟片——分赭色、黑色線圈、點葉花紋的最多，光素、印花劃花次之，黑面、黑口的不太多，胎粗製拙，不乾不潤。

(二) 白瓷器片——盤、碟、盞、盌為多，數量極少，光素多，劃花少。

(三) 灰色釉下裝飾器片——僅一片，是龍鳳罐上腹部的一片。

(四) 雜色釉器片——灰釉雞腿罎罈片，黑釉、赤褐釉，三種多粗大器。

(五) 綠釉繪鉄色花——一片為硬綠釉上繪鉄黑花紋。

(六) 鈞窯片——多盌盤碟，均光素器，為數次于白釉黑花器。

(七) 龍泉青瓷片——盌盤而已，一片有窯變紅斑，釉色不透明無花紋，與鈞窯等。

(八) 景德鎮青白瓷——為數極少，有影青花紋的一片，餘多素器。

(九) 〃　青花器——多盌盤片，分粗細兩種，明及清初為多。

由這九類瓷片中可看西山村的歷史年代是由遼——明清都有人居住着的。同時瓦片的分佈雖然不及瓷片的廣泛，但村東村中、村西、古墓前都點々的分佈着，又曾出土過白石、手磨、大銅鍋兩個，也均足為証據。

(3) 西山村新石文化遺品——為數不多，但確是現地的新石器時

代的遗物。且为使用红陶器磨石斧、双孔石刀的民族~~民族~~虽有打制小石器的残存断片，这只能说为是有打小石器文化的痕迹，不能确说是那式遗物的遗存。

(一)磨石斧——长椭上端缴细，顶有缺损，双部缺损大半，右横面磨光直刃一角。全体细打而成，横断面呈椭圆形。使用较久。出古墓前张主人山西面山坡上距约三百米。

(二)双孔磨石刀，背刃都直，两端残不详，二孔均横面对穿，中距不及一大指，为黑色[illegible]岩所制，出古墓东北方约500M山岗东坡荒地中。

(三)陶片——约5.6片，为一器。后由于世杰又於谷上端採得相类器底一件，可能是一器而被人偶然拨置其處的。用轆轤，胎薄含石英砂云母极少，火度不甚低，無装饰花纹。表面似经研磨。

(四)类似品——4件，二件为有磨光闪云武岩石子，似经工加，但仅存半部，无法确认。打制小石器片二件，器甚小，存上端一部分，但三次加痕迹，极为显著。

(4)村民由乙号墓收得的残品，全係残片零星，有可注意者：

(一)灰绿釉瓷腹罐二件——釉色胎质形式均与有契丹国字及赤峰缸瓦窑、林东白音高洛辽窑址出土者绝相类似。一小形品，色质相同，口外作断面三角形，也是辽代常品。

(二)景德镇青白瓷小把壶二件——均存大片，一为壶口部分，一为有把部分。均为周缘莲瓣形，釉色青莹可爱。同类莲式盘片一片，与甲墓出者正同。

(三)铜索瓶片——光素无纹，制作不精，为一口边片

(四)铜器足部片——椭圆形，空圈足，上部全缺

(五)金耳钳子，前面上大下小如元宝形，后挂钩较细

小。銀釵直叉形。銀筒裝飾品，粗如鉛筆，長二寸許，外有細花紋。

午後分兩組：余往北8里的大黄子屯看村民去年曾費四百餘工發掘而毫没有發見的一傳説古墓。它位於該屯北里許的平地上，後面並無靠接山嶺。附近也没有古代遺迹与散佈的古物陶瓷甎瓦片。到現場詳細觀察，知是白緑色泥灰岩露出層的一小山岳，被掘凟孔擬深，石層走向很清楚，決非古墓。同四时许回家。与孫守道同測繪乙墓出土的柏木床板、圍木、门扇板尺寸。另一组由曲子華二工人往法庫街購置裝運古物的木箱、草袋、紙張、繩子，五时许回家。一日小雨未停。

16/5日　晴

宿雨初晴。工人16名繼續工作。一組清整墓室人骨遺物等。二組掘除前小室積土。三組在甲乙二墓上方的三角顶点一帶作試掘凟，以探有無古墓。

(1) 第一組清理工作本日大致完了。墓室正圓形，东南向開一门。近後壁設一横　　寬約1.20—1.15的二層臥甎的屍床，四周塗有石灰，全室地面也有石灰面。床上層甎在右方的多殘缺。床上二人骨，雖多零亂，但大致可知头左足右仰卧。床前方左出白釉雞冠壺二件，再前同樣長頸瓶一件，右前方白釉長頸瓶一件。床台下出青白瓷蓮花式盌二件。门内左側脚下出白瓷池?一件。右[illegible]前中部出白瓷器蓋一件。中央稍右出白瓷瓶一件。以上各器都成殘片，有的不全了。墓誌蓋完整無缺，对角(与床台)置屍骨上。墓誌銘破[illegible]碎很甚，存五六片，尚不及全石的三分之一，擾乱特甚，有在墓门口中的。可知是曾經人爲破坏的了。屍床台前方恰是中央部分，出琥珀錢形飾一件，水晶小魚一件，瑪瑙珠二件，一件破坏了。墓门扇板皆向倒卧，長約1.50M，上有大圓帽及四头方釘，釘鉄俱多朽败。人骨零乱不整齊，瓷片又無有与骨木夾雜的。此種情形的造成，現尚無法正確推測，但先經人爲破坏攪乱，後經陷坏是無可疑。惟人爲破

241

坏时距墓坍不能过近、因内侧门扇下当路中压有一件瓷池，方知人进墓室时门扇业已朽倒，不用推开或不能推开了，若能推门时此器将碎于当路。至于墓被盗掘场所，以及破坏当时的情况，破坏后又何以将此处置，又何以该文一石缺失很多，均须又往于说明。

(2) 第二组清理墓前小室，尚未澈(底)明白——墓门前方似因地土崩颓致把前小室由墓门前过道部分裂断，向前方移动位置，地面也较墓为低，并且左右残存室壁也不对称。右室角度未变而下沉前移很多，左室壁前后(壁)位置未变向左倾出数十糎。此种情形由数壁倾斜方向及互相连接处的接插即可明白。(→ 号是移动向方的表示)

前小室破坏移动图

平

断

(3) 第三组在甲乙二墓上坡约为正三角顶点部分，作一由后右方向左前方宽1.80，长约12M的试探沟，试看土层，决定有无古墓，掘至80cm发见与古墓相同的残砖10余段，到1.80m发见杂色土壤，仍未见天然原生土层，但其形迹尚不甚明瞭，必须继续工作，以求澈底。

晚饭时本村赵家窝堡屯张老翁来，年70很康健，据他说"莲花山←古墓的发掘是满清光绪末年，我才19岁，听说是天晚辉牛回家的人见←山谷里有一大火球落下，去看是什么？才发见地上有个黑窟窿。用苇秆←一探没到底，接好几根苇秆才到底，知道是古坟。当夜那几家的年青人就掘开了，砖坟比这个大又好，柏木板也多又厚，拉出一车大车，别的宝物也不少。挖出的墓碑字很大，说是什么王，又记有十几个坟在那。后来又掘一次，共掘了三、四个。出的铁刀、马镫都很大。我跟别屯的大人去看碑上的字，用水洗了才能看出来，去看的人很多。不想当时官家知道了，去小队子去把我们都抓着了，问我们知是看碑的才放回来。地点是在莲花山屯的北山坡上，离往大田地不远的一个山窝里，山势环抱，一←面人工堆的土山很高大。那地点我是知道的……"谈回屯后了。

本日清河门中心小学校及本屯小学校学生四〇余人，午后中心校教员8人来参观古墓，余分作说明，并告知今后古迹古物应加保护，薄晚一道回村了。

17/5日　　雨　大风

昨夜细雨，枕上听檐流声时大时小，知今天不能工作。定预顿饭以免麻烦。与于、曲、孙三人读查代史事，曲孙读契丹国志辽文萃。余派人到後窑请張铜發引导往紫花盤子旁石山屯视察他親自因種地而發見的古墓，去人回称他有病，暂不能去。

午後细雨不停，与于、曲、孙同往渡河门街购买食米菜蔬個人用品等。同时派人看管古墓，恐有参观人搅動墓室内情况。後看管人回來回告有前屯数人到墓地把瓷片等翻動，余与孙急往趨視，尚無大碍。

晚飯後到古山家到乙号古墓出土的铜洗盆一件，已缺损大半，但形式大小及工都可明瞭。红铜質鎚製花邊浅盆式，体薄無纹彩，颇有唐物风致。

18/5　晴　〔乙號丙号二墓的發見〕

工人13名，接递作前介墓隧室附近的整理，及上部试沟的继续探深。测绘、照像分组進行，一天可全行完了，明日裝運遗物回處。

到现场後余在外一號墓後方约30餘米處見顶土壁上露出较大石塊三塊上下叠砌，右下有黄色小石數塊紧相連接。左方上下有杂色土一道，中含些绿色土花，与古墓上旁土全同；余總括这種情况，知是人建築，决非天然堆積。初试掘出土瓷片10餘小塊，接露出大石塊為石壘，初為直線与顶岸垂直，稍後作直角横轉。此时余有两種看法，一是古墓隧门一部，一是防水建築小坊。但不久下部已出磚墙，彼端也作对称形而转折，始决认為一古墓。石壘作斜坡形石塊4.5层，高约60cm.上下。两端長约80cm.上下，中段横宽270cm.。在此门前方直作一大探溝，以便進入墓门，至晚门簷斗栱均已露出。

测绘方面曲孙二人已作好实测圖及记録。

遗物均行取出。

派二工友往南方十餘里石碣子山前水泉请看一传说出现多年的古墓。回来說老鄉们都知在敌僞时期，一年大雨渲岸颓崩存見了馬骨馬鐙等，知是一古墓，但没露全形，後有磚塊石灰渣流出，今有被人掘了三四尺宽，深不過一二丈的遺迹，後就没有掘了等語。回处报告再作處理。

19/5　陰　〔乙丙兩墓前门土工完了〕

工人38名继续發掘乙丙两墓隧道及墓门的土工，一日完了。

(1)乙墓门簷構造与壹號墓磚簷全同。斜磚叠澀两重，下层磨薄平磚，留有方形椽端。上重保存完好，下层僅餘两端三塊。簷下有三層横枋，下當正中加木式建築的枓栱一個，两旁半個，形式極為美观。门牆两端各一立柱形突起於枓栱之下。中枓下為一大拱门，门上半圆部分的寬緣彫一獸头居中，两方各延伸纏枝菊牡丹花一枝，極為雅麗。全面各部檐枋栱柱各代表木質部分，都塗有红色，餘皆刷以白石灰。磚面磨研光细，彫刻也極精到。

隧道甚窄，两壁塗有石灰壁面，已大部不存，不知是最初所築，後至開墓时致将灰面损脱，否则不应如此。墓门與磚外用泥岩塊長1m—6·7·80cm，自然大石塊砌堆。石塊外都是色颜不同的成层夯土，挖掘很不容易。门近地面處，發見两侧外面墻有磚塊。

在隧道的上层約80—90cm發見：白瓷印花四方碟片、鉅鹿式白釉器片、绿釉陶瓶片、子安貝、燒骨片、小銅球、细銅絲、木炭塊等。又於隧道门前五米，深80cm，得白釉劃花大盆底部片。總括看来，此墓似经破坏，但墓门没有盗掘痕迹，也不应當把墓内器片再埋於前门很遠很深的土层中。墓门中充满積土，上部土是水成的小積层很多，细々查看，似由墓门口水向墓内流冲積的樣子，因水積层越向内越向下低的緣故，因此又不敢肯定说墓室顶陷落進来的土壤。

(2)丙墓今日開始發掘，其方向建築与乙墓略同，惟隧门前簷僅為平面墻牆，塗有石灰，既無两端的前曲，也没有装饰花纹。拱门上半圆形是二层立磚砌成，上張微尖，顯得極為牢固。门左角的磚塊有十餘被打去一部，似一斜入墓内的半圆穴，當是被盗的遺痕。门内既無石灰，也没有鋪地的磚塊。

隧道中约於层高相等即见大小石块作坡式向下堆积，深约1M
長達2.60M处。宽度约为1.30M上下。均皆鬆软土壤。
约深1.80M上下的墓门前不远处发见绿釉陶器一种10余小片。铜器片三枚。一完好钟形〔图〕。一为双■鱼形残片。余曾於查墓中得之，为铜镫上的附属品。一为小铜片，不详全形，面有錾以小圈的花纹，々々上並有镀金痕迹，当是装饰零件破片。 由此看来，此墓已被破坏殆無異議。

(3) 甲墓隧道清理完毕，前门用红色砖砌闭，未加石灰，外有积石成堆，亦与墓室相同，仅存下部一段而已。测绘已全部完了。

(4) 来此参观人、洮南门街自行车修理工人陈耀植告诉说：我是洮南门北12里艾陵犄屯人，我屯在1948年在屯西里许原为崔姓地中发见一大石築古墓，封头很大，隔一小窟窿，谁也没敢动，自今保存，如去调查，屯中人谁都知道这回事。 又莲花山屯北的古墓是伪康德时期被掘的，仅是一個，里头没有石碑，但是全用石灰塗的，画有壁画。後来警察知道了去捉人，全屯人都跑■净了。
又工友某告诉说那的破出過碑，々中有"慶雲号"字樣云。
于是本午前腹泻，午後赴现场工作。

(5) 晚飯後给王处長楊科長去信报告工作情况，並请後期回处。

20/5日 土曜 晴 〔契丹國書墓誌銘的出土〕

工人26名続作乙丙二墓内部。

(1) 乙墓墓门存有封砖十余方於门右侧，其作法为縱立砖半存门内，半存门外，上加二列横砖两层，似以上加縱立砖，如此反復砌闭的。门洞左右有圆拱门，内为两小室，其制度与林东北四方城传为为鲁墓室相近，永慶陵前面也是此式。
隧道两侧壁塗有石灰，左壁全部脱失，右壁仍存一大部分，为一红色大马，而前足及臀尾、鞍韂间明显，惟鞍韂以上似有骑士持杖或棍，及马头均缺损或不清楚。 隧室左右壁及圆拱顶部均有花纹，惟尚未整理，画影不详。
墓内土石残砖堆积殆满，看情状当是人为破坏的，墓盖已陷了。

隧道中即出有白瓷刻花大洗面盆残片，且距门约4m，深约80cm中。门外多用大自然石块堆封，既然原状，也难说为是盗掘。古墓的破坏查别有原因——或因政治、或因军事、或代改朝更政，此者尚难明确知晓。墓门内接近地面处距右小室口约30cm，许出契丹字墓铭残石二块。瓷片很多：绿釉陶质捏指纹把式大鸡腿壶、另二种绿釉器片、影青器片一种、白定瓶把壶片、白瓷印花方碟片等。铁门钉为笠状式，当时横列门扉上，今皆掉地表出土，内部多带木质。直钉、铁镰、铜钉数种。一铁器如把手形，外包绢布，因铁锈得以保存。左小室门口出一方形木器残部，外涂黑漆，钉有铜片，以上各物皆皆残破不完了。

(2) 丙墓：用大揭盖的方法由墓顶向下掘土，土中石块极少，土层中出陶器底部残片一种，别无所见。

(3) 实测组作外一号（原被掘墓）的平面断面等图，已告完成。

(4) 莲华山屯有人来说：那的古坟虽曾掘过，但石碑（墓铭）仍放在墓中并没运出，你们向该村去便，必能发觉。

21/5　日曜　晴〔丙墓工作完了〕

工人24名，继续发掘乙丙二墓，乙墓开始由墓顶地表下作。另一小组仍由隧道向外掘运左右二小室的土石数块。丙墓完了。

(1) 丙墓：墓室深而小，按原计划小了一半，所以较多费了10工以上。室为六方形，用自然石块筑造，内镶木材，顶部全行陷破，门也是已被破坏的，因此不知究与甲乙墓可能是遭遇了同一命运的。墓室中人骨二份，小铜器片、玉佩件少数，别无所有。

(2) 乙墓上顶地下1M—1.20M见径1M大自然石块5、6块，围为环状。一天掘下2.50M，土中出土兽骨数段、白瓷印花碗瓷片二片、铁锁匙样器片一件、砖瓦建筑材一件。而左右小室土石大致将尽。出土物重要的有：

（壹）红色漆器片二片，出左小室中。

(二)透雕花纹饰带銅具二件，背有四釘。出在小室门前方附近。
(三)白瓷桔梗花式大盤片一種，出在小室门中。
(四)銅俑手套一指出在小室门附近，较昨出有指骨的略長些。
(五)小子安貝一個，有二孔，与出隧道的全同，出在小室中。
(六)隔層顶部1.50M上下出白瓷印花器片二片。很精緻。
掘土工作已与室内打成通孔了。隧门内出▨……形墓誌蓋一塊，無字。

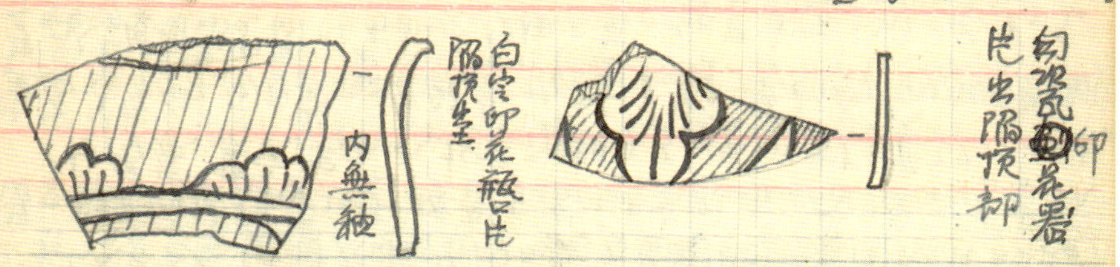

22/5 月曜 陰　　（乙号墓石築墓室的现出）

工人26名继續发掘乙号墓室上部，上部有圓窩狀堆積黑土，其中心上達地表約2M許，餘皆自然大石，径有大至1M的，发掘極其困难。其中央部出呈長方80cm×40cm的方礎石樣大石二塊，想是石砌封石或墓室正顶用的。今日已掘達地下4M許。石塊漸少，磚塊漸多，但此量不能使人想像為旋顶用的，总是隧门的脱落部份而已。　在旋顶上部由昨起即有獸骨和有鉚孔的鐵陶片等出土，但总是地上混入的。其他东西及特殊现像極少。

另一组继續清理隧室右小室積土，出土重要物是：(1)青白瓷大盤片件，红漆器片数片，銅俑手套一指有骨（前称了指了）人骨片段数片，有一下顎骨尚存牙齒数顆。

晚飯后研究工作方法及余趕速回處参加東北博物館會議等事。決定把乙号墓正常发掘完了，並試掘一号墓右侧是否有二墓並存的情形，明日如得出有一墓的时候，回處报告，听候處理，如没有就作完乙号墓回處。余在明日午后回瀋，如下雨就在午前回沈陽。所餘各事由于曲孫二人担任完成。

灯下與孫守道整理各墓出土人骨遺物，並把紀錄交孫，以便照像实測时候校整理。並说明今後工作的方針、照像的必要各点。

23/6　火晴　　〔乙墓—第二号墓—的續掘〕

工人27人、继續作乙号甎墓並作外一号墓左側的試掘溝。乙墓掘除土石工作將告完了，墓室下部存土不過60cm上下，周圍已見柏木板壁。　試掘溝小組4人、午前10时工作完了，試实外一号墓左方别無古墓。

乙墓室為八方形，每面直邊長約1.80cm，直径三米強。下存柏木壁1.20cm、多腐朽不全。後室長方形，左右各一小長方室，前為横壁拱门的前簷。均有斗拱椽柱的木式架造装飾，並柱部塗有红色。拱门内塗石灰，墨線画為花卉（似牡丹花）。墓室下用瓴築作基，上用自然石塊為壁及旋顶。陷落石塊中發現鐫鑿方形如柱礎石者三方，面径80cm×40cm，当时作為四塊，另出饅头形大石一塊，加工頗整齊，想是加盖於四大方石上，共作墓顶的。圓径1M，厚約70餘cm，運搬不便，不得已放在内壁左後边了。

原定今日趕回瀋陽，但因墓室石架久已陷落，工作較难，直至下午始見墓室形態，所以不能回沈，定明日午前10.8时車回沈。于曲孫三人，明日率工人16名作清理、照像、測量、整包起運各工作。約於27日即可回瀋。飯後商议工作要点，及立柱標桩以资保存諸事。　乙墓至今已明確的出土物：

(1) 瓷器類：一.綠釉把提式大鷄冠壺一件、二.綠釉瓶兩件、三.白釉陶器一件、四.白瓷画花大洗盆一件、五.白瓷注壺一件、六.影青白盤二件、七.青白瓷小碟一件、八.白瓷花式大盤一件、九.白瓷印花方碟一件、十.白瓷粗罐一件、十一.青白瓷小盤一件。

(2) 銅器：一.皮帶銅透雕具二件、二.銅絲手套三指、三.銅片、銅釘等。

3.墓誌残石：一、契丹字墓誌二塊、二、墓誌盖邊二塊，均無文字。
4.鉄器：一、门環鋪首大小二件、二、鉄銜鑣一件、三、门釘圓蓋形的十
餘件、四、鈎釘、曲頭釘數件。
5.其他：一、朱漆器残片許多、二、子安貝串貝三個、四、[illegible]鈿花葉。
6.骨：一、人骨男女二人 二、獸骨

灯下整理出土資料、收拾行李、囑付今行處理余事於曲、孫、于三人。就寢較晚些，约在11时許。

今天到古墓現場參觀人，有艾陵鶴屯某氏面告說他屯西不遠有一大石築古墓，久頂下陷，如圓頂形，無人敢動，旁邊没有土石，也没听说被掘等語，与前次該屯陳耀賢所說略同，不知確是一已自然陷坏的古墓子。該屯是阜新縣管境，去法庫门街才十餘里云云。

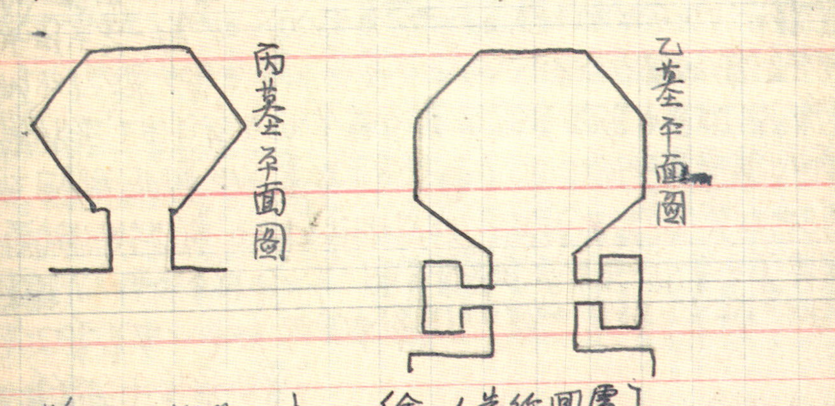

24/5日 水曜 晴 ｛余一人先行回瀋｝

早6时餘用刘姓青年进法庫门買食物之便，送余赴站回瀋。11时許搭经阜新客車回瀋，午後6时餘到博物館。

东北考古调查团日记

编者说明：末页五行短语为李仲元于1998年所注。

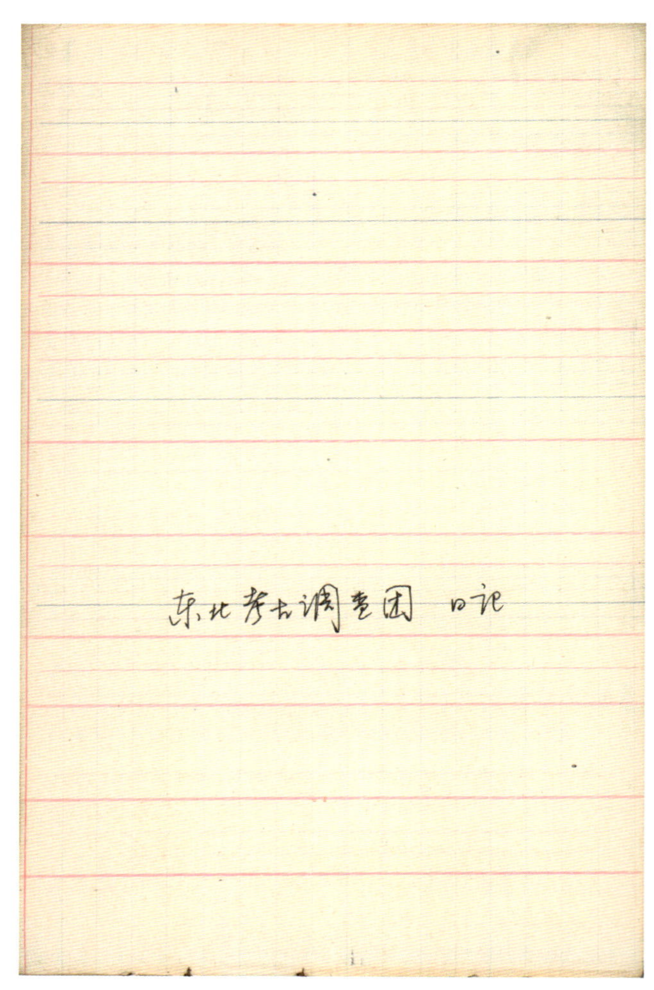

1950年9月20日上级命令我和曲瑞琦同志於21日早車抵達遼西省府所在地的錦州市，即时在省府參加中國科学院派赴东北工作由裴文中博士率领的田野考古團。我们在很短的幾小时内辦好了一切必须要的手續和自己工作的用品及行李，搭当日午后11.10时車出發了。

21日 木曜 〔裴博士的考古團没到錦市〕

早6时火車抵達錦市，早飯後往省政府报到接洽，會見文教廳董廳長，知道裴博士一團人還没有到来。並推測所来電报中"21日第一次列車到錦"或是指該日由北京發的第一次列車而言，如果是這樣，就必須明天才能到来。於是介紹我们到招待等候。午间北京車到时赴站迎接也没有到。

午后我们往舊城裡看了看錦州大塔。這塔在我是好久以前就看過多少次了的。塔上部層簷全部破坏不存，每層各角有的存有木椽，可推知当时簷頗長大，各角或繫有塔鐸。最下基層於前八九年曾加修補。第一次塔体八面各有佛像，每面正中是一圓门式的佛龕，中設坐佛一尊，後有蓮瓣式光背，由小塊瓴甎湊而成，像好莊嚴，裝飾花纹也都精緻。龕上圓拱部份的外緣有圍繞裝飾寬邊，正中央（最高部份）為一獸面纹，兩面沿圓拱下垂的是卷草花纹。這一形式，竟与清河门西山村蕭慎微之族墓第二号（契丹墓誌銘出土墓）相同，或是遼代门洞裝飾的標準形式。坐佛左右有侍立菩薩佛，組成每面三尊的形式；佛头上各有天蓋。上左右兩角各有飛天一個，姿態極為婉轉生動。可惜各面多有残破，完全的較少。上各層簷下留有白红顏色，当时必全塗有藻彩。

斗拱僅在第一層尚有保存原状的，各角配有特殊斗拱；每面正中分置正斗拱四個，形式也簡素堅固為一般常見的。基壇束腰部份中分刻若干小佛像（天將力士之類）作裝飾，雕法較為樸素，或系後代修補的。阿帝庙各殿已改作了文化館，內部有的改修了，外面大体没有多大變化。在建築雕刻上尚可看出是明代的工程。　午后文教厅趙大仲同志来所留字通知北京考古團来时，即请到圖書館住，以便研究工作进行諸事项。

22日　金　陰　（裴文中博士的考古團到錦）

午前同曲瑞琦到遼西省立博物館（即圖書館附設古物陳列室，現正在擴大建築中）訪問宏海館長。看了陳列品及古本圖書。瓷器中以柿红釉定窑盃托為最珍貴，國内尚無第二品，似出土於遼墓中者。胎薄而白潤，釉光润作柿红色，近於近代所謂麻醬釉者。朝鮮古墓曾有發見。我在東北曾於阜新縣翁山村遼大康间萧恩温墓出破片少許，林東遼代古城中也曾發見過碎片，河北曲陽縣澗磁村定窑址中也有碎片出土。　次為遼代白釉带瓶，是遼瓷中一種標準式形，東北博物館所藏僅一残品，此則完好無缺，殊可重視。　午间到站接北京文物局裴文中博士等一行七人，即住於圖書館預備的宿舍。董教育厅長等来谈，后参观了圖書館及古物陳列室。　晚赴省府招待宴，省主席及關係厅處首長均到場，飯后赴歡迎晚會，也有文工團演其

紅定盃托

白釉穿帶瓶

多微藝節目。回席与裴先生等小談後就寢。

23日 土 晴 （錦州市内的参观）

午前隨全團乘車到大廣濟寺参观，並看了文化館保存在倉庫中的90多尊瓷木銅像，銅像粗品較多，木雕三尺佛像三軀，姿態生动，衣紋婉麗，堪称傑作，当是明代遺品。外有群佛一龕，是本市某人所雕，刻工像式均極為工巧，表情也極為逼真，堪為地方雕刻家的表現。隨全團視察一周，於近午回席。

午后裴文中先生应地方政府各单位学习的邀請，作長約四小时餘的講演，題是"生物和人類發展史"，听眾約二千人。團員仍進城参观了西门外古塔寺、藥王廟、地藏寺等。其中以古塔寺較古，塔是明代建築，寺廟則当在清中期重修的。廟前懸有大明正德鐵鐘一顆，雖不甚大，但形式古樸可愛。下無波狀鐘唇，口徑較大。 藥王廟建築也当在道咸时期，雕刻的建築裝飾雖去古較遠，但一般畫家則多称道不置。地藏寺已破敗不堪，造像也極醜陋不堪。 晚赴文化處招宴。向西修長處作信一封。

24日 日 晴 （視察沙鍋屯洞穴）

早6时餘在圖書館早飯，省府肇厅長、張文化處長，該處郭科長，閆圖書館長也参加今日的視查。 乘大小卡車兩台於七时餘出發，路過小凌河橋，45里到紅螺峴鎮，又45里即達沙鍋屯。該屯是女兒河右側的一小支流所出的山谷，河谷平地很少，村屯也不多。原有日本人經營的煤礦，停作也好久了，輸運用鐵路僅餘部份的路基。古代曾有燒砂鍋窯，故有是名，今僅有燒造黃釉粗瓷陶窯兩家，年產也不太多。這些條件和地勢情况，頗与赤峰蹄猴頸溝乾瓦窯相似，这是研究文化史上应加注意的地形。 有名的洞穴位於屯东南山谷岩層下，地勢很高。中已一無所有了。據鄉民談，另有一山洞，距屯六里許，言該洞似乎還有數洞，但我們因时间関係也未能去试掘，祇好等再来的机会了。大家翻动安特生氏作过的积土，也採见了有绳纹的陶片插片、残骨数段，木炭少许。我又採得人类加工的骨器残片一块。裴文中先生在洞穴前方地中採得褐陶片一。屯里教员曾来採得洞中的兽人骨骼十余段，较为完好。屯附东南岩上建有多层小石塔一座，为金太和年间物，座及铜窦皆因时间不够，没去好好看看，就于午后二时许匆匆回锦。灯下与贾兰坡先生谈没去確定女娲金洞，实是一大错误，都觉後悔了。

25日 月 晴 （在義县一天）

午膳後，乘7时火車往義县，8.34分到义县政府，与县長及秘書文科周科長等接谈後，决定先往万佛堂视查石窟寺保存工程状况，乘馬車六辆前往。除考古团全体外，省方有闫宝海图書館主任、北近镇郭文物科長及县文教局科外二名、携衛士四名参加。

万佛堂完工不久，修缮的很规整。元景造像碑装一木龛，外用插板封锁，以免风雨损失和外人拓印。各窟佛像上後装的泥皮彩绘尽行剥掉，以保存原来面目。拆掉倒塌的禅堂，改修屋舍三间，住看管人一名，经营看守。唯窟下西端防水洋灰壁被毁的一段，因需款过钜，尚无着落。在堂留约三小时许方启程回县。

自县城西门便路看了嘉福寺大塔。塔係辽咸雍建造，为八角十三层密簷式塔，（基每面宽约5.8M。）上部数层已破损较甚，基部也损毁小半。第一层塔身上每面中龛坐佛一尊，左右侍立菩萨各一尊，上有天盖飞天，为一般常式。第一层塔身下栏干不存，仅存与印花三彩海棠長盘边常见的缠枝花纹带一道，其下每面正中雕镌正面狮头一個，姿态雄健有力。再下束腰的坤门中雕有伎乐天人十余体，各执乐器，角部有力士以背乘负上部横板，雕工都流丽雄健，惜多残损不全了。第层以上每层簷有铜镜三枚二枚不等，有人採拾得坠落的铜镜，说背有小朵花纹，别没有文字云。塔北後世所建之寺，已将倒塌，仅存石碑八九座，有的没入地下，残破景象，一望凄凉。

晚膳后全体到奉國寺看了看保存修缮工程，殿墙及院墙大体都修理完好如故，門户加鎖，閑人不準乱入。院中原有的小商場前已移出，今頗寧靜。天已過晚，定明早再来。我与修校臣由圖書科長的引路訪問本地文讀者李玉鶴齡一談，始知他有續義縣誌的稿本，借閱一遍，内容極為丰富正確。老學者年已七十八歲，風燭殘年中，他仍欲續斷完成此工作，其精神良可欽敬。叙談約一小时辞出，夜宿於義縣府中。

26日 火 晴（再到清河门西山村）

昨夜考古團的工作計劃確定後，擬分二組，26日早車到清河门鎮西山村視查保存古墓工程及楊彪清破坏古墓情况，這些事有了办法後，派由閻文儒、宿白二團員在現地負責工作。此地了完以後，他二人轉到阜新縣腰衙门村遼晉國夫人（律耶之妻）墓視查是否另有可作的古墓，如有意見即继續工作，否則就回義縣調查奉國寺和萬佛堂，時間有餘再到閭山西谷寶林樓調查。另一組由裴文中、博物館處長率領賈蘭坡、修校臣、談全声、周桂五、李文信、曲瑞琦經沈陽市轉到吉林省西團山子工作，来月9日裴先生赴回北京開会，回來兩組全員再在沈陽總集合，同到遼陽作漢式壁畫古墓。

早7时車赴清水河鎮，9时許已到，由省文化處郭科長、□圖書館主任、縣文教科周銑科長引到區政府接待，即时乘大車赴往西山村已掘古墓群視查，一一查過由余略加說明後，當場決定保存办法：把第二号墓之门有斗拱及壁画部份後面砌磚墻封閉嚴密，把墓室深坑用土石填满。前廳上加修小棚盖，下修磚階，门上加修有鎖小木门，以便出入。這樣雨水不至破坏，就可永久保存了。

回鎮晚飯后由小學校學生引導我們到鎮東嶺上地名扒台子附近採集介殼化石不少，據裴文中、賈蘭坡二先生說這資料很好，也許屬三門紀層的，但没經研究不能決定。其中螺類有扁体的，很是有趣。

夜間到本地文工團出演的劇場一觀，因人多過热没终場先回房了。

保存第二号遼墓壁畫及门樓的設計圖如下：

義縣清河门西山村遼佐移宮畢蕭氏族墓第二号壁画保存工事圖

27日　水曜　晴　（楊彪濱等屯古墓視查）

早飯后乘大車拐輛，全員往勘楊彪濱屯及其附近各古墓。

先到上店子屯古墓群，上店子屬一間樓村，在清河门西南八九里。墓群在大青山脈一支脈山坡东々南前怀中．山坡前怀向前伸展很長，右左為二侵蝕深沟，此沟年々向上侵入．而右側深沟左岸及上头露出古墓三座．1.只露出數十甎塊．2.為石砌有副室的方室墓．後部如何，尚不可知。3.為石築方形墓，已露出後部橫壁西端。此三墓上距地表均一米餘，地上毫無特徵可見。附近地形及第二墓露出略圖如下：

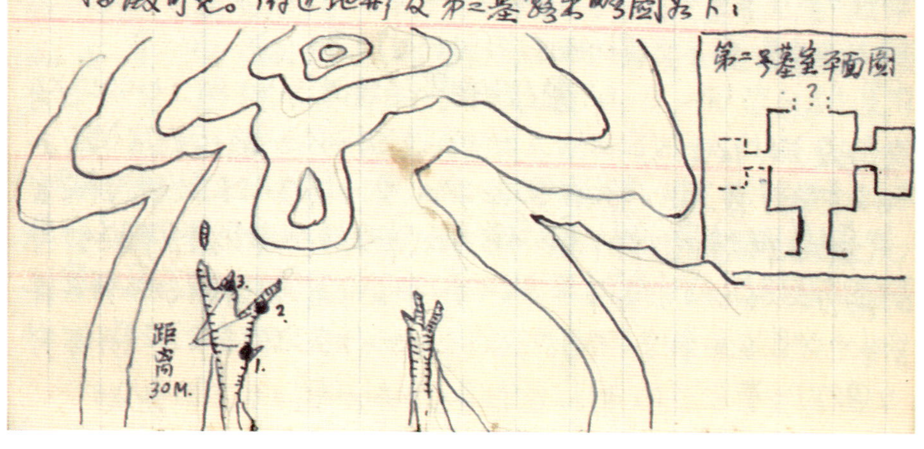

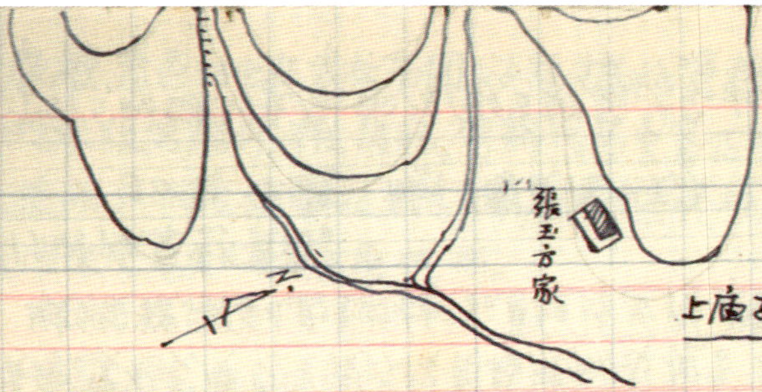

張玉方家

上庙子屯古墓群附近略图

又此墓地前二涧水会流後的岸边常出磨製石斧。已发見的有10餘件，多為圆或椭圆断面的直或微圆刃長身斧，磨工較為精整。不過都是於涧水边似係冲積移来的，共原来遗址当在較上流的东西两岸上，但我们在西坡上走一趟，並没有什么发见。

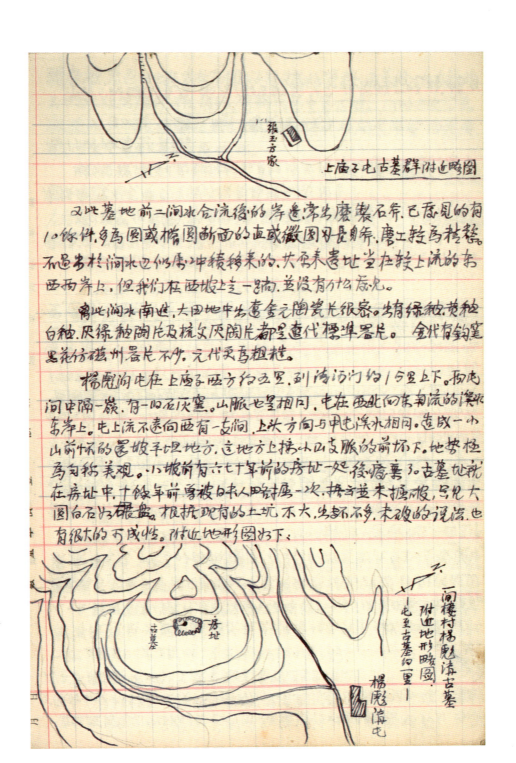

离此涧水南进，大田地中出遼金元陶瓷片很多。如有绿釉、黄釉、白釉、灰绿釉陶片及梳文灰陶片都是遼代標準器片。金代有鈞窯、黑花仿磁州器片不少。元代更為粗糙。

杨彪沟屯在上庙子西方约五里，到清河门约15里上下。两屯间中隔一岭，有一旧石灰窑。山脉也是相同，屯在西北向东南流的溪水东岸上。屯上流不远向西有一支涧，上头方向与由屯溪水相同。造成一小山前怀的缓坡平坦地方，这地方上揣小山支脉的前怀下，地势極為匀称美观。小坡前有六七十年前的房址一处，後废棄了。古墓址就在房址中。十餘年前曾被日本人盗掘一次，据说並未掘破，只见大圆白石如磨盘。根据现有的土坑不大，出土不多，未破的说法也有很大的可能性。附近地形图如下：

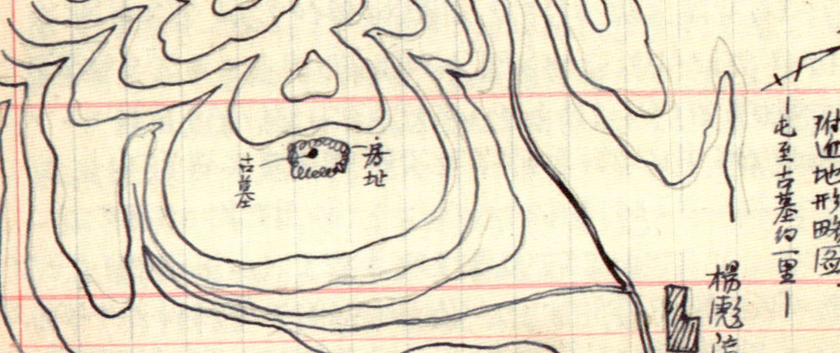

古墓

房址

一间楼村杨彪沟古墓附近地形略图

一屯至古墓约一里一

杨彪沟屯

午后在清河门小学校开送别晚会，有小学生的歌剧舞蹈节目。与地方政府和区村干部交换了文物保护诸意见，定明日留闫文儒、宿白等三人一小组在此工作，下餘全员经瀋陽赴吉林。

28日　木曜　晴　（由清河门到瀋陽）

早飯後乘大車兩輛上站，在去火車站以前找来了保存工程的估工人一名，说明遼墓保存作法後，他加以略之估计，约须东北幣三千萬上下。定由宿白、阎文儒等協同省縣区屯監修工程。後即到站，辞谢了送的同志，按时出發，下午6时餘抵瀋陽，住於瀋故宮内代文部文管處中。

由清河门經新屯到瀋的車窗中，可以看到三个遼遺迹地：一個是半截塔，在大坝站西七八里鉄路南小山上，八角十三层，規模略小，上部已破缺數层，故有此名。看形式和塔下的陶瓷片，似属金代遗物，恐早不能过遼末。附近石椎蓋，身很不少，為金代一般屋顶式的。第二是大坝站约三里许，鉄路南侧有古城址一處，东南向，东北一角的城墙為鉄路所切断。土墙不甚高，城中没有高大的遗址，四门址尚可認出，唯陶瓷甎瓦片都不太多，可证居民不多或时间不很久，或是遼代頭下私州城的一個。又在大坝站北方六七里翁山村新秋屯西山前有遼蕭德溫墓，係為孝穆孫、阿剌之子。惜乎只能望山头，看不見墓地耳。三是車過新立屯站东约不远，北望小山上有一塔，距離约有20餘里，遠鏡也看不太清，据地圖查是塔山上的甎塔，也是遼金时物。

29日　金曜　晴　（在瀋一日）

午前到館報告随队工作及遼西保存工程情形。早飯后到文物處協助与裴文中处長、賈兰坡先生等買掘[illegible]去林西山子用品。

午后引裴处長等人参观故宫、图書館、博物館。在博物館開一座谈會，裴处長、賈先生说了很長的话和感想。

晚飯後，我和曲瑞琦，加上孫守道往車站集合出發，搭午後11时餘車赴長春。

30日　土曜　晴　（長春住一天）

午前5时餘到長春，飯后同往師範大学社会科学院拜楊公驥教授，看過了他在吉林西團山子發掘的資料。每墓用一大木箱按出土原狀復原陳列，方法很好。資料很為豐富正確。同時與史學系教授開了一個座談會，校方決午后三時起於校開演會，由裴賈二先生報告先史人類發展情形。

午后率孫守道往舊城内一觀，因明日國慶，處處鑼鼓喧天，秧歌隊絡繹不絕。到西四馬路找舊有的育民書店，云兩月前倒閉了。左右看了幾家舊書鋪，都是舊書（日文的）不多，價也很貴。古物店也都改業了。探訊清内府流錄的書籍書畫等，據說也沒有。

晚宿於車站前裕順客店中。

10月1日 日曜日 晴 〔國慶日在吉林〕

早5時許東北師範大學社會科學院楊公驥教授李洵先生率學生5人到我們住宿的旅館集合，同乘點鐘火車往吉林。十時餘到吉，有文教厅文化處趙科長率職員王亞洲等四五人來迎，乘汽車到大西門松江招待所住宿。

午飯後全員研究勘察工作日程，決定如下：（由卡車全員出動）

第一日（2日） 西團山子、騷達溝一帶。

第二日（3日） 炮手口、東團山、帽兒山、龍潭山、蛇山子、九站。

第三日（4日） 市北山後、河沙子、蓮花泡後山一帶。

午後三時文化處長來談，隨同往北山前會場參加慶祝建國一周年大會。我們臨時作了一面"東北考古調查發掘團"的大字大紅旗，在主席台上參加了大會典禮，和部隊、機關、團體、學生的大檢閱。其中無老少男女都精神活潑，愉快熱烈，使人極為感奮。

晚飯後到臨江門江沿看江上夜會，江岸上人山人海。江中燈船密與提燈隊沿江橋集合在江南，高燒火炬，煙花時作，再加一輪明月高掛東天，燈月光輝在江水上反映出萬條金光，極為好看。歌鼓喧天，萬人空巷，是自古沒有過的歡慶節日了。

這吉林的一天，極為難忘；見江山依舊，久離初歸，一草一石都含無限感觸，轉眼將近六〇之年，一無建樹，又私自抱愧。

10.2日　月曜日　晴　〔西团山·骚达沟之勘察〕

午前九时馀金员乘中卡车出发.先到西团山子视察并採集地表分散遗物。西团山子山容较十五六年前我初来採集時改变了很多。山顶及山坡的人工階段渐觉模糊.全山大小樹木已不見棵影。绕山腹鑿战壕一道.支壕很多.山顶正中平面部先由日本人修上覺旗屯車站的用水塔.規模很大.光復後又被反动国民党匪軍利用作了战堡。這樣把先史遗迹的西团山子幽溫和古雅的面貌.一变而為殺氣冲天的战区了。去年楊公驥教授两次发掘的古墓.全部是由战沟中露出的。墓区一在西南山腹部.共為15墓。第二区在南面稍西方.共為7墓。第三区在南部中央.共為二墓。第四区在南面稍東.只有一墓。第五区在山北面中腹.亦為一墓。這些墓的位置都在220—225M等高線之間;也就是由山顶平顶向下的第二個階段上面。牠们的形式是石塊砌成長方墓壙.上蓋較大的石板.似乎是屬於多尔门墓式的.有的大墓壙前方或两侧又有一小明器室.觉為别致。地表散佈遗物与古墓出土的大致相同.与後去的骚达沟先史古墓及散佈物也約略相一致。墓室蓋石多是經過人工劈開的石板.有的留有劈開时的鑽凹.有的則是劈而未開.這都顯著表明没用自然石板.他们採石打石的能力很高了。另有一大磨光石塊.約長30餘cm.是一残品.横断為楕圆面.两端及一面是残破面.楕面都是磨光面.似乎樸是研磨而成的.是不是何用具.但這樣大器.可見西团山子人生产能力是很高的了。

午间到了距吉市約20里的骚达沟屯。屯在西团山子西面小山脈的南谷中.約距西团山子八九里的正西方.屯前是平坦的丘陵地.屯後是以西团山子為終点的東西横亘的小山脈.山脈北谷是由铜匠沟往吉市的大道。屯西不遠有山脈向南突出的岩头.土名大砬子.拔海250M上下.它的后左方与后面相联接的較低部份的東南面散佈遗物最多.文化土層也較厚。嶺上次之.北西面又次之。後右方小山西面和嶺上表裏.情形也同。在這山西和小嶺北都有石墓壙的古墓三五分佈着。北方三四里有平顶山.標高307m.附近地表散佈遗物较少。　古墓形式与西团山子全同.有的蓋石更大.石板劈的更薄更好.壙牆修砌的更為規整.這些古墓曾經吉市教局整理過了，據說出土品与西团山子大同，唯有一墓出土了銅釦十飾品、骨飾品等為異。　遺物陶器有鼎足、鬲足、瘤狀把手、曲板橋狀把為多。多黑褐色、赭红色，有口边押成長点紋和長條垂直紋鋸牙紋的，不過数量很少。在技工上与西团山子陶器相同，雖有不整的研磨痕，但似乎用了相原的手轉輪轆轤車，這在脫掉把手的器面光滑和大器壁均匀一樣厚度上表示的極為明白。石斧、刀片，無論打磨都和西团山子的一致。並且採到了研磨粉碎的磨盘与磨石。　在遺址地形上大碼子，其东北山、更东的一山顶及最高大的平顶山，都有人工平治的平顶和階段，平顶為三段，極為明顯。這種地形是吉林市沿江一帶史前遺址所通有的，它的用意雖很难確定，但我以為是与住居安全有關的。　此外據教授以古墓蓋在地面上未加封土，經我個人看墓蓋石都在古地层面以下，而且壙牆壁石僅里面一層石塊，外没有土堆積，它不可能直立負荷重大的蓋石，而且到现在也一点都不崩倒。

勘察完了於午后5时余回吉林市松江招待所。

飯後到王世方家探望一次，適不在家，看到他家族稍谈回家。

灯下同楊公驥、李洵二教授、贾兰坡先生谈人類起源等问题。

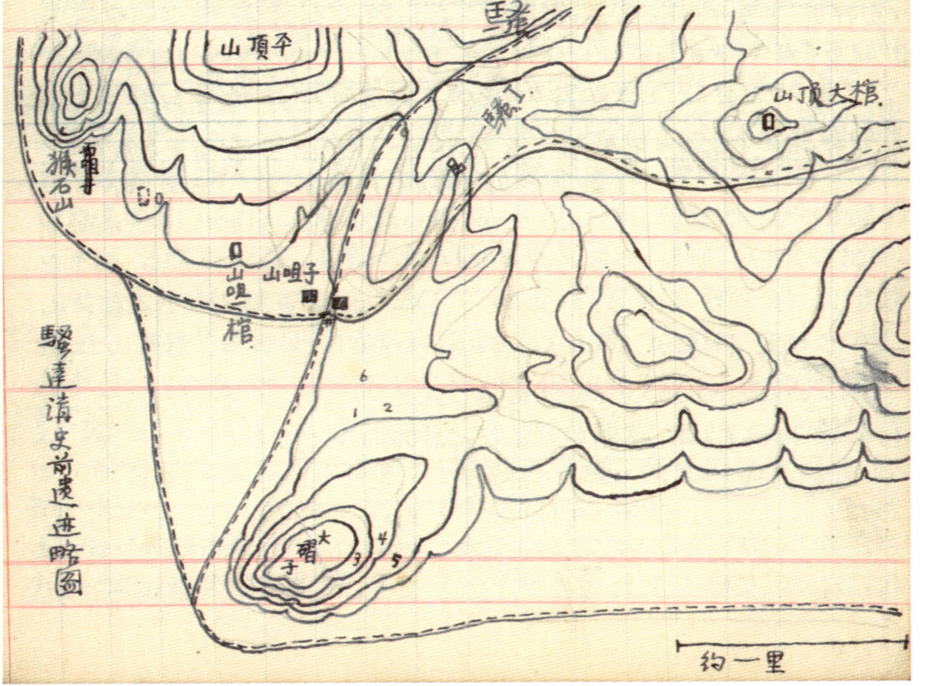

10、3日　火　晴　〔沙河子新石器遗迹〕

原定今天勘察东团山子—九站江东一带，但因午后5时有市府招待所设招待宴，饭后看剧，就把地点较少的第三日程提前了。—沙河子一带。

全团乘卡车经东关文化处出发，转出致和门，经德胜门教礼拜寺东折，沿谷地东行，先到腰沙河子北山。这一谷地水由西北各山谷来，东北注入松花江，谷口平地接近松花江不远的平原西岸是哈达湾车站。

沙河子北山是拔海约300余米的一小山脉东西横走，一小花岗岩层向南突出，造成一半岛形的孤立小山，标高在二百米以上。其北接一较大山塊，略作圆形。山前地势平坦，有一小河流过。南边横嶺是吉林市北山々脉。人家疏々落的分佈在谷地上。　遗物多々佈在前坡及东坡地表。陶器红褐色，遗片极少，没见有花的。器底作（图）形，是否用陶车不能明瞭。表面也经过研磨，有的器壁很厚，含有石英粒。石器打磨共出，打的多作（图）形，有较大的；磨製斧是一般常见的稍扁两面磨直刃斧。其他打制的石片也有些，成器的较少。

茶棚山（哈达湾西）没发见正式明确的东西，只採得一大石核形物，是此地史前遗迹中常见的，打制黑石片也不少，可知此山也是有石器的。並且據丁亚洲说他去年在哈达湾作教员时曾有学生於此山採得过磨製石斧的。惜乎时间无多，不能细看了。

哈达湾南稍西是松花江旧道的河积淤地，西岸断崖是砾沙的深层，去年有人在岸足下耕地发见了大形古生物骨，据云似兽骸，但没看到实物。裴雯二先生也不能说明是什么。裴先生视察地层後，説有是可能的，但怕不多，無法開掘。　　5时餘在府参加宴会，有徐省主席、韓吉林市長、宋[illegible]省宣傳部長、林野文化局長出席。7时飯后出席看文工團露演的新劇"战斗中生長"，演技很好。

10、4日　水　晴　〔江东西东团山子—猴儿石山的新石文化〕

午前8时餘会员乘卡車出发，往松花江东沿岸一带新史遗迹勘察。車經市内江沿江松桥口，文化処趙[illegible]和黄阔二同志来参加，我的舊學生王西力先生也来借便相會，作一日之谈。途經江南邑段集街、炮手口子、馬母洞三処，虽知曾出石器陶片，地形也是有加工修成階段的小山，但以時间関係，没能停車。到东團山子停車上山，山东遗物極少，較当时散布豊富情形，大有不同，為时才20餘年，竟被採光了。山上有近代修建的堡壘和週圍的深溝，使山容改变，人工所修治的階段都份破坏了。出土物多為漢式及高句麗时物。红色高句麗瓦当片為普通形式[illegible]的双線格蓮瓣纹，但這一花纹也是在此初見的。　　继續車經龍潭山站、察什哈站，到了泡子沿南山。這一小山是东方二道嶺子屯南山向西伸展的一支，西南向松花江平原的一面為花崗岩露出的突起岩頭，極為削拔，標高為218公尺。南面之岩上作半圓排列成四个小峯头，北面為一较小山塊，西方成一夹谷口，谷中極為宽阔，地形镜与高句麗山城相似。各小峰上都有加工的階段，向谷中的一面尤為顯著。石器刀斧与陶鬲足片等与东西團山子大体相同。山前有东北three校舍和化工廠。　　北去經泡子沿、棋盘街，到哈達灣北山，[illegible]是由北西向东南伸展的一小山脈，前面作东西双峰的突起，西面的较低，前面久成打石场，现仍在採石。後面較遠処是一較低平的山嶺。双峰上都有人工修治的階段，西峰在北面，东峰四方都有，遠望很像古式的金字塔，極為美观。所出的石刀極為别致，  　　陶器、石斧与附近的相同。　　沿此山北去四五里是湯旺屯，屯北山也有一峰是加工階段式，以时间関係没上去看看，不知有没有石陶器。屯西北山头有奇岩，俗名小猴石、山石後嶺腰山路横過北轉不到二里猴石山。山由东北来，北西距松花江流很不遠，南方是莽牛河和松花江会流的平原。山南面為一谷口，谷内很寬大，四周山嶺很高峻，地形和後世的高麗山城相同。谷口西是横列二峯，在西的較高大，谷口东的較為低平。正也谷為一大山，山左一嶺前伸，才造成這四山環抱的地形。這四峰次上都人工階段叙層，極為顯著。在下面的已被開為大田，上部保存原狀。詳看每階段上面都有圓坑，坑直径2m—3m餘不等，存深約1m餘，有的積滿腐土，而草莽較高，綠色也較濃重。有的坑边存有墙迹，也有帶有缺口的。在西山上這樣坑边上採得圓核形石器一件。我观察這些坑迹，很可能是一種半穴居的屋址。 遺物除石器以外，陶片極多，都散佈在階段上和谷地中。另外在西峰後山腰上採得小銅刀一件，与去歲時在西團山西方騷達沟上山墓葬掘得者全同。一端是刀尖，一端有三鋸牙，沒有長把。 大石磨盘一件，用過很久，幾成槽形了。 再由此沿北去五六里地名烟達木屯也有相類遺迹，因时间較晚没去。

晚6时许回松花招待所，飯後整理資料。

10.5日 木 晴 〔移住八百垧幹部训練校〕

午前在原整理資料行李。午间全員移住幹部学校。

午後全部乘車到西團山子現地勘察决定試掘沟位置。及明日分三組工作的具体分工。 原定由西團山子再到騷達溝，但因裴廳長午后2时到城内給省市幹部講演，佟校長晚車返京，擬到文化廳看資料，所以臨时停止了騷達溝之行。西團山子準備工作完了就回原了。

晚飯后到吉林市西石碑前楊森胡同二号家看了。久别七八年，灯下相見，恍如隔世，九时前回原途中，送佟先生上車站，立談片时而别。

10.6日 金 晴 〔西團山、騷達溝双管齐下〕

今天两地分头工作：

(1)騷達溝古墓發掘組由裴文中、賈蘭坡、王亚娴和師大同学2名、孙守道、現地文化廳1名前往。發掘大板石蓋墓一基。内無人骨，出銅斧一件，石管珠3個，翡翠牙状墜二件，同圆墜一個，石刀一件，僅存半段，陶片数小片。緑玉数管珠一件，尚有一小部份没完。

(2)西團子试掘沟組由楊公驥、李洵二教授及我和師大同学生二名、現地文化廳阎尔超前往。工人19名，按昨日决定地点作探沟七條。5.6.7三沟没有發見。第一探沟發見数个古墓蓋石四處，並有獸類骨，与前所發見的規律很相契，所以認為都有希望。 第二沟露出二大石及獸類骨一處。 第三沟露出数石址一段，很像居住遺址，别没有古墓形像。 第四沟是由舊坑北岸削取的，僅现出獸顎骨和大石三塊，也似一古墓。遗物方面由採墳中出有△形纺輪，較為少見。又在山南坡採得宽鋒石劍尖部一段，極為規整，尖部損缺後經研磨了。

（3）西團山子測量组由張忠果及同学2名、曲瑞琦等工作，由山上三角点作起，已作到山西部的中腹了。

裴文中處長於晚8时車經瀋陽回京。

楊公驥教授定明日早車暫时回長春校，今夜宿文化處。

夜整理今日出土及搜集資料，分配明日工作。

10.7日　土曜　晴（西團山、騷達沟的開掘）

今日分三组工作。

（1）王亚洲、宫泮生续騷達沟處掘没完的騷Ⅰ号墓，又出土有銅斧3件，小鉄鏃形物一件，绿玉细花管状珠1个，素管状珠一个，白石管四五个，翠玉墜一个，朽骨片少許。

（2）賈兰坡、孫守道、王承礼、徐凤臣開掘西團山子Ⅰ號墓，出土人骨一具，膝盖部出小陶罐相疊二件。腰右侧出双孔大石刀一件。有点孔花紋纺輪（板輪狀）一件，白石管状珠一件。墓室尾部外附有没有樸头的小附葬室，内出双耳陶壺一件。其葬法呈仰面双臂交叉胸前，双腿微向右折曲。棺左後侧上部出土獸顎骨一段。棺内積土已满，土層上部含有陶片鬲足等很多，下部很少見。

（3）李文信、李润率工人20名作試掘沟。把昨日未完的作完，又縱斜開掘了八、九、十、十一等四沟。這四沟里現出七個類似古墓的遗迹。

測量组仍由全组4人继續工作。

吉林第一中学校校長外教員六七人来参观。

晚飯後，吉教廳王科長率全了十余人来看出土遗物。

10.8日 日曜 雨 〔停工一日〕

早饭后冒雨到西团山，工人没来。雨渐大也不能工作。全团同八百岁干部学校。利用雨天整理过去的纪录、测图、资料。並把材料装好两箱。

10.9日 月曜 晴 〔发掘2.3.4.5号墓〕

午前分两组发掘，共作完四墓。第2号墓出土陶瓶一件、人牙二個，年龄较老。第3墓很小，埋一五六岁小孩头骨，别没有遗物。第四号墓盖石后部为一米余大石，前为小板数盖，墓室也较大，出人骨一架（似一女人）。刀石、纺轮（三件）研磨器 陶器（三件）等。第5墓中型，出人骨一架，陶瓶一件，双孔石刀一件 小石斧一件 小石锛一件。

这几座墓大致方向都向南方或稍西或稍东。並且都是仰面伸展葬，惟双臂多交于胸上，双腿膝盖骨向右曲，石刀多在腰股部，陶器都放在腿湾部或足下。

我指挥工人20名掘已发见各墓上的积土，今天都算作完。测量班工作也大体就绪了。

10.10日 火曜 晴〔6.8.9.10.11墓的开掘〕

李洵王里哟组作六号墓，出一骨一架不大全，陶壶一，陶耳钵一，石刀双孔一，纺轮二個。明器在足下，附近有猪牙骨。棺無副室，方向北东29°。

贾兰坡组作8.9二墓，8墓出土人骨一架，别没东西，棺的方向北东27°，無副棺。9墓很标准，出人架一，仰面交臂，腿骨微曲，出石刀纺轮等。石墙建築也很好，所以决定运往北京历史博物馆作原始共产社的陈列品。

李文信组作10墓、墓形较大、建筑尚好。人骨一架、双手交于胸上、膝向右折曲。腿部右侧出双孔大石刀一件、棺右尾角出陶瓶一、陶罐一、纺轮一。棺内填满黑土，中含陶片、烧骨、小石、木炭；上部近尾出猪牙5.6個。 11墓上盖很小、距10墓十余c.m.开盖後满是黄色硬土、距上盖很近出头骨一具、下掘40余c.m.出人下肢骨全份、膝向右折屈，下腿骨右出磨制小石锛一件。棺墙北端石块不齐整、没有北壁、显然是筑10墓时被拆去了棺头一段、把头骨移于尾部上层了。 10墓图

黑色土

1.50m

黄黑灰杂土

黄色硬土

棺室

黄色硬土

10.11日水曜 〔7.12.13.15墓〕17

李恂组作7墓、墓盖缺失尾部一大石、因此下肢骨被放入了头部上■层、一陶瓶放在头侧、一陶罐放在腰部、均歪斜不正。腰部右侧出压制小石镞三個。 。这墓临接8墓、显明是筑8墓时所破坏的。

贾兰坡作12.13两墓、12墓人骨片少许、附室出陶盌一件、底部很小口很大 。 13墓人骨保存一部、位置很清楚、头仰面、双手交于胸上、膝盖右屈。下腿右侧出双孔石刀一件、纺輪纺锤各一件。

李文信组作17墓、人骨保存较清楚、仰面双手交于胸上。膝盖右屈、棺室近东西的横置、在墓群中与第1号墓同是特殊的。附室在棺尾左角前向左伸出、内出土陶罐一件、石刀一件、双孔長朗達42c.m.。 图

張力果组作15墓、人骨存有痕迹。附室出陶壶一件。

10.12日 木曜日 雨 〔因雨停工〕

午前到墓地後就来了雨、在山後人家躲避、雨越大回房了。午後进城到文化處、看丁翰章病、到高大夫医院看莫文志不在。

10.13日 金曜 晴 〔作14.16.18.19墓〕

午前開始14.16.18墓。同时僱二工人復原已掘古墓並各立標柱，寫明第?号墓、工作团、年月日，免被破坏。

第14号墓西南向，没有附室。出人骨一架，有白石珠。(已失了)此墓经东北师大王承礼等作的。

第16号墓西南向，尾部有附室。出土人骨一架没頭骨，也没有一点痕迹。兩腕交於胸腹之間，膝蓋西屈，足骨在椁尾左角。腰部右側(出石刀一)。附室出陶壺一件，三足陶器一件。

第18墓在墓群中是比較近北，坡度也是較高的。壙也很大，前有附室。出土人骨一架，双手交於胸上，膝蓋右曲，頭部出白色石管、管狀小珠20餘個。附室出双耳陶壺一件。

第19号墓也是在稍北較高的地点。墓大西南向，壙壁红花崗岩造，上下石板用一種绿色不整形的石敷蓋。壙中出土人骨一具，姿勢与各墓同。開壙蓋後於積土上得磨石斧一，稍掘土出磨製長身石鏃五六支，復於壙尾足骨下出七八支，出土狀態雜乱，似乎也没装有箭杆。附室出双耳陶壺、陶罐等四件。此墓為午后開始工作的，到实测圖作完，天已很黑了。包装资料，携带工具回房，本山工作就结束了。原打算由明日起到稍西十餘里騷達溝古墓群工作約作三天。但午前楊公驥教授由長回工作站，經傳文化處轉来沈陽文化部文物處長傅亘来電、轉達中央文物局命令，全員即日各歸原機関。所以騷達溝工作停止了。 為了西团山子古墓全部復原封土，僱定村民二名，託文化處黄從新同志明日继續領導作完封土、立定標柱等事。 夜間把所有资料及記録测圖等未完工作清理完了。整理用具及剩餘物资，準備明日全团離吉。

夜間開座談會，檢討此次工作情形，到11时許就寝。

10.14日 土曜晴 （分批离吉）

午前三時長春師大楊公驥李洵二教授率学生王成礼等回長春本校。所餘团员午前整理起運诸事，於十时余移到吉林文化廳，把应運来古物運交吉省運输公司，和第九号墓室石塊一同装包起運。

10.15 日曜晴 （全员回瀋）

因朝鲜局势紧张，东北备战，东北考古工作团即将停止工作，人员各回原单位。这回的第一次重大考古活动为时局所扰，实为憾事。不久抗美援朝战争爆发。

东北考古调查团观摩学习日记

1953年 4月 21日（星期　　）氣候

观摩学習日记

1953.4.21日由瀋陽南站出發，張拙之、朱子方、李路琴、楊仁愷、李文信、胡文功六人，早七时许登車。

4月　22日　水　晴　到济南

午间車到济南市，住膠济路宿舍附福临旅社。遊大明湖，坐小舟经鐵公祠、北極庙、歷下亭，繞湖一周而归。晚飯在城内滙泉楼吃黄河鯉鱼，楼下養鱼一池，水泉清澈，魚影往来，極有佳趣。飯後我到人民市場听山东特有的琴書。

4月　23日　木　晴　在济南

午前九时参观山东省文物保管委员會，该会在城内南部上新街，係瓦宫殿式會址建築，很壮麗宽大。由陈列组负责人王院陶同志招待参观。据说他们筹備博物館的厂史部份，接收济南大学的底稿作将办自然富源与民

1

年　月　日（星期　）氣候

主建设部份。现有五个陈列室：

1、铜器室——多精品，尤以益都、黄县、东海县铜器群为佳，沂水出铜[illegible]也好。

2、出土文物室——多石器陶器铜器等，其中新发现的黑陶遗址有三处：

(1) 1952年青岛近郊李家坟山出土有全器存青市文管会。

(2) 1953年郓县七女城（冢城）。

(3) 1952年滕县宫家庄、该县另一遗址又出彩陶片。

又发现济南市东15里大辛庄发现了新石器晚期遗物，有无甲骨、陶鬲、大孔磨制石斧、双孔石刀、鹿角、骨片等。

3、六百年来名人著作和书画室

4、瓷器室——有柜府瓷二件。

5、玉石雕刻室——有明衍圣公服玉带等

6、地方人士捐献陈列室

此外有原始社会陈列室，係临时的。

陈列柜仿南博式，比较低些，不很

年　　月　　日（星期　　）氣候

观览。陈列室内搭有人工太阳灯及花灯，大小说明也很好，卡片只有种类、名称、用途、时代。

继到济南大广智院，现改为山东自然博物馆筹备处，将来自然资源和民主建设部份，以建国三周年特展陈列品为基础，现有：

1.工矿——有采煤、造纸、纺织。
2.水利——将来可能与农业联结起来。
3.林业——有沿海防风林等。
4.农业——附畜牧、水产。
5.卫生——不充足。
6.交通——仅一小部份。

机构：1.展出，2.计划 3.制作 4.总务。制作中的技工人员有绘画、雕塑、解剖制製动物标本蜡形等。全体人员约60名，常年经费8亿，有必要可以增加。每天观众平均6—7百人。

下午到山东省图书馆，在大明湖西岸，内有花竹介石之胜，参观了奎虚堂及金

年　月　日（星期　）氣候

石陈列室，前者均本省各地出土漢画象石及墓表等，後者多造象、佛座、碑誌等。

明天啟賜衍聖公烏紗帽。(黑线製)

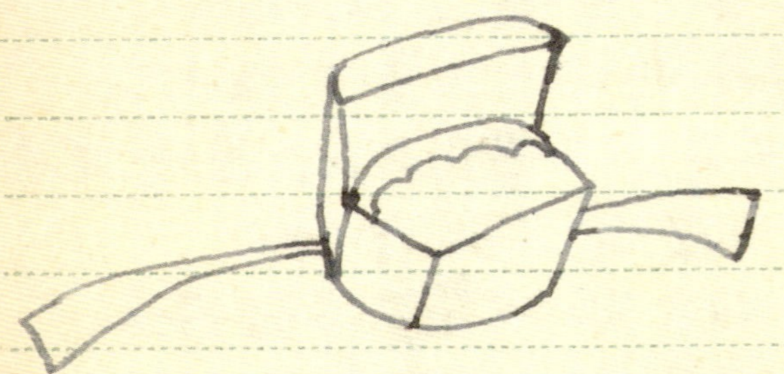

4月24日　金晴　到青岛

昨夜十一点多搭車赴青岛，今天九点多到，住於中国旅行社招待所。午飯後到中山公园，园中群花正開，游人擁擠。继在海岸闲步。市街環海负山，因高為低曲折，绿树红楼，極為整潔可爱。

市中正在公园举行园遊大会，会場中举办各種展覽和運動会，布置的都很合適，所以人民群众来的人很多。

年　月　日（星期　）氣候

4月 25日 土曜 晴 晚雨

早飯后到青岛市鱼山路37号「文化古物保管委员會」参观。该会1950年成立，用红卍字会舊址，有洋式建和宫殿式建築大屋三进，很高大壯麗，外圍黄瓦红墙，院中松柏茂密，群花正開，尤以辛夷、白樱、牡丹為佳。

会中设：1、徵集调查，2、保管，3、審查整理陈列，三大部份，但人员约十人，很忙碌。继由李玉吾主任等導引参观，因未正式開放，以所致開陈列室門。陈列室有九個：

第一室 捐献文物室，物品不多，内有「蟠虺三牛足大銅盘」很大，两蟠虺耳各有昂首腾龍三隻，三牛足極為生動，當是春秋戰國器，刻辞不真。「漢熹平四年河南男子王孟叔买地鉛券」傳出洛陽，長简形字文整齊，保存较好。「齊武平三年張思文造像座」有供养人物刻像很好，為北朝服飾研究上的重要材料。

第二室　青市出土文物，多近年发现品，在历史研究極為重要，其中有「黑陶器」三件，器片數十片，出於市东北郊約70里李家宅头村，為打井在地下二丈五尺層中發現的，並出有磨石斧残片獸角等。黑陶較龍山稍粗，器形多破碎款，但製作技術与作風呈完全与城子崖器相同。承他們的好意，赠我們黑陶片6枚。「雷纹鼎」完整無剝蝕，市东古鎮村發現。「銅兵器」有四戈二矛劍二，均為市东北郊夏莊區源头鄉安乐村，财帛滩出土，其附近的城陽為漢不其縣地，其北有不其令墓墓云。「自然灰釉刻鳥纹双耳瓶」大小二件，一件最大的送来济南参加文展会。係青市流亭区董山村，趙姓打井当数柳墓同五銖錢出土，並有鐵劍一支。陶質淡紫而坚硬，双耳作 [drawing] 形。釉黄绿色，向上部份都有釉，並且釉面不平，显係自然堆落，非人工所塗。此種陶瓷雖久已為歐美人所知，但明確出土例尚無，可贵也。

第三室　甲骨、銅器、泉貨。

第四室　从猿一人

第五室　陶瓷

第六室　雕刻、漆玉、景泰兰、服饰等。

第七室　佛画、雕佛像。

第八室　明器。

第九室　书画、碑帖等。

午后拜去文管会。逛市街回旅社。

4月26日　日曜　晴

午前参观青岛市人民博物馆水产部、馆址临海，为琉璃瓦建筑的殿楼式两层小楼。内容有水族展览箱、水族标本、照片、图表等。陈列品较少，地方窄小。票价五百，人很拥挤。产业部在水族馆稍东。馆址临海两层小楼，规模也很小。内分五室：

第一室　地质、地形。

第二室　青岛物产（含地质标本）

第三室　参考室（动植矿化石标本等）

第四室　伟大祖国图片

年　月　日（星期　）氣候

第五室　物产（烟台、博山）上下水道、泰山、動物標本。（中外□都有）

主要陈列品是用標本、模型、地型、照片、图表，惟陈列橱较低，陈列品過密，分類較乱，地型图内容包括太多，一般人較难得清楚印象。票價五角，人也很多。

後到中山公園参观园遊会，及運动会。晚8.55时搭車經濟南々下。

4月　27日　月曜　晴

午前十时餘由姚村站下火車乘驴拉小轿車二辆午间到曲阜縣城，在站东南方平原上。背泗面洙，形式很好。城不很大，居民朴素如農村。　午飯后参观孔林，在城北门外二里，前有明万曆间神道碑及石坊，神道側古柏参天。進门西轉而北進二门為享殿，殿後有子贡手植楷，已僅存残幹，護以小亭。再進為孔伋墓，後為至聖孔子墓，其左前為孔鯉墓。墓东方林中為孔氏族墓，林外有红墙围之。现為山东省文管会曲阜分会管理保護，现状很好。

年　　月　　日（星期　　）氣候

次到北门内復圣颜子庙参观。碧瓦朱门，规模很大。内有陋巷井、乐亭等。历代石刻不少，惜时间略晚，不能遍读。现有建筑当是明代遗构。石作雕刻都很精壮。

4月　28日　火　微雨。

早起往周公庙参观。庙在城外东北方二里许。碧瓦朱墙，略有残坏，有元明清古碑十余幢，松柏葱森。附近多周汉陶瓦、先唐至白瓷片。庙内尚存汉画残石一方，花纹不甚清楚。庙址古人传为鲁太庙址，又有人传为鲁灵光殿址。依地下瓦陶片分布层累上看，是一古址无疑。路中採集陶瓷瓦片瓦当片十余片而归。

早饭后参观孔宅，其中花木尚盛，房舍整齐，文管会即设于此。遂往孔庙参观杏坛、大成殿，殿为宋建，石雕云龙柱及宝装莲础石极为精壮。杏坛有党怀英篆書碑，並悬一鑄鐘，观其形制花紋亦是北宋遺品。廣西院現改為人民文化館書報室，後有古物陳列室，陳列古代文物數百件，多銅瓷玉器服飾品等，但皆為近世一般品，無甚重要者。繼往前院參觀漢魏六朝以來碑刻，如礼器、史晨、孔宙、孔彪名碑都立於長廊下，保存無恙。漢画像石十餘方，有極完整的數方，一方側有刻辞，尤為少見。這些貴重文物在解放後得到人民的重視，都建有石座，固以洋灰，有的上加鐵條，保護備至。漢府門小吏二翁仲原在廣西門外，近已移到院中，在正建之方亭，以免天然破坏。後代碑刻如林，其中有地圖二石更足珍視，因时间不足，僅看年代甚古的一部份，如墜地图、古銅祭器都只好不看了。

午後乘三輪車往兗州站，公路三十餘里，在微雨行進，極有情趣。兗州今為滋陽縣，城大人稀。到城內參觀了明代范仲淹祖孙石坊，石坊彫刻很工緻，保存

年　月　日（星期　）氣候

也還不錯。後到城東北隅看鐵塔。之為鐵築空心式，八角十三層，毫無雕飾，當是元明以來遺構。午後五時餘搭津浦火車南下，路經曲阜鄒縣孟子廟、嶧山諸史迹，恨不能一一參观。

4月　29日　水　微雨.

早七时餘到浦口，坐船到南岸，進城住鼓樓附近興華旅社。飯後稍予休息即往夫子庙看秦淮河，濁水一灣，無復当年繁華氣象。附近有古物舊書店不少，看了三五家，得越瓷雕花小罐一個。

4月　30日　木晴

早飯后坐馬車往紫金山参观明孝陵，前有石獸石人，陵域規模很大，建築物除石築部分及碑石外，餘多不存。中山陵在明孝陵东方，規模宏大，建築雄偉，花木更為繁茂美麗。两陵统由中山陵园管理，佈置經營極好。再东為灵谷寺，有明永樂碑，其寺亦極古，近年又有一番建築，所

年　月　日（星期　）氣候

以内外整齐，作为灵谷寺公园，游人不断。与上二處史迹名勝相連，山水佳幽，也是南京市郊游覽的好處所。回途到玄武湖。

5月　1日　金曜　晴。

今日南京全市人民慶祝5.1劳動節、不能正式参观学習，利用僻巷小路到五台山一帶住宅区，晚飯后又到雞鳴寺。寺為梁同泰寺故址，后有台城，左側有胭脂井。由其东新開城门到玄武湖南岸，乘小船遊湖半周而归。

5月　2日　土曜　晴　往蕪湖

早6时登火車与胡文毅、楊仁煌二同志往蕪湖皖南文管会参观。十一时余到，住江東旅社。蕪湖臨長江，商業發達，為米茶集散地。車站在舊城北，城站之間為新式市街，有一大水塘，云即古之汙湖，所謂蕪湖亦即指此水。近年略加修理，花木扶疏，遊人不少。城郊附近多小山丘，以范羅、赭山二山較大而又最近，月牙山、大吠山等則較遠。

午饭后稍休息，即往文管会，该会已改安徽省博物馆筹备处，当由李、刘处长及王敬堂同志等三人陪同~~[illegible]~~谈话，据说该会现分二处办公，因省会在合肥，故一大部份人员在肥，此地仅十人~~左~~左右，共为三十人上下。内分秘书、徵集调查、保管整理三部分工作。筹备期间定为二年，因两地均无馆址，省馆将在那方，尚难预料。工作重点在抢救文物及整理，徵集将以民主建设与地下窖藏为中心，可能稍晚些。本处由省领导，省委大力支持，故工作进行颇速云。文物书籍大部在库，一小部份陈列在仓库中，对外不正式公开，有特殊关系与文物工作人员才准参观。我等来此承李处长和各同志热烈招待，领导说明极为详细，在库品也都重点观览，并许自由取出研究，惟恐看不详尽，热情极为感人。资料较贵重而有地方性，多他处少见的好：

1. 汤天池铁画，约有四十来种，其中有五堂屏，山水、芦蟹、花卉、竹石等，竹石大幅极为大观。

年　　月　　日（星期　　）氣候

2. 出土品。为城郊附近香山古墓发现物。时代由汉到唐宋。遗物有铜、玉、瓷、陶、铁器、木器、铅券等明器。其中瓷器最多，宋以前瓷器中有汉魏时烟淡紫胎黄褐釉双耳瓶数十件，但上面有釉，有的有划花，即所谓[illegible]灰釉瓷器，完全与青岛五铢朱氏墓出土者同。一种为古越器，淡紫灰胎，黄绿釉有细开片，有的有方点等印花，多盘盂洗之属。一种胎黄褐而釉色青绿有黑色釉下梅花等纹，共见两件，多与五铢大泉五十共存，似亦是汉魏以来物，最迟不在唐后。一种釉色褐而青白，洗形器有弦纹双管式圈耳，也是汉魏南朝物，惟不知是何窑出品。一种淡青色釉有细开片，平底灰白胎坚致而沉重，当是唐代遗品，有黑色而有黄绿斑片的，胎极厚重，形制与之均相近，曾见大邑窑灯盏，虽同此稍近似。

一种淡青釉极纯净细润，黄胎多为印制之瓜棱器，上有花朵式盖；瓶亦印胎，颈足部多有显然相接痕迹，釉面易茀而有小开片，过去不知是何代物，此为宋墓出土，同时出有北宋钱数十枚，始晓的为政和。则瓷为北宋品无疑，其窑场当为昌南一系，究为何窑，现尚难定。

3、为徽州雕板，有观音三十二变像，雕刻极细，查是明末清初遗品。石家续祖先丁世功绩板画为内府所赐，据说明末时只印二板而焚板，高宽二三公尺，为石氏子孙所世守者，虽稍残破而为此类物也极可贵。又制墨雕模也很有意思。此外收藏板画和书籍很多。

4、为歙石砚，收数十方，有罗纹、银星、牛毛纹三种，石质都比较好些。

6、为革命文物，多新四军的一切遗品，有武器、传单、木雕版画、布告、讲义、图书等珍贵品。太平天国门牌一张亦少见。

年　月　日（星期　）氣候

其他文物也看了很多，不能详记。晚饭后我们洗澡，李、刘副处长和王敬堂同志来视到旅社，我们不在，留字而去，殊觉遗憾。

5月3日　日曜日　晴　回南京.

早六时乘火车回南京。路经采石矶、当涂太白楼而过，因时间迫不能往观。到南京午饭，饭后到夫子庙古物商张老处看瓷器，引我等到白鹭洲北秦某家购得安汉越窑四件，经乌衣巷到秦淮南岸韦某处看汉窑三件，索价五六十万元，不安，其器完全与青岛及鹭阁汉魏古墓出土者同，云出南京附近。惟都有划花，制作稍粗为异。

到古书店无甚可观书籍，索价也不低。

5月4日　月曜　晴

早饭后到南京博物院，正值休息，仅见曾昭燏院长一谈，定明日来参观而退出。

继往南京市文物管理委员会，该会系1949年成立，机构分秘书、物文、展览三组。文物总数约万余件，经鉴定者约三百件，饰多一般品，無甚可观。太平天國丁史有专人负责，蒐集到有関書籍一千多種，实物较少，最佳者有门牌两張。（全國共有六張，蘭州一張）太平天國史料第二编正在南京编辑，将於七月脱稿。继由该会派人领导参观太平天國某王府壁画。王府在堂子街30號，共為五進，存有五彩油色壁画十餘幅，六幅極清楚，餘幅為煤烟蓋黑，殊為可惜。此宅為文管会收买保管，经略加修理，院中保存梯王墓碑一座，是蒋琬於太平门内阴沟掘的，前有癸開拾年，後有子好某某立款，在太平天國史料中也是很有意义的东西。

午后往古物店取古陶瓷器计17件，打貨裝運，晚飯后作木箱。

5月 5日 火曜 晴

早飯后到南京博物院，见曾院長后進館参观，第一室為原始社会，有旧石器时代的一切生产生活情况。

第二室為殷周时代，

年　月　日（星期　）氣候

第三室　秦汉时代，有四川彭县崖墓出的器物屋多种、长沙古墓漆器多种、大漆奁、画彩十一女人漆奁尤为少见，成都凤凰山汉墓砖十馀种，多生产生活图画，极为可爱。

第四室　魏晋南北朝隋唐时代

第五室　宋元明时代　多瓷器，有钜鹿出土的赭褐加彩小孔盂一件，似一次火烧成，为前此所未知者，有唐二帝陵遗物仅陈明器。

第六室　清代丝绣、玉漆、景泰蓝、宝座、钟表、挂屏等，多一般品。

南博陈列室柜架都较好，[illegible]文物疏朗，光线充足，说明也繁简适宜。文物是有啥摆啥，没有一定计划，说是文物的断代陈列则可，说是中国历史陈列则有不能表现专代全面社会历史的缺点。

承曾院长厚意，留用午饭、饭后参观库房一周而辞出，往紫金山。

紫金天文台属南京中国科学院，在紫金山顶天堡城处，我们出中山门北折，经廖仲恺先生墓园，入内一观而出，又西而北折沿山中小径而上，山道崎岖，松树满山，槐花正开，数息至山顶，投函而入，由石长生同志领我们参观。台中存古代天文仪数种，係由北京天文台运来的，是我国很古的天文仪了：

1.简仪：明代（1437）根据郭守敬设计制成的，用水槽装水作水平准，本仪有地平、赤道、日晷三种装置，在当时说是极为巧妙实用而又铸造精致的。

2.圭表：1437年制，可据圭影长短定四时的日中。这两种仪器在八国联军入北京时被法军盗去，前者於第一次世界大战后由巴黎要回来，仪器部份受了损坏，後者中间有横切深沟，幸没全断。

3.浑仪：1437年依古仪重制，外二环为地平装置，内二环为赤道装置，中二环为黄道装置，有龙柱云山装饰部分。

年　　月　　日（星期　　）氣候

4. 漏壶：方斗形，一面下有小圆孔以便漏水，仅存二孔壶不能使用。

5. 天球仪（天体仪）：清康熙时製，圆球上有星宿银钉等装置。

6. 小地平经纬仪：清康熙时製，作用与简仪同。

这些仪器都用青铜铸造，花纹精巧，有的重数千斤，可见我国古代铸铜技术之高明伟大。

又参观了两个观测室及天象照片，由丁同志详为介绍说明，极有兴趣，使我们得到很多知识。辞别天文台下山进城已近傍晚了。

5月6日　水　午后5时後阴雨雹

早六时许乘沪宁路火车往无锡，过镇江望金山而过，十一时馀到无锡，午饭後稍息，即由市内乘小舟往惠山公园。无锡近太湖，城厢河道往来如织，水运船隻很多，乘小舟也可到惠山下。山在市西面不甚大，有塔寺公园第二泉等胜，到第二泉小息，泉在惠山寺内，有元赵孟頫题字刻石及後人题字。其东为遵初书院遗址惟地面稍窄，局式不大。山下作泥人石膏像的很多，多為家庭手工業作法，質色較佳些。附近多历代名祠有陸宣公、范文正、倪雲林等人，的詩尤多。

5月7日　木　陰晴不定，

早飯後坐小汽船往遊蠡园、鼋头渚、梅园，是無錫附近、太湖一角上的风景区。先至蠡园有楼阁水榭長廊假山游水池诸勝。長廊下及部份楼下均嵌有名人石刻，最好的要以激观楼為代表，中多苏米诗書及後世影跋。西為養魚莊。

鼋头渚近太湖边，因山形子母亀故名，内包横雲公园、廣福禅寺、湖有明代人刻摩崖二处。滿山松竹，小径互通，很是幽邃。附近有工人休养所正在修建完了，地势高敞，四面环水，前通長桥，地点極好。

梅园為當地民族资本家榮氏所经營，面積較大，中多花木假山，有洋楼、屋塔，建築是中外参雜。下為小鎮，多桑园。应看锡剧西厢记。

年　　月　　日（星期　　）氣候

5月 8日　金　晴

早6时餘坐寧滬車8时餘到苏州市.住
閶门附近北丁家巷鉄路飯店。午後往
獅子林及拙政园、均在城内偏北部。
獅子林範圍較小,池山精巧迫窄,房舍有
些破旧。

拙政园規模很大,其中史迹很多,现
归蘇南文管会經管,修理的很好,印有说明書
給遊人不少方便。此處是太平天国的忠王
府址,所以内[illegible]陈裝有李秀成紀念室,
作有忠王蜡像,陈（忠王）列有:1.报恩牌
坊碑序拓本;2.忠王諄諭、鈞諭二件,
3.忠王主持軍事會議拓後製加色圖片。
4.忠王事蹟圖畫等,观众极為擁擠。
又有元末明初張士诚天佑四年新建隆平府
閶门甕城记銘碑,高88cm,宽55cm,厚
22公分。鉄炮一尊,有銘文。附陈明禦倭
名将俞大猷鉄炮一尊也有銘款。在明石
[illegible]塑[illegible]塑造佛像六十二尊,係以常熟[illegible]

此處的，每尊側面都有幾甲幾戶造像樣，知是宋行保甲法以後的東西了。此外又有書譜等刻石多方砌於壁上。

園中詳細情况有蘇州文管会編的"拙政園"可參考。归路看旧書店多家，夜看越剧。

5月 9日 土曜 晴

早飯后乘长途汽車往木瀆鎮參观灵岩山，在鎮西北約三里，山上有灵岩禅寺，是吴"館娃宫"遗址，有石城及吴王井。寺有古塔经火燒失木構部分，石刻多北宋政和等年号，較古的多為残石。山前有宋韓世忠墓及祠堂至今保存完好。木瀆鎮由来很古，傳説越王勾踐進木与吴王建宫在此故名，鎮东小山名姑蘇，山东有姑蘇台遗址，至今猶存頹垣斷壁云，限於时间没去看。山顶高處可北望天平支硎山，东北可見獅子山及虎丘。山路崎岖难走，老弱婦女可坐担子上山，一藤椅，二人担架步行很健状。

午后坐馬車往虎丘山，在蘇市西北約

七里心，山不很大，以雲岩寺為中心，新建烈士墓園於寺东南坡，造成一大史蹟风景區。寺中有劍池、「生公说法台」「頑石点头」「千人坐」諸勝蹟。塔空心式似宋代物，今已残破倾斜。刻石較古的元至正、明正统以来各碑、摩崖题字有較古的，石觀音殿四面刻壁也残無年号了。在山顶可眺望全苏州市街。山下小镇前多花田，培植茉莉、白蘭等香花，乾製可配香茶，是本镇有名土产，据说花農生活很好。

晚飯後無事，一人又往枫桥镇一遊，镇在城西五里，古寒山寺今已破损不堪，正殿鐘樓都是後世重建，有宋以来石刻及寒山拾得画像刻石。庙内今為枫桥镇小学校使用。枫桥在寺右前方镇街中央，圆洞石桥，為近代重修的，有清代石碑三四座，全無較古遺物。归路经西園，园為明代某高官所建，後世的留園亦其东園，此為西园，二园之间為其住宅。园中有戒幢寺，佛殿高大，有五百羅

年　月　日（星期　）氣候

禪堂。西院为廣大放生園池，盛宣怀署额。池中有鱼[illegible]鱉很多，四周为湖石假山，树木花草，规模虽小，颇为幽静。

5月　10日　日　晴。到上海

早六时餘搭滬寧火車往上海，午後一时餘到虹口車站，旅館較擁擠，四覓不得居處，最後，胡文动同志往其族兄处探询，承他前来代覓，始住於老闸区大东旅社。飯後稍休息，小遊旅社附近及黄浦江碼頭。

5月　11日　月　微雨

午前到復興公園及附近繞道往舊縣城内文庙，因休息不開门，不得已在附近遊覽一周回旅館。夜在大光明影院看話劇演。

~~5月　12日　火　晴~~

参观新舊垃圾桥一带抗日戰爭史迹，及附近市街。

5月　12日　火晴

与李致碧朱子方两同志参观市街，主要是南京街一带，附带买些物品。晚间遊大世界。

剪影像两張。

5月　13日　晴　水

请彬之领道往观杨树浦工厂区及十六铺码头，回来坐電車往静安寺路及附近住宅区一观。晚游大新公司屋顶花园。

5月　14日　晴　木

早饭后全员坐公共汽车往吴淞镇参观，镇在吴淞江黄浦江交會点上，多渔民，一切小商工業者也多为渔船服務。绕镇中心一周，在此早饭。歸路经江湾镇内一观，休息后又到旧市政府、萬園体育场一带参观。这些地段有的是抗日时期的有关地，有的是与帝国主义侵略我國有关的，但来此注意到这些的人怕是很少的。午后到上海中苏友协举办的马克思诞生一三五周年纪念展览会参观，共分五室，主要陈列的是先后著作阅停人物的照片和各種文字的著作版本等，末附有毛主席的革命活動与著作及初期苏区的照片。外有上海革命纪念館模型三件。继中山公园参观，内有动物園，包括孔雀动物禽獸鳄鱼蟒蛇孔雀等少見的东西，一般群众很喜歡看。後到工人宿舍区的曹楊第一新村，均為二层洋式楼房极為整潔美观，内有涼水、公园、学校、医院、洗澡塘等设备，路面宽平，公共汽車三輪車往来不绝。

5月　15日　金　晴

早飯后由天文台码头到陸家嘴渡，過浦东区参观，再去到洋泾浜，街市不繁華，多農村菜園墓地。由董家渡回滬南，经江南造船廠側，知道造船業也都忙於造船。

坐汽車往萬國公墓，参拜魯迅先生墓。回头转到龍華寺参观，寺前有木構高塔，寺西有小型公园，名龍華，供游逛者。归路到舊縣内邑廟区城隍庙，焚香祀神的很多，附近為闹市，多賣小手工藝品及飲食者。晚飯后看旧書店。

5月　16日　土　晴

午前到虹口区山陰路大陸新村魯迅先

年　　月　　日（星期　　）氣候

生故居纪念館参观。纪念館分两個小院落。九号居者為先生故居，仍存先生逝世时一切状態。用品陈设都是由许廣平先生親手按当时原様佈置的。十号居西、楼房大致与九号相同，内陈列先生照片、著作、遗物等，都有说明。很整齐严肃。观後觉得这位革命文学家的伟大。

午後到香山路参观孙中山先生故居。地方幽静。小楼三層。前有草地，房舍花木極為齐整。楼内家具床榻文具书籍都是当时形式，孫先生与宋副主席的像片也不少。

這两處纪念地都没对群众開放，化文團体得市政府民政局批准才能参观

5月　17日　日　晴

午前略事休息。十时餘分批出外参观。我与常玫琴同往上海博物館，先行参观比较自由些，集團体同来行动一致、有人招待，就难得自由自在的看好，並且一次参观，印象也要淡而模糊。午後一时餘返出。同时張

等人也都去了。

午後七时许到上海工人文化宫参观。宫址樓房高大，在西藏路，建築華美。内分四層，第一樓爲入口、出口、劇場、(場票另購)

第二樓爲上海工人運动史料陈列館。

多照片、文件、新聞、圖片、实物。

音乐教室、工人绘画展覽室、东德及匈牙利圖片展覽室。

第三樓爲工人圖書館、工人生产成績展覽館、新華書店分店。

各館有说明员给观众说明，模型圖表都很精緻。花草灯彩也都极清雅可爱。我留戀很久才退出。

5月　18日　月　陰

午前参观舊震旦大学博物館，在重慶南路，大学实爲外僑所办，今改爲上海第二医学院，博物館归科学院经營，现未对群众展覽。内分昆虫、動物、植物三部分，蒐集的各類標本不少，但都是旧作法，结合实際的很少。

保管方面据内租人说是用法國式的防虫药纸的虫盒装標本，与别國不同。動植物標本只用樟脑。中國文字说明很少，還是過去的樣。

午后参观亚洲文會博物館。該館是外侨團体亚洲文會所办，现已為我上海市文化局接收保管。物品有動植礦標本数量較多，历史资料較少，而年代錯也多不確。中國少数民族文物，及非洲、南洋各島民族文物也有些，但都不成体系，只是零星物品，很难說明什么问题，对各民族的習俗物品更多落後一面的，这是侵略者走狗学者一貫的作法。並且是雜然堆存，很要整理選擇，不然是没有開放可能的。晚在大衆劇場看越劇秦香蓮。

5月　19日　火　晴

參观上海博物館，館址在舊跑馬場内一所高大樓房的三四層楼上，现归上海華东文物管理委员会领導，将来如何尚未有任何决定。館不直接对外，设館長一人（楊寬），内分三大部工作，機構如下：

一、保管部 {1.徵集组 2.鉴定编目组 3.保管组} 共50餘人

二、群众工作部 {1.导引说明组 2.图書资料组 3.事務小组} 共40人

三、陈列部 {1.陈列设计组 2.技術组} 共15—16人

原設有研究部，因條件不够，人员缺少而取消了。最近正在研究改变機構中。去年初开館时观众較多，本年1·2·3月份共计10万餘人，现在每天300人上下，星期多到8·900—1000人左右。票價每人二仟，附送简略说明書，團体减半。今春中央口头指示（王冶秋局長来时）上海将為美術工藝博物館性質，不向地方综合性博物館方向去。

由该館群众工作部負责同志導引参观。文物按年代分陈：1.史前时代；2.殷商时代；3.西周春秋战国时代；4.秦漢时代；5.魏晋

南北朝时代；6.隋唐五代时代；7.宋元时代；8.明清时代；9.近代工艺。

陈列的文物以古代陶器尤其是彩陶器，系统完整。殷周青铜器质量尤好，其中如盂鼎、大小克鼎、浑源铜器群、寿县残器都是国内少见的重宝。其次有长沙楚墓遗物群和河北望都汉墓漆器，也都很足珍贵，为研究古代史的重要材料。瓷器要以魏晋南北朝古青瓷为优，宋元窑工具版印模等也是少见的。元清明三代瓷器有代表性的佳作较少。

陈列上有很好的条件，布置的也很好，陈列室是一面走廊，一面採光的长廊室房间。每陈列室门外廊下壁上悬一大型總说明，并附一图像式的大的图表，如史前室附"中国新石器时代的社会"、"中国奴隶时代的社会"；魏晋南北朝室附"北魏開始创造的两大雕刻艺术"；隋唐五代室附"唐代的中外交通要道及其门户——敦煌"，都用地图、画像、拓本、照片等作成。看完了这些就可入室参观文物了。陈列室大小合用。路线比较清楚，柜架比较疏朗，每柜上有红字的看览顺序号码，并用大字标明陈列品的类名，如「半山彩陶」「仰韶黑陶」「青铜酒器」「长沙古墓出土遗物」等横牌。黄色柜架，高低尚好，有的中架玻板横隔一二三层，有的不架。大小物品都有固定的木架如铜戈、铜钟等，按形精製。柜内也使用高低不等的黄木台，按其系来路和器物大小而异。卡片为横长条式，一般分名称、时代、说明三项，说明多限于用途、出地、特点。另一种来源一项，如△△先生捐赠，盖以示鼓励奖的。每一类文物又单有小组说明，用黄木架斜面板牌，黑笔宋字书写。书画说明用精致的铁架牌，形式略有不同。此外墙壁上绝无片纸只字，极为清朗明快。

休息室两处都设在廊下，黄皮沙发式长椅，设有饮用水筒水杯，男女便所二处也都宽敞清洁。

据说该馆全工作人员百余名，尚觉

人手不足。说明员和保管员都是每室两名。分到班负责。近将空出一些时间学习业务。

分类登记工作正要开始。拟分16类。尚不算完善。

出版有说明书一册。定价三千元一册。简略说明一小册随票附出卖。现在正计划编印图录。何日印出尚不能定。

陈列柜都去年开馆时新制的。约有四种形式，但都是一种色彩和作法。(1)三面玻璃壁柜。两侧立门。比中人稍高，中有三层或两层铁架玻板。(2)四面中央玻璃柜，较柜稍低而宽。两头提起后玻璃门，上盖用可移动的木板盖之，中用黄色方木台高座，上陈之物品也有专用架子。(3)中央两面坡面柜，有一种是两个一面坡面对背使用的。(4)通天高壁柜，量壁面高大小，专陈书画用，两头开门。

附表式

年　月　日（星期　）氣候

2、中国新石器时代社會、

生产工具	經營方法			生产關係	生活形態		上層建築		
石器	漁獵	牧畜	農耕	生产關係	陶器	居住	墓葬	迷信	藝術
斧、刀、鏃、紡輪、網墜、石皿、磨盘。	图	图	图	共同劳动、共同享用。	各式陶器	各種住宅	各式葬法	骨卜人像	玉器、陶紋、

1、中国旧石器时代社会

年代	人類	生产工具	生活方式	活动範圍	生产关係
旧石器时代初期 距今△△万年	中国猿人像	石器	圍火群居	地图	共同劳动 共同享用
……中期 距今△△万年	河套人像（丁村人代）	石器	〃	〃	〃
……末期 距今△△万年	山顶洞人像	石器	〃	〃	〃

年　月　日（星期　）氣候

5月　20日水曜日　阴

上海参观日程已结束、大家作寄包、买物等零星工作。结束一切，定明早往杭州去。

5月　21日木曜　阴时有微雨

早六时许搭火車往杭州市，午间到。午饭后沐浴休息，买地图等。晚在湖边散步，住西湖旅社。

附：上皆所陈黄褐色白釉灰釉通俗所谓漢瓷的，他们叫青瓷，胎釉造形火度均与[illegible]藍湖出土於五銖錢及大泉五百墓的一樣，他们時代定為晋代也相近。傳出土於萧北德清水横瀆寺。　古越器胎暗黄而现紫褐色或红褐色。釉色淡青或灰青，时々现部分黄色。有瑱碎開片。器多有耳，肩部多有印方点或方格花纹，塑印獸形等者器更美好。器多有双耳或更多的耳，也往々有獸面装饰。　古青白瓷有虎人物等塔式瓶，有黄黑色釉的，造型也大体相同，他们定為宋代~~[illegible]~~景德镇器，不知有何出土根据，要只看瓷質和造型，可能更古

年　月　日（星期　）氣候

5月　22日　金曜　陰雨

今日参观西湖北西及湖中一带。经断桥、孤山、中山公园、西泠印社，社中藏汉三老题名石碑、汉画像残石等。午饭於楼外楼。

午後由岳庙前泛小舟游刘庄、花港观鱼、三潭印月、小瀛洲、净慈寺而返东岸。今日时时微雨，湖山在烟雨中更觉好看。

5月　23日　土　晴

早饭後经浙江省立西湖博物馆参观，因该午前学习不开门而罢。遂游岳庙，转登栖霞岭，游紫雲洞、铜鼓洞、黄龙洞、白沙泉诸地。午饭於孤山前。

午後参观博物馆，该馆址在西湖孤山，用清文澜阁藏书楼及附属房舍为馆舍，房屋较旧，光线不足，又很分散不连接。馆长董兼师院教职。工作人30余名，有说明员。内容分历史部、自然科学部。历史部以[illegible]文物为主，用旧有柜架，物品陈列较密。文物中以本省古荡出土新石器、良渚镇出土

年　　月　　日（星期　　）氣候

的黑陶甚好。其次本省各地出土的古瓷器也很丰富，黄褐釉的所自然灰器，古越器都与上海、南京、芜湖所见的一样。询问南宋官窑址所在，没有人知道，他们说文管会或许有知道。　自然科学部内有动植矿三类标本，外有一小动物园。内容与本省产业相结合，如萤石、茶叶、络麻、蚕丝、棉、稻等，都十分精致的陈列了各种标本模型，图表照片说明栽育、病害、加工优点、产量等等，使观者一目了然。同时又与中小学校课程相结合，悉[illegible]学生课业中所需要的各种标本分类陈列一厅，以便学生教员观览参考，也很起作用。

傍晚独自坐车往万松岭访问南宋官窑址，居民都不知所在，很晚才坐公共汽车归来。

5月24日　日曜　晴。

午前往游灵隐，到云林寺，大雄殿正在修葺，寺内有北宋开宝二年石经塔两座，[illegible]

年　　月　　日（星期　　）氣候

来峰冷泉亭側有洞窟，外多造像，傳為元代制，但依现存遗品观之，似有较古的。~~前左右各有石~~ 三天竺即法镜寺、[illegible]光寺在北山阿，皆古寺经除世重過。午飯於灵隱小肆。　午後，经茅家埠，登龍山到龍井寺小息飲茶，又過岭西南经下龍井到九溪十八澗，此路皆茶田，有公营龍井茶場設此製茶。又南经徐村，轉东到六合塔一观，適值重修，不能登臨。在錢塘江岸边大鉄桥很雄偉。由六合塔下坐大汽車回湖濱。

5月　25日　月　晴

早五时餘獨自遊昭慶寺，宝石塔，即保俶塔，已经民国重修。西到葛岭寺看丹井、葛仙洞、初陽台。下山路经大佛寺，入内見已変成居民住宅。

飯後与胡文效、楊仁愷同志往浙江省文物管理委員會参观。该会五〇年成立，现归省文化局领導，年经费五億多元，工作人员15—6名。机构分：有、秘书室、管理行政总务。1、调查组，调查史迹文物古建筑。2.编辑组（现拟改为研究组）掌计划及田野。3.保管组，掌保管整理文物。外有鉴别委员会及学习委员会。该会负责人郦承铨同朱家济二同志陪同参观，并详为说明介绍，使我们得到很多新知识，热情很值得感谢的。据说，古荡遗址须再调查，因当经衔家调查时作的不科学，又没有作地图，遗迹很不清楚，现在浙江大学在那建校，很有意识。又南宋郊坛下新官窑址在乌龟山下，今在水泥厂境内，与该厂约定，已把古窑址地保留不准破坏，以便将来发掘调查了。又说在玉皇山附近，但照地图观之，二山不相毗连，不知是否说错了。　所藏文物以越瓷为最多，约数百件。大体可分两种：①古越瓷，多出土于绍兴一带墓葬中，多明器，虎子、瓶、洗、谷仓（即上有楼阁碑人像等的瓶罐）、盒等。年代约晚汉三国晋—唐、五代。标准品有永安三年铭款的穀倉，也有从元康纪古墓出土的。有的加了黑色斑点花纹。最近在杭市黄家山建筑工地也中有大批出土。②秘色越瓷，出余姚县上林湖古窑址及其附近。时代由唐一五代钱氏时期，釉色绿青细润，花纹很细致，胎灰白色，现铁口紫足，实际就是露胎现红色。圈足薄高而外卷，有细开片纹。前者（老越器）黄紫红胎极粗硬，釉灰青不透亮而时现黄或稍灰红。多有细方点、团菊花等装饰，有的仿铜器的弦纹和兽面衔环耳，极为古雅。　铜器及书画陈设较少未详看。他们没有南宋官窑器，出示乌龟山新窑瓷片一观。后介绍到汲古斋古玩店观看。

在汲古斋江姓处买得古越器及上林湖与乌龟山瓷器及残片不少。

5月26日　火阴　往南昌

昨夜十一时余到杭州火车站，搭今日一时余慢车往南昌，路横贯浙江、江西两省，经金华、上饶等县，上饶以西山景清幽，岩岫深秀，

年　月　日（星期　）氣候

遠望伊馬石詩畫幅。七时餘到南昌市，住國防旅社。

5月27日 水 陰雨

参观赣江上大木桥名八一桥，水泥桥脚，鉄架上鋪木枋，長約二里許。桥下舟楫往来，桥上行人車辆不断。遠望片片白帆在烟雨中，顯得特别好看。 续到八一公園，面積不很大，内有体育場。這些名称都是纪念八一起義的。回路经东湖百花洲，桥道断坏，正在修理，入遊者。

到文化局联絡景德鎮参观事，因今天学習，約定明天来取介绍信。

晚在南昌地方剧院看南昌剧，演宝蓮灯，唱作白和音乐腔调，都很原始简单，较越剧不如，与常州剧仲伯。而腔调有与京剧中漢调同者，或因地近武漢之故？據地方人說赣剧係江西南部地方剧，更为难懂。迁住青年会宿舍。

5月28日 木 陰晴不定

取得文化局介绍信后，即往江西省博物馆筹备处参观，馆址在百花洲，新建二层洋式小楼，尚未完工。本年一月始正式室筹备，用原科学馆东西为基础，拟于五四年正式成立，现尚无正式机构编制。藏品仅有动、植矿标本一小部份及理化仪器十件，正在添置中。将根据中央指示作成地方性博物馆。文物历史部分将由文管会负责陈列等工作。

江西省文物管理委员会在水观音亭，利用旧庙宇加以改修作陈列室，又计不公开展览。工作人员15名，分为

①总务组
②调查组
③研究组
④陈列组（兼管博物馆的陈列了）

藏品以瓷器为最多，景德镇瓷占主要部分一种胎质轻脆，露胎现黄红色，多印花，胎外挂青白不透明釉，一为芋麻失亮的瓷器。

碗碟多出於赣北，据说是景德镇一种古瓷。此外青白瓷与在别处常见的宋元物全同。青白瓷观音瓶一对很大，出於本省贵溪县张天师墓，为元至正年间物，是年代明确的出土例，很为重要。吉州窑（永和镇）有一完整窑址保存，是研究吉州窑的好遗迹。（靠近河边。） 有一种黄白胎外挂黄绿青釉器，釉色明而有不很显明的开片，胎质不厚而坚致，有人定为岳州器，此处有带托茶盏一件。托盘内有盏足圈，围刻百合式花头一朵，上置圆盏，观其造型当是五代或北宋器，云是古墓出土，自然也是本省古瓷之一，推测为岳州也不为无理。

江西新城岗出土新石器时代石斧石镞等，也是过去不晓得的新资料。此外汉魏晋南朝时期的陶瓷花纹墓砖也不少。

午后三时余坐南浔路车往九江，十时许到，住於花园饭店。

5月28日　金　晴

年　月　日（星期　）氣候

午前调查往景德镇去的交通道及工具，据说有民船可去鄱阳，再由昌江往景德镇。不然还须转回南昌乘汽车去，最快要三四天可到，若民船有顺风也就两天可到，因此决定坐民船往。午后上船，夜住新港。

5月　30日　土　阴雨

早三时许船夫发船，经湖口县再南转，遇东南风，船行不便，风浪渐大，下锚於姑塘镇。从九江到姑塘陆路仅四十里，而水路是沿江边顺流东下，到湖口县南入鄱阳湖。县在湖口东岸上，近岸有石钟山，山下临鸿涛，上有岩岫，很秀丽可爱，惜乎舟经一过不能登临。姑塘为一小镇，在庐山东麓，民兼农渔，风景也好。

5月　31日　日　晴

早三时余起床登舟，遇顺风行进较快，但风浪亦大，人多船不能饮食坐立。路过星子县东、都昌县西，住在都昌县七区周溪区政府，承他们帮助，住的很好。此鎮民户五百餘，以農業為主，漁民較少，以養作螺蛳為副業，故湖中撈貝的小舟很多。

6月　1日　月曜　陰时雨

早四时上船，不得顺風，打篙拉縴而行。經牛山、三座塔村，宿於未到鄱陽五里的湖濱。此處多水草沙塘，浅灘，蚊虫極多，宿船上一夜都没能寐。

6月　2日　火　晴

早三时許打篙前行，駛進鄱江口，五时餘到鄱陽縣（古饒州城）午飯後坐鄱景公路汽車，五时餘到景德鎮江西汽車站，過昌江進鎮，住於一小旅館中，晚飯後到昌江岸第五碼頭（停泊場）散步。鎮居昌江西行南折的三角地内，四周高山，鎮内有珠山、荷塘湖之勝，風景很好。

6月　3日　水　晴

早八时許到市府接洽，承幫助给我们住於市招待所，寫介绍信照顧我们参观学習，他们是很热情的協助，值得感謝。

买传本厂书为太平天国和大开会用的酒壶一把，(壁炉及洋) 二万元。

年　　月　　日（星期　　）氣候

午前到公营建国瓷厂参观，职工五百多人，仍用手工製作，看了瓷器製坯過程。①作坯。②印坯。③利坯。（分粗細旋及補水等兩道手續）④接合坯。（分掛內釉、畫邊等六道手續）⑤挖底。（旋底足）大体一個普通盤無圖器即可作成。此外在製泥階段有開礦、碾細、製不、淘篩、練泥，在成坯後有裝缽、滿窯、燒窯、出窯等。彩料、配釉、加彩、描金，又為製器個各不同的工程工序。這個製造過程与清人所記及近代中外人士所記没有什么变化。

午後參觀景德鎮陶瓷博物館籌備處，館址在天主堂（珠山西側），1953.2月開始籌備，於54年正式開館，係省文化局領導，中央文化部也有指導。先日不久，中央陶瓷館陳萬里先生曾來二十餘日。機構暫分：①總務組，②調查徵集組，③整理陳列組；全体籌備工作人员19名，現正在修理陳列及蒐集材料工作中。現在蒐集到的瓷器瓷器约三四百件，多清代及近代普通品，官窑上品很少，没有重要標本。其中有最近在浮梁某村古寺中取来明代清瓷十八羅漢一套，每件高三尺上下，胎釉塑造的都很好，惜乎有几件打破碎了。　出土完整瓷器中，有鄱陽某村发现的瓷盌三件，造型似斗状，小底较高，挖底较浅，釉色灰白闪青，有黄细开片纹，和甫很近所謂影青窑器，但製作技工及器形确与北宋青白瓷大盌相同，其为饒窑無疑。浮梁某村出青白瓷印花双龍大盌一件，外有小器四五件。胎骨較厚重，口唇稍外卷，圈足高而下面作鱼脊形不很平。双龍印於盌内，比较清楚瑰麗。露胎现微黄色，釉色细而稍闪不透明，不开片，大致与元枢府相近，与在察哈尔商都元代古城址出土的器多同，当是元或明初製品。　古窑址出土品较多，尚未整理。①南山窑址：南山村去镇七八里，附近窑址不少，以湘山峰坑下的为最好，有北宋影青器，有斗笠状内有半球突起，小底浅挖足的小盌。也有胎釉都一種大盌釉色深青而灰暗不透明，無任何開片紋，旋之粗糙，底內有小長方形渣墊痕六七個，極不平滑，也不圓正規矩。（這是白虎灣窰出品）

粗，印胎外刷菊瓣花青白釉較濁的小碟，它在北方常与元鈞器同时出土。另一種胎骨稍灰白，掛一種灰青釉，不透明也不多開片，火力很高，露胎有时现紫色，多大器。過去不知何處出品，曾見大形孔瓶与渣斗，當时推測是宋器而已，不知是景德鎮南山窰出品。從這些瓷片來看，湖峰坑窰的年代當是由北宋一元或明初。

③湖田窰：在鎮东南湖田村，距鎮18里。窰址在村西北的多日用粗器，在村东南方的多刷花細路即世俗所謂影青器，釉色胎質紋片也有不少变化。有一種青瓷釉层很薄，多有芽孔失亮，胎土粗而硬，破口现白色而有粒子状，露胎现紅紫色，口邊多有一道無釉，技之較粗；有的釉色燥而不潤，微现蒼白色，乍看不敢相它是青白瓷，也不敢说它是景德鎮出品，年代或在南宋？也有青花器，但多粗糙用品，花色不佳。

④湘湖窰：湘湖在鎮东方约25里，附近窰址不少，出品有宋刷花青白器，品質較佳，大致与湖田的相同，但又燒近乎定窰系统的白器，

釉色纯白，胎白而瓷化較好，不透明而有
开片紋。盌形作花式　　口。作风与景德
青不同，年代也不能晚　宋代。其他青白釉瓷
及青花器也很多，大体宋代最盛。此外在
景德鎮附近的古窑址有董家塢、枫桥、三堡
棚等，但多青花器或較粗青白器，不能与上
三處相較。　婺源窰：窰址在婺源縣北方
青华鎮，也有類似景德鎮的青白瓷，又产黑瓷
与北方常見的双瓶相同，而釉色不纯黑，且
有黄褐斑片。這些僅是看到的出土残片，当
然不是全貌，可能有更多的品種而地表上沒
有採到，也有他们沒寫明出土地址，堆在一
起我記錯的危險，但大致是錯不了很多的。

6月　4日　木　　大雨一日

午前冒雨参观陶瓷专科学校。校址在
公园（蓮花塘）西侧，設有化驗分析室，实習工
廠，（有電動轆轤設備）階級窯，試驗用煤
煤圈（実即景德镇式長圓式窯）窯。

此校創設於滿清宣统二年，初在饒

年　月　日（星期　）氣候

陽（即当时的饒州）。後迁九江，抗战时期迁於萍鄉，萍鄉被日本佔了又迁回景德鎮，可説是幾经变遷。畢業生共約一千多人。■初為甲種工業学校，後变窰業性質，搞了一期工藝裝飾，由■為主■藝持。後因不能与景鎮窰業實際結合，鎮窰画工多舊式手工画法，他们是欧美新式圖案，互相搞不通。後来不得已把学生併到别處去了。现有专科三班38人，中等技術班85人，共123人，教授49人。专科收高中生，三年畢業，中技班收高小生，二年畢業。科目有：陶瓷、電瓷、耐火材料、玻璃四科。工厰和窰僅供学生实習用，目的不在生产，所以也不能自给自足。機械設備僅有碎礦、碾粉、配料、過篩等，尚未完全。成形分拉坏、注型、壓型三種。電動陶鈞係[illegible]磨電，另有脚踏陶鈞二台，都是備学生實習使用的。这些設備據説景鎮業家与技工並不歡迎，尤其是燒窰是要經常[illegible]試驗才能技術純熟，现在校中無力窰試，

年　　月　　日（星期　　）氣候

为家卷在判阅、也不敢尝试。因此校中素本
所讲很难与实际相结合。据他们说：
现在景镇老名匠日益凋落，塑造雕镶
的名手曾龙生已不在镇製瓷，前往南昌百
街生产厂作模型去了。
景镇窑业现仅恢復了战前的十之一
现有窑十六座，常烧的不过四五座。
现在烧窑仍不肯使用三角锥窑热表
只凭吐痰在窑火中来判断是否烧好，据
也不常失败，但学習是很不容易的，这只是
多年累的一種土经验。
镇中名画手也日渐减少，山水 牛的专家
汪大沧（一粟）于六月二日死，身后极萧条。
别人也都收入很少，生计没有法维持。
建國瓷的烧造在準備中，现在陶专
有胎釉研究工作组從事这一工作，闻陶专
厂已经承造出来一批，说是成绩很好。
配合色釉的老手僅有余应略一人，年
已七十餘，现在陶专工厂，所作色樣有四十餘種

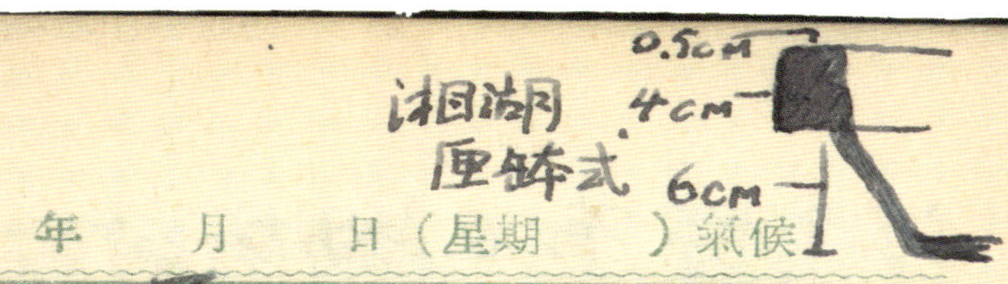

6月5日 金 陰时雨

早5时余冒雨往湘湖街调查古窑址，因大雨两日，河水暴涨，由景镇往婺源的公路有若干段落浸水，田禾房舍也有淹没的，因此去時就採取了由北路的山路走。由镇出发，经镇东解放路东头馬鞍山，出石灰石有灰窑，东经铁路土基，五里到李村，水没公路；东北经邱家坳；盧家山；东经塘下，始入公路；东经白虎湾；东到湘湖街。回来路由湘湖街3里到白虎湾，经塘下到古田，距湘湖七里。又3里到黄泥头，水没公路，涉水行半里，七里到赵家岭，三里到李村，水没公路，水深不能走，北绕山路，五里到景德镇，共计程25里。6时余回镇。

湘湖街属浮梁縣第一区，有区公所、人民銀行及郵政办事處，居民百餘户，主要是農民。沒有較好的商店，僅有少数几家[illegible]。

古窑址已发现的在村舍前方空地所谓大南河北岸上，西向南山去過河的小道所经過。址上多坟墓及草莽、竹林，[illegible]

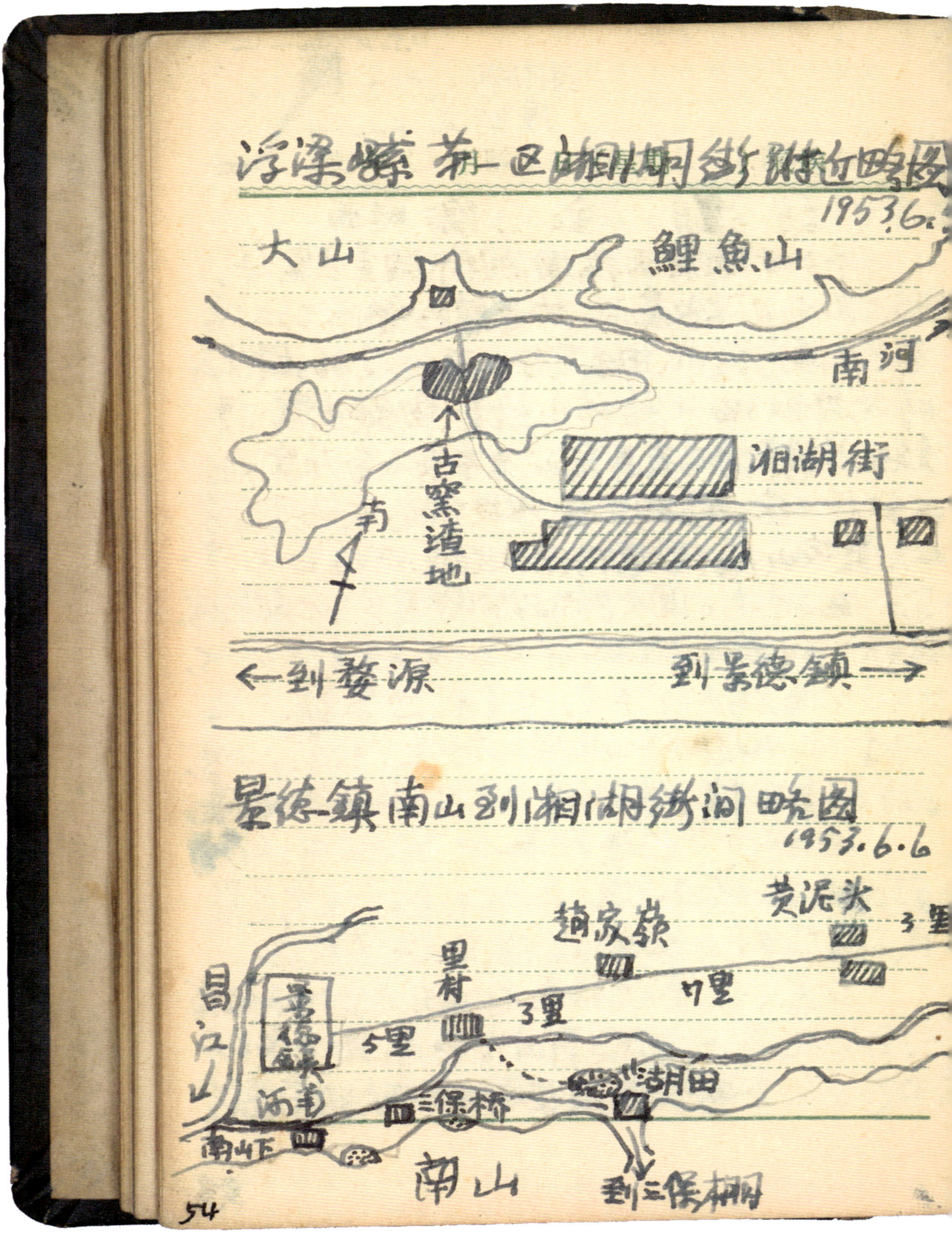

浮梁县第一区湘湖街附近略图

1953.6.

大山

鲤鱼山

南河

古窑渣地

湘湖街

←到婺源　　到景德镇→

景德镇南山到湘湖街间略图

1953.6.6

黄泥头

赵家岭

里村

3里

7里

3里

昌江

景德镇

5里

湖田

三保桥

南山下

南山

到三保棚

年　月　日（星期　）氣候

全部情状。依照自破坏的沟渠及挖坑断面看，窑渣的堆积不厚，面积也不宽大，窑室址也不知何在。窑具有匣钵三种：一种圆球底匣，一种为平底匣，外有圆饼形器，或是匣盖，或是足垫。一种为叠烧圈式匣。垫足渣饼有两种：一种短圆柱状，垫圆足圈内；一种为环状，用法与上项同。所出瓷片主要为青白瓷，有的刻有花纹，没花的为绝大多数。别种较少。

买好了往鄱阳县的船票，定明天走。

据地方人说湘湖街上面的村子附近也有古窑址。

年　月　日（星期　）氣候

6月6日　土曜　陰

早五时到昌江岸码头上船。到开船时（七时）船上宣佈因下游水涨不能航行。明日可航行。不得已回招待所。饭後约8时往湖田等村调查古窑址。由镇解放路东经马鞍山、里村。由村後南门外乘舟渡河，东南约行三里馀经（南河长约三百公尺的）[illegible]南的五门陵地在稻田，上有故墓。即湖田西北方窑址所在地。据居民们谈，此地原属景镇市郊区永静乡（?）寺子下，不属湖田。遗址东部多明及清初青花瓷片，匣钵也有很大的。西部及若干地段的下层为刻花及白瓷瓷片为多。胎釉造形都很好。有盘碟瓶盒诸类。匣钵有圆底及成叠烧两种。湖田村内古址更大，窑渣堆积方

白瓷盘的

湖田匣钵

圆里馀，积层很厚。居民七十馀户，可说是建筑在窑渣堆上。每家院墙、道路、部分屋壁都是匣钵片筑成。出土瓷片表面多明代青花，部分

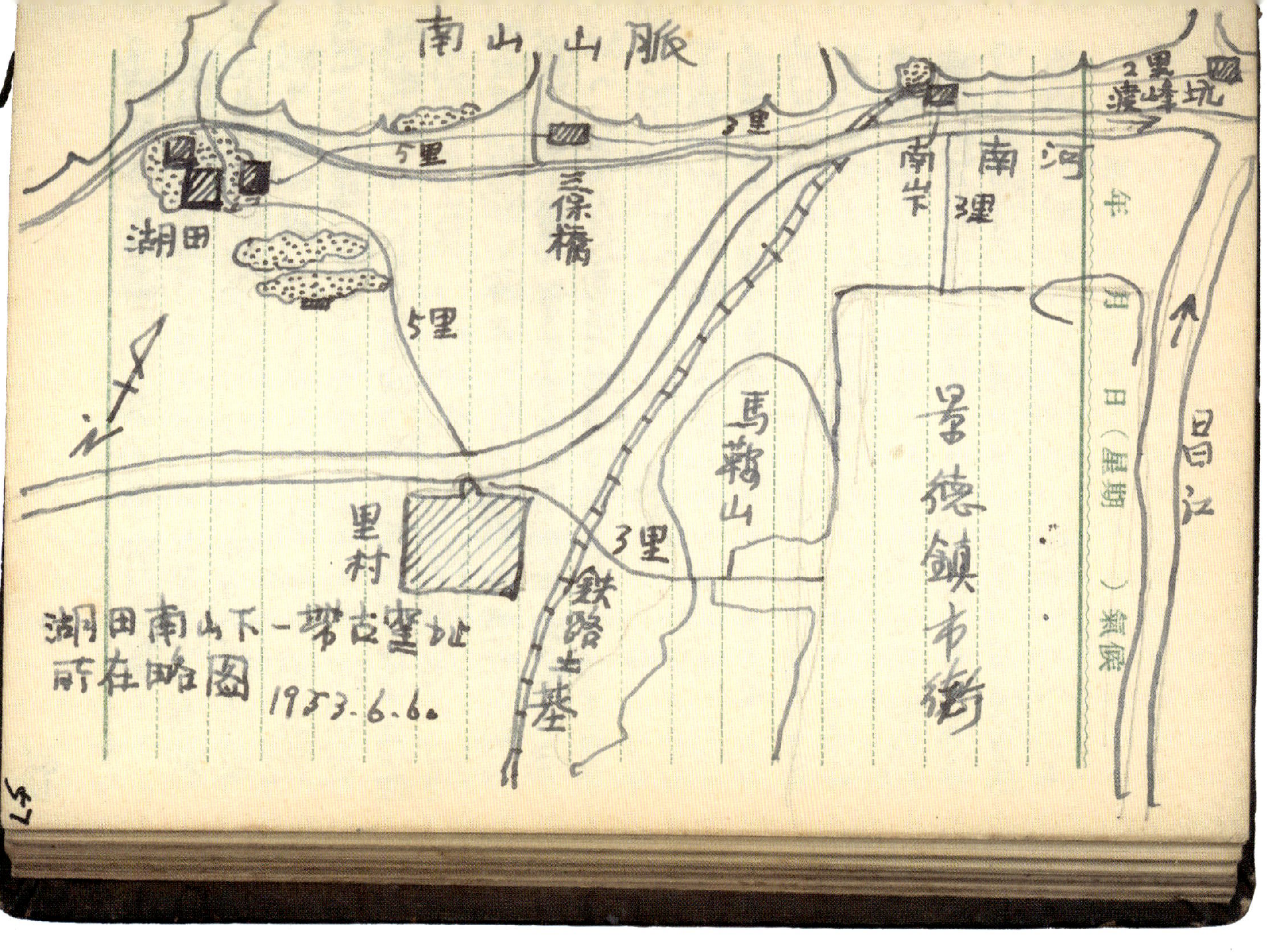

南山山脈
2里
渡峰坑
3里
5里
南山下
南河
3里
三保橋
湖田
5里
年 月 日（星期 ）氣候
昌江
景德鎮市街
馬鞍山
3里
里村
鉄路土基
湖田南山下一帶古窑址
所在略图
1953.6.6.
57

地区及下层多南宋彫花器，有的仿定式有無釉宽边。有的似元代製品。古窑具大致与西北古址相同。此次採集的標本很重要的是地下新出土的，而不是地表採集、在西北古址的是利用今年新開梯田的掘出，村内的是利用北端一家屋後的掘土深坑，已作了存水坑，南端村集体牛屋的防水溝，所以层位清楚、都是成群遺品，没有後代的参雜在内，是很可貴的。採集標本後繞村一週，在小河边洗了瓷片、沿西大河下行，5里到三保桥，有製白不子的水碓工廠三處。村东不远的南山足断崖下因大雨崩下窑渣，露出瓷片，多青白素器、似元代出品。又下行三里到南山下村、屋山角上、窑渣堆積如小山、都是[illegible]彫花器，素瓷較少，製作精薄，胎釉都佳。匣鉢都是圓底式，此地出品都是盤碟，他品極少。由此下行二里為渡峰坑，也有古窑址，我們时间較晚不能去，就回鎮了。

晚洗写標本装包、準備明日出發。

年　月　日（星期　）氣候

6月　7日　日曜　晴

早五时许由昌江岸码头上船、七时馀开航。昌江因雨水涨、现虽稍消，但水量有的地方仍去岸很近。沿江多山，竹树茅舍在山岚来去中十分好看，到此可知古人画境是由自然中得来，非凭空想像意造而已了。午后五时馀到鄱阳县，宿于鄱江之岸一家叫中央旅社的廊路下，因客满之故。

6月　8日　月曜　晴

早五时许由鄱阳鄱江岸登直航南昌的小汽船，七时开航。因逆流逆风，时挂水草而舟行很慢。出鄱阳县北行折而西南，横度鄱阳湖，入赣江一派经滁槎、龙口两地、八时馀始到南昌。住于子固路新安旅社。

6月　9日　火曜　晴

早饭后往抚州门外参观绳金塔寺，塔在寺后，原可登临，近因七层饱潮破坏、为防意外、政府布告不准登塔。

塔建筑八角七级，木构瓦檐，每节四面有门，别无装饰，上有铜顶。塔前为绳金塔寺的院落，山门封锁不能入观，正殿两庑规模很小，虽无碑记参考，但依建筑样式观之，塔似乎是明代所经重修，寺殿是清代遗构。归路中在一家古物店买得南宋乙元雕花水波莲花酒注子一件，宋乙五代印花双凤青瓷瓶子二件。

午后三时余乘南浔路火车十时余到九江，住于扬子江岸上惠中旅社。

6月　10日　水曜　阴雨

午前还居花园饭店，联络往庐山去的汽车。午后二时出发，汽车到莲花洞下，即不能再前进了，又无山轿，大家只好徒步在小雨泥泞中上山，有的人赤脚草鞋，又多没带雨具，所以都很觉吃力。到莲花洞搬运工会雇到山轿和雨具，才陆续上山。经好山头，好汉坡、半山亭各地而到牯牛岭，住于新庐公寓。

新修的汽车路尚未完工，工程很艰苦，但

在本月十五日即可完工，七月一日正式通車。

6月　11日　木曜　晴

午前參观图書分館，經图書館到黄龍寺，寺創於晋僧曇詵，今已毫無遺迹可尋，石塔三種為清同治重建，寺前有柳杉二本，銀杏一株，很古老，据碑记谓為万曆时物。再下黄龍潭為一瀑，崖有刻字。下過橋溯支流而上有瀑布經而寬，水分數道注於潭，名烏龍潭。下回到木橋原處再下行經明恥橋，石築，有民國二十六年建款。橋下有清同治十三年六月楊鵬升刻洛德二大字。橋上流有瀑布很急湍。轉上東山脚到白鹿升天台，道观很小，民國建。折而西北經五佛園到文殊台、龍魚池，回經千佛岩，御碑亭、仙人洞，竹林寺岩、訪仙亭，回經花径、大林寺，寺創於晋。放生池而归牯嶺。今日游览各地為廬山西部風景路線。

6月　12日　金曜　晴

早飯後出牯嶺南行，過橫门口三逸鄉，

有中国科学院廬山植物园，规模很大。由门前南上登南嶺鞍部為含鄱口。面对鄱陽湖北段，山川河流，星子县城郭塔寺都歷歷在目。左方為一横嶺極遠削如列屏，上有山亭■均倒坏，今正集材準備重修中。此處亦名虎门口，為九江星子二县分界处。高出海面1286.7公尺。由此口南下山坡势很斗急，铺有石磴道上下约十里，極為难行，為星子经牯嶺必由之路，故運輸的脚伕络绎不绝。整磴下行半里路旁茅屋數间名岩■口，东南有瀑布名白水潭，亦曰仙帚泉。回头西望太乙峰崖石嶙峋，益觉高大。下行有亭，一岩上刻顏貞观書觀音亭三大字，極為端整。下到山脚經一双孔平式石桥，西岸石上刻白鹤涧三大字，涧中亂石縱横，水石相激，声如万馬奔騰。东南過黄龙嶺、洗馬池二村，沿溪水西岸■至棲賢寺。寺在五乳峰下，唐李渤讀書於此故名。其初建築规模宏大，燬於太平天國時。後又為日寇所燬。今僅存山门前牆及側屋數间，淪為民居，寺僧也不知去向了。一廡供佛像皆近代物，有康熙辛亥浴佛日鑄鎏金舍利銅塔一座，作宝篋印塔式，雕鑄尚工整，舍利子已移慈航寺僧保管。清康熙時江苏布政使金鉄山布施，浙江名画家许虎頭費时六七年所作的二百幅五百羅漢圖，略有損失，現存百餘幅，由星子县政府負责单位送上海（一傳说送漢口）重裝。餘無他物可观，碑碣也都不存，僅门首一[illegible]四字碑尚完好。

由棲贤南下有玉淵，淵為整块大岩层所造成，水流石涧中，下墜深潭，瀑短而宽，潭深數丈，水作青绿色如碧玉。西岸平石上有張孝祥書玉淵二字，大書深刻，極為古勁。後有紹定款。後西有馮玉祥隸書墨子一節刻石，字亦很大。其餘古今人刻字多在蘚苔漫漶中。

南行里許為三峽桥，亦名棲贤桥，俗

呼观音桥。桥一孔上面平坦，全部長方石條築造，石兩端有接榫，極為嚴密牢固。宋大中祥符七年建，尚有僧人數人名有刻款。桥跨兩岸突出岩石上，下臨深淵數丈，桥西脚下岩面上刻有馬朋書金井二大字，蓋与上游玉淵同為名潭，故宋人即稱道之。桥西為慧航閣，側有湘人易順鼎所築的琴志樓，亦名匡山草堂，久已倒廢不存。西岸猶存琉璃瓦八角亭二座，半將倒坏，可以坐观涧水。桥东有小亭即招隱泉，唐陸羽品為天下第六泉，故又名陸羽泉。今泉已不甚旺。

棲贤三峽桥一帶溪涧泉石竹树遠峰極為秀美，可謂匡庐南部佳處。西北望太乙峰，东北望五老峰，西南望慶云峰，都極為雄偉秀拔。至此因距牯岭已二十餘里，又須登十里石磴道，故不敢再向遠行，循原路归牯岭，已精力殆尽矣。

6月13日　土曜　陰

早五时许由旅社出发，回九江市，经莲花洞原路到九江，仍住原花园饭店，近改为庐山管理局招待所。

午后三时余往能仁寺一游，寺存前殿及大雄宝殿，中有方池三孔石桥名双陽。砖塔七级空心式，各面有门，斗拱较简单，名大胜塔，传云唐修，看形式似是宋元以后物，而经近代重修过。寺中碑碣无多，仅有清光绪及民初物，内容也都不重要。

6月14日　日曜日　阴晴不时

午前游八一公园，园在甘棠湖中，前连南北长堤，东端一大石桥，是九江市往庐山必经的孔道。园中有小丘三個，点缀茅亭四五座，九江革命烈士纪念塔耸最高一丘上。四周湖面可荡小舟，南望庐山如诺那塔、五佛图、天池塔等都历历在目；回望市中楼房栉比，大胜宝塔突出云际，地势是很好的。

午后六时余乘招商局江安号轮船往武汉市，夜中经武穴镇、石灰窑二站直向武汉。

6月 15日 月曜 晴

午前十时许船抵武汉市。由汉口码头下船。觅旅馆多客满，终住於较冷落的鐘台街新北京旅社。

午饭後渡江到武昌珞珈山参观。该处为武汉大学校舍所在。风景甚好，校舍为宫殿式建築，也很壮丽大方。山东为东湖，有武大游泳場，大众可入浴，故游人极多。市内公共汽車直通校前，交通很方便。其西有小山名南山，有宏伟壮丽建築物，为中南民族学院，校前路上均可見衣着不同的各族男女青年往来。再西有古民塔一座，北面整齊，前有佛殿数層，名宝通寺，是武汉四大叢林之一。後西一長嶺，横亘武昌市中名蛇山，西与汉阳之龜山相对。九时许回汉口。

今日為農曆端午節，故街中很热闹。

6月 16日 火 晴

早飯後，買木箱、鉋花、草绳装包杭州、南昌、景德鎮各地購入的瓷器及搪瓷的古窑址瓷片窑具。午後三时托運行李办理完之後。继到粤漢码头营業所登记卧铺，拟明日赴廣州市，七时半办理完了回旅社。

6月 17日 水 晴

午前十一时许到粤漢码頭買火車票，午後三时過江，五时十六分由武昌出发，到廣州约两千二百餘里，急行火車需二十七小时以上，中经岳陽、長沙、衡陽等地。車到湖南邊境臨湘附近即就寢。

6月 18日 木 晴小雨

車過長沙市正在深夜，自見天际細小閃動的灯光星羅棋布而已。到衡陽时已早六时餘。經砰石站是，有奇岩名金鷄嶺，極為奇偉，土人傳說是太平軍駐軍的遺迹。是湖北廣东兩省的分界線，也是五嶺山脈騎田嶺的分水嶺。過韶関車沿北江南行，英德一带山水尤為秀拔，有的不亞桂林諸山。夜九时许到廣州市，城内外各旅館均客满，不得已住珠江小舟上。

年　月　日（星期　）氣候

6月　19日　晴　金

午前由珠江一马路艇子上移住於永汉南路东侧的南方酒家。朱胡两同志去文化局联络参观事项，因学习须明九时再去。

午后参观了荔枝湾水上文化馆，在市西珠江西岸，接近郊区。内有游泳池、溜冰场、游艺室、图书室等设备，游泳人很多，日曜日据说有人满之患。附近游艇也不少，同食小舟也三五成群的分布着。归路由海珠桥北端横过，江两岸灯火辉煌，草地上纳凉人十分拥挤。

6月　20日　土　晴

午前到广州市政府文化局，由雷迪方同志给我们介绍了他局经营几个文化机关的情况。①毛主席主持的农民讲习所，在中山路，利用广东番禺学宫故址，现正恢复当时旧样，以便保存这一伟大革命遗迹。②广东文物馆：在太平路，原为华南土特产展览会，后来当局作了永久保存的决定。内分广东文物……我们去参观了一遍，正在修建中。

谈话完了，顺便参观门院的文管会，该会近来整理了汉晋唐宋古墓四十余座，现仍在外工作。出土物有白釉、灰釉瓷、黑釉牌楼盖盒、古老瓷洗，多与华东及山东出土的相同。

年　月　日（星期　）氣候

馆、农林馆、水产馆、工矿馆、园艺馆、中苏文化馆、儿童宫。外附有剧场、舞台、水场、球场、儿童游戏施设等。规模很大，建筑的很好。展览室也都是按性质建筑的，採光自斜上方，有明朗温和之感。全宫可容三四万人同时参观，平均每天约有观众一万人。足以自给自足。又常常在此开特展，如土改、卫生、国营工业展等等。票分有门票、（五角）月票、季票、三种。特殊节日免票入场。

午后，接待组代参观华南文物宫，因有数馆正在将展览重新布置，仅参观了广东文物馆、水产园艺、中苏文化交馆。广东文物馆按年代先后分别陈列各种文物。重要文物有湖南长沙出土的木琴（战国）、彩画陶盘，周代铜尺二件（西汉代）。②黄肠木：广州市东山区西汉南越王明冢出土，木甚大置在棺外，现仅存一段，有十四字样（阴刻）可见汉人墓葬制度。③四川邛崃陶瓷：有唐代三彩砖陶瓶、褐绿黄釉等碗。宋代灯不等（可能是灯盏）黄色粗瓷。

年　　月　　日（星期　　）氣候

淡绿色釉，有细开片纹，釉调很似明代石湾窑器。④广窑器：石湾窑来源於阳江，元明时因原料缺乏，移东莞白姜乡，不久又移佛山镇石湾。名工明代在石湾的有吴南石堂、异名、杨名；在石湾的有祖唐居、可松；清初的有[illegible]、文如璧；同光间的黄炳；光绪时的潘玉书，女子陈渭岩，霍津皆负盛名。近人刘传也称能手。祖唐居乃人名，专祖述宋三彩陶，故用此名。可松不知姓氏，专仿古铜器，多用阴刻款字。黄炳善人物像，鸟兽知名於世。潘玉书人像第一。（抄他们的大说明书节录）　此外玉器、铜器、陶较好，海丰出土的石器与陶器也较有系统。铜器中的铜鼓陈列的较多。

革命文物的实物由太平天国起到现代止，都很可宝贵，照片更多。兄弟民族文物也很精致美好，但陈列的较少些。

水族馆养海鱼及各种龟介标本。园艺馆有蜡塑，有栽培的实物及图表等。

由岭南文物宫到沙面参观。

年　　月　　日（星期　　）氣候

霍達方同志又介绍中山纪念堂、博物館、的大体情况。古建築有六榕寺花塔（唐）、光孝寺的光塔都可看了。

6月21日　日　晴陰不定时微雨

午前五时餘起床洗漱後往六榕寺参观。寺在六榕路之西，东向開门，门外懸"六榕"二字横額，下款眉山蘇軾墨蹟書。是东坡經粵謫嶺南时，访门道綜所書的。门内有正統九年款"淨慧禪寺"之額。正殿名"覺皇殿"。後為八角九層空心式甎塔，每層有木檐廊，上有铜铜輪十餘節。塔為梁大同三年曇裕法师建，称為寶莊嚴塔，宋端拱重修，改寺名淨慧。舍利塔屢经修缮，有弘治、嘉靖、万曆、光緒諸重修碑记。塔内陈设八十八尊佛像，铸模可觀賞。塔的形式很有唐代风姿，是廣州最好的佛。西院有曹溪六祖堂、補榕亭、塔影室及花木湖石池水的点缀。古光孝寺址有光塔，原建於唐貞观丁未，民國甲戌重修，上節如花苞，下段如今日的蓄水楼，不知當年作

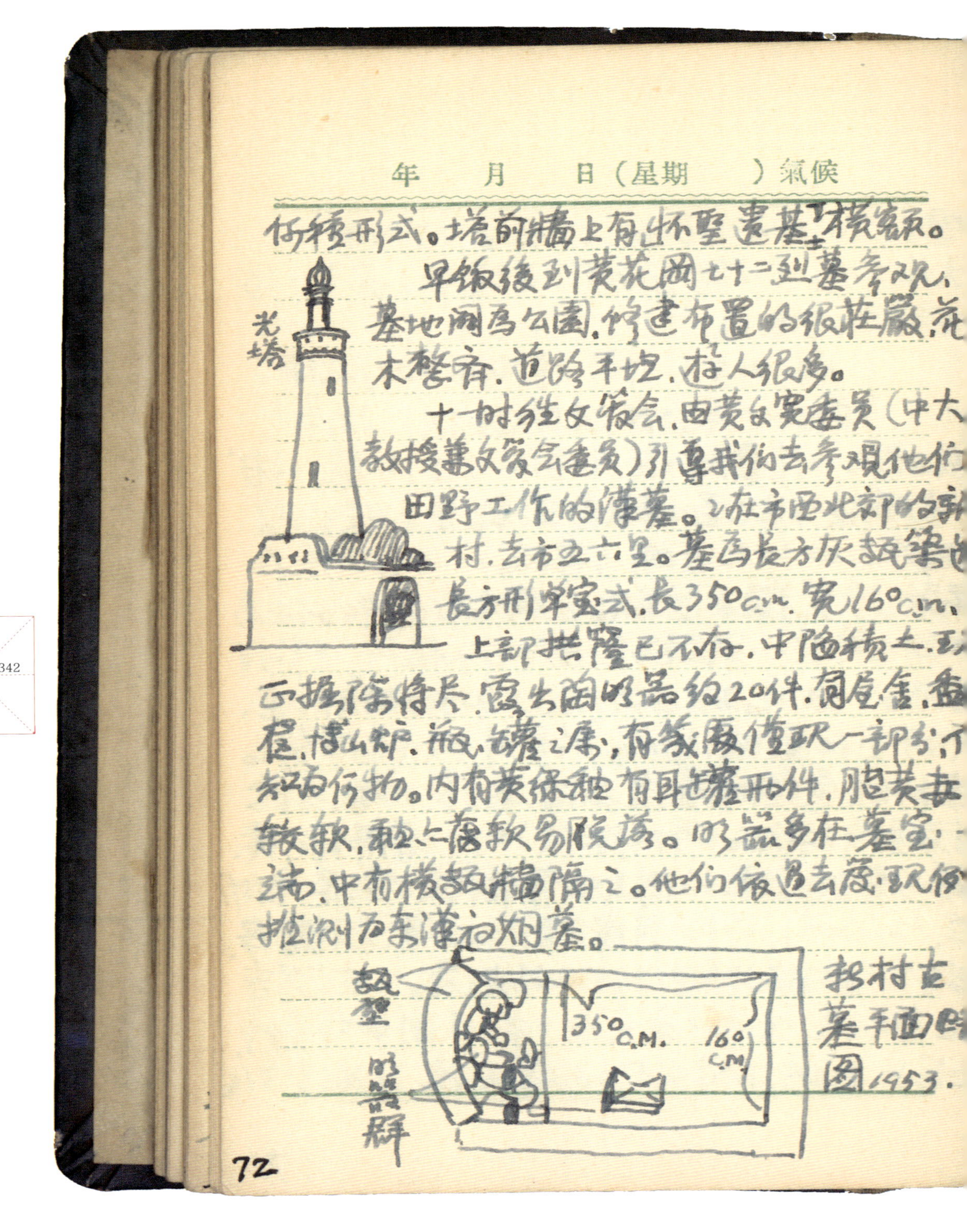

年　月　日（星期　）氣候

何種形式。塔前牆上有"懷聖遺基"橫額。

早飯後到黄花岡七十二烈墓参观。墓地闢為公園，修建布置的很莊嚴，花木整齊，道路平坦，遊人很多。

十一时往文管会，由黄文宽委员（中大教授兼文管会委员）引導我们去参观他们田野工作的漢墓。在市西北郊的新村，去市五六里。墓為長方灰甎築的長方形单室式，長350cm，宽160cm。上部拱窿已不存，中陷積土，正
正挖除將尽，露出陶明器约20件，有屋舍、盘、碗、博山炉、瓶、罐之屬，有數處僅现一部分，不知為何物。内有黄綠釉有耳罐兩件，胎黄甚較軟，釉亦甚軟易脱落。明器多在墓室一端，中有横甎牆隔之。他们依過去發现的推测為東漢初期墓。

西村古瓷窑址去年（52）冬因取土整路发现，在西村越秀师范学校之址西南方约一百五十公尺。现存高约五六公尺的一個土丘，东及南面被取土破坏一部分；西北两面保存完好。西面存有窑室口，南东两面露出的都是匣钵及瓷器碎片。瓷片有四種：①黄白胎、黑褐釉，作法风调与吉州永和窑相似。②粗白瓷胎，青白或灰白釉，与北方定窑粗白瓷相似。③胎白瓷质高，白青釉，稍透明，多有雕花，与景德镇相似。④白或灰白胎，釉色青而绿，有细开片，多有刻划花，与越瓷相似。　窑具：匣钵一种用小底钵。渣饼有圆饼、圆环两种，皆垫於圈足内，与潮州、湖田、南山诸古窑同。依所得瓷片的造型观之，可能是宋代古窑。听黄文宽先生说陈万里先来看过，他以为唐代就有了，不知是根据什么理由？我们采集了一些瓷片和窑具，照像两张，辞了黄同志回市午饭。

午后参观博物馆，之址在市北越秀山上，利用明代建築镇海楼俗称五层楼作历史文物陈列室，舊圖書館作自然科学陈列室。50年接收廣州博物館残遺的物品，51年3月正式開放。到館时观众很多，因今日星期日。由館長胡根天同志親自引導我们参观。内容：

第一樓　廣东手工藝：欽州印花紫砂器、绣纱布、木雕、漆器、螺甸木器、石灣窯器。

第二樓　革命史蹟：太平天国文物；大革命时農民参加斗争書物；毛主席著作；葉挺烈士遗物

第三樓　古金石：最重要的有：唐写雷氏造章苏州用琴，為海山仙館潘氏舊物。元延祐三年十二月造銅漏，四圓筒式壶，前有玄武，背上有孔槽可插漏刻銅衡。原在廣市舊城拱北樓（城内）上，後移此陈列。銅鼓20餘件，大小精粗不同，是专门研究的好材料。

第四樓　陶瓷：一般明清器少珍品，本市古墓出土的遗物群很不少，也極為重要。1949年4月本市先烈路（在黄花岡前紅花岡附近）永泰村古墓遗物多素陶明器，有的有釉彩，计20餘件，1951年芳村白鹤洞漢墓出漢素陶明器，计20餘件

年　月　日（星期　）氣候

1952.4月河南羅斗岡漢墓出四神鏡一件，釉
陶素陶明器不少。
1952.3月河南敦和鄉胡地岡晉墓出"永嘉七年癸
酉皆宜君子"等銘文長方墓磚數極多。遺物有：
叢式銅鏡二件，古青瓷器(宋為一種淡红胎硬陶)
瓷子等29件，銅弩机1件，鐵刀三件，銅銀釵
釧残段數十段。這群年代明確的遺物是極貴重的。
1953.1月西村石头岡第一号漢墓出"半兩"錢1件，
戰國式銅鏡1件，銅戈兩件，銅劍二件，銅長劍
首玉璏1件，穀紋玉璧一件，陶胎銅器如鼎壺
鍾等多残爛不完整，一大筒形器兩側有提耳，
滿身粗花紋，很為少見。漆器片數十片，素陶
器10件。這[illegible]古墓，是研究[illegible]南
方文化的上等材料。從各地古墓出土物並（漢初）排
於中層[illegible]的。第五樓　美術：書畫、玉器、漆器、刻絲。
自然博物館在鎮海樓左下方不遠，宮
殿式建築，內分兩層，下為獸類和水產標本，
上為本省果品標本，生理解剖等等。
但繞到中山紀念堂，建築很輝煌偉大。

年　　月　　日（星期　　）氣候

6月22日　月　晴陰中雨不时。

午前在东站候买赴長沙火車票。午後步過珠江上的海珠橋到河南市街一遊，由總工会不遠须回河北。即赴黄浦港一观，正在修建中，附近风景很好。晚十时许乘火車往長沙

6月23日　火　晴

午後三时半许到衡阳下火車，住湘江西三[illegible]社。即日遊回雁峰乘雲寺，寺創在宋时，現存明代鐘鐵等，门有高鳳图影，"回雁"二字横額。往其西方嶽屏山公园，有解放纪念碑，地势较高，全市在望。衡陽市是沿湘江兩岸建築的，鐵路東站在江东岸，市西方多丘陵，北望衡山峰峦重叠，形如列屏，和桂林相比石質面姿態却極為柔麗雄伟。為廣东廣西鐵路的分歧点。

6月24日　水　晴

午前与李玫琴同志往邮局把由廣州市西村古窑址出土瓷片標本裝箱郵回洛陽。午後一时许渡湘江到东岸粤漢鐵路衡陽東站，三时余乘車往長沙市，車到株

站时，胡文敏同志省母归来同车到长沙。车抵长沙市已九时许，住萬福旅社。

今早在衡陽市买澧陵窑大壶瓷壶一件作现代窑器標本。澧陵位於湖南省东邊，与江西省接近。所出瓷器胎白而薄，釉色青白，颇近景德镇器，或因原料性質或因同一技工，故有此種特点。

6月　25日　木　陰晴不定

早起到中山路中山公園散步。

午前到湖南省政府文化事業管理局聯絡往湘潭韶山冲参观事项。

午後一时餘坐公共汽車三时许到湘潭縣城。市街沿湘江西岸，南北很長。今天已無往韶山汽車，不得已住於長沙大旅社。此地都用澧陵窑瓷器。又买绿釉印泥盒1。

6月　26日　金　晴

午前十时坐汽車往韶山冲，在湘潭縣西南约九十里。在十二时许到韶山招待所，由负責同志引導先参观毛主席的故居，泥牆瓦屋一

年　　月　　日（星期　　）氣候

大楼、内有毛主席父母寢室、懸有二位老人遺像。家具布置都按原来樣式，有毛主席寢室和讀書室，有毛主席四弟澤民五弟澤覃的住室。外有厨室、火炉、飯室、浴室。屋外前有水塘，毛主席幼年时常常在池中沐浴、後有菜地、鱼池，都布置的很好，二十餘畝水田在谷底、有的成梯田形式毛主席的用具有桌櫈、木床、書柜、算術教科書，封面有毛主席亲筆親題的"澤东"二字署名。有和兩弟澤民澤覃陪同文太夫人照片一張。有毛主席和表兄的照片。谷口西边有高峰上有寺廟即韶山正峰，地属湘鄉縣。宅西不遠為韶山待招所、稍东北坡上為新建的韶山学校，尚未完工，規模較大，建築樸素，額為毛主席手写。毛氏宗祠在招待所西方百餘米的山根下，過去是韶山小学。待招所是50年修建，為了便利来参观毛主席故居的人而設，一座樓房，很潔淨整齐，参观人可以住宿飲食，極為便利。现在準備修建餐厅，渐渐的更会完備起来。

午飯後會見了毛主席的家人，毛澤民之

年　月　日（星期　）氣候

士的爱人王淑兰同志，老人五十上下，精神很好，陪我们谈她在北京时见毛主席公務繁忙，不得休息，又谈全国妇代大会时情况，神態自然温祥如家人相对，絕無一点矜持的神情，使大家都觉得和蔼可親，不忍即别的樣子，臨别共同照像一片留作纪念。登車以後，曾和毛主席工作過的韶山党支部书记、毛主席的族叔毛月秋老人到来，我们来不及下車就在車窗上和老人打招呼，表示我们对他的尊敬，老人也笑颜向相，不断表示接受我们的熱情招呼。就在这種说不出的和蔼温暖的氣氛中汽車离往了韶山冲。這偉大領袖的故鄉，山明水秀，竹樹葱蘢，使我们终生难忘它的。

到湘潭飯後，已是灯火万家的时分。与胡文放同到市置买了和種土产品拟携往北京送白石老人。在此地竟能买得在毛主席故鄉册。

6月　27日　土　雨

早五时渡湘江到东岸乘七时餘汽車回长沙市，十时许到，冒雨到藩禍被六十。

79 ~~78~~ ~~78~~

取得湖南省文教厅参观省博物館及文物管理委员会介绍信两封，因天雨不止，不能作参观活動。

6月　28日　日　雨後晴

早飯後与炳、朱、李過湘江由溁湾生汽車到湖南大学，转入岳麓山。先到「爱晚亭」，亭新加修理，有毛主席笔三字横额，未落名款。据李达先生爱晚亭重修記，毛主席在岳麓书院半学斋时常在此處遊息，並与同志策划革命事業，所以成為革命策源地之一。旁有枫林桥，李达题字。（旨取唐人停車坐爱枫林晚诗意為此處寫照。）上有青枫泉，极甘洌。转而西登山不高到岳麓寺，僅存山门及後殿，正殿被日寇炸毁，唐李北海書之岳麓寺碑已移湖大院中，现存清代數碑皆不重要。再上有黄興、蔡锷两将軍墓及祠堂，也都渐就荒蕪。經白鹤泉、笑啼岩而上到山頂，雲麓宫已变成茶社，無甚古迹遗物可观。下山經湖大，参观了朱熹的岳麓書院题字及岳麓書

7980

年　　月　　日（星期　　）氣候

碑，碑已碎有亭覆之。半学斋仍保存舊式，但毛主席所住何屋，今已不詳细了。午後5时餘慶江回長沙市。

6月　29日　月　晴

早飯後，参观湖南省立博物館筹備处。处址在湘石街路北。51年成立，53年3月把科学館併入，將據中央指示作成地誌博物館。现在開始作蒐集整理等工作。擬定在烈士公园作為新的陈列室，先行展出，後再陸續補充完成。目前已有的材料是革命文物多些，历史文物將由文管会接来，自然富源方面礦产——鍾鑛等較為多些。先作自然富源和革命文物两部分。他们很热情，很招待，详细介绍情况，也问了我館情况及工作經驗。

归途到船山学舍参观，是清代祭祀王船山先生的地方，内有王夫子先生牌位，两進房舍，不很宽大，前有毛主席"船山学舍"题額。门有清寿陽後学祁寯藻撰并書聯峻，绵亘数九千丈，心诉离骚廿五篇耳新。毛主席曾在此处编《湘江评论》鼓吹革命，所以它又是革命策源地之一。

午后往湖南省文物管理委员会参观，由陈友新同志导往储藏文物的地方参观，会中和博物馆好多同志也来陪同参观，由一位蔡同志引导说明，说的很详细。所藏多長沙出土物，如花纹墓毂、木梆、漆棺、竹席包裹的木乃伊（已朽败）都是很好的汉代标本。成群的遗物有杨家山出土长沙王妃墓遗品，有铜漆器不少，又多有铭刻年款，极为名贵。其余文物多分散而后蒐集到馆的。所以就很不能确定互相间关系。有战国以来铜镜600余面，成此体系。铜铁兵器有戈矛戟剑，弩形铁矛等，有的有木柄、木弓弩臂也都有原形保存不朽的，十分可贵。漆器有战国姜彩画盾牌、彩画漆图案、彩绘耳杯，及不少漆器残片。陶器内加漆是前所未见的珍品，陶瓷史上的新资料。铜器胎很薄。又陶元年器為一壺一敦，均菱形羽鱗狀纖雕花紋，也屬少見品。銅鼎、銅鏡、銅勺等多有年款重量容量，為研究度量器的好材料。銅矢十餘件，多有花紋，長度与[illegible]尺略等，有的同銅裁衣刀出土，一件与刀把存放一起，據田野工作同志說有刀尺的墓都沒有兵器出土。這些銅器的造形有的很与寿縣李三孤堆出土的楚器不同，他們說可能是自成体系的，但我們一时還看不出來。木俑人身体扁平，有的保存着彩画，衣長衣，下緣多斜，有的缺後襟，也有前襟較圓缺的。有玳瑁小盒一只，製作很規整又很薄。玉器多佩飾品和刀劍裝具，也有璧、環等。據說，楚文物收藏的很多也很好，因中央開楚文物展，提去近三百餘件，故現有物品多不完整，文物也較少些。所藏瓷器不少五六百件，多古墓出土品。有一種灰白瓷器，胎黄紫色稍粗硬，釉層不透光有混濁之感，面無亮光，據說是

銅錞于七、八件，多出土於湘西地區，是專門此器研究的好材料。

碗底上印有铭款的"大官"等的是少见品。(五代墓)另有几件粗黄胎器，造形很古，上有部分点滴式的青绿色透明釉，有的成红紫窑变色，极为美丽。

年 月 日（星期 ）氣候

东汉墓出土，有很多明器等足以证明此时代。这是汉代确有瓷器——灰白色瓷器的明确出土例证(四五件)景德镇青白瓷只见青釉三件，(可见景德镇瓷器分布情况。约十余件)

岳州窑器出的最多，约有二三百件，多瓶罐碗盂碟盘之类。约可分为三种：一种黄绿色的青瓷，正是唐陆羽茶经中所说的岳州窑器的本色。胎灰色，质地釉厚重，硬度很高，不甚瓷化，多宽圈足或平底足。釉层不甚厚，黄青色，有细开片纹，色调较越器淡而黄，作工较越器釉粗拙。少数有刻花和刻画。此种青器窑址近已发现，在湖南湘阴县窑头山。第二种胎黄白，质地较粗松，乾而不润泽；釉色泛白而厚，多有绿色有的与青色同用的加花或斑片条点等。很近北方的所谓唐三彩釉器。第三种是大绿色器，胎质接近与第二种略同，釉色深绿，釉层较厚而不透亮，有的釉厚处表面现白蓝的复彩如陶窑彩状，棱角边缘釉薄处现铁色。有瓜棱水注、盂碗等。发现的数量较上两种少的多。後两种窑址尚没有窑址，是否岳窑尚待后日决定。但在他省绝少此等窑器，也是应该注意的事。总而言之这些瓷器的年代是很古的，约由唐——宋是毫无疑问的。除这些本地名瓷以外，有上林湖的越器、南宋官窑——杭州乌龟山器、邢州白器，定州白器，也有一种白而闪青的瓷器数之很多，底有阴刻官铭款的两件，都在祖国瓷艺史上将为有意义的新资料。

晚十时搭坐火车往武汉。

6月　30日　火　晴

午前到武昌，住乐群旅社，下火车入店稍定，即往珞珈山武汉大学找李之桂同志，联系参观荆江分洪模型事，顺便取回由彼寄来的书信及旅费。　午后到汉口调查往重庆船期，明日仅有小型船到宜昌，别无大船。到中山公参观中南区少数民族文物展览会，以值今日不开馆。

7月　1日　水　晴

午前6时往珞珈山武大工学院参观荆江分洪模型。模型是分洪闸设计后在此作试验

年　月　日（星期　）氣候

的，模型很大，佔一大栋钢骨水泥屋。模型为水泥塑製，電机激水，水流如真。江流、蓄洪区、进洪闸、泻洪闸，虎渡河向洞庭湖的水道都作的逼真，并有水闸细部，说明此闸的优秀性能。由一位丁同志详细说明，我们学得很多知识，也体会到祖国建设的伟大与苏联先进经验与专家对我们的帮助的值得感谢。

饭后去武汉工学院，回武昌渡江到汉买得往宜昌的船票，定午后四时後上船，利用仅有时间再往中山公园参观中南少数民族文物展，又值午间休息，午後二时始开放，我们来不及到武昌旅行理上船，不得已回武昌。午後五时到汉口第五码登宜昌轮，船很小，都买五等票，但较便宜。六时正式开船。夜亦航行，但因上水行进很慢。

7月　2日　木　晴

午前過赤壁，山岩不很大，作黄红色，南边岸。十二时许到洪湖县新堤镇，船停十五分钟，有上下船客二十来人。午後過城陵矶，位在江东南岸上，南岸一水是洞庭湖入扬子江的水

年　月　日（星期　）氣候

道。江流由此折向西行。江上可望見岳陽市的工廠和城樓及市街附近的建築，據說現距岳陽僅十五里。江流此上多屈曲迂迴。

7月　3日　金　晴

午前六时许经監利县，停船一次，由武漢到新堤為二百六十里，新堤到監利又三百六十里。由監利溯江上行迂曲更甚，又遇顶风逆，船行很慢。通夜航行。

7月　4日　土　晴

早三时经郝穴，船停码头。四十五分后又前进，十一时余到沙市，停船二小时。市在江北岸，沿江一街很長，商業尚盛，有紡紗廠、榨油廠、白[illegible]錦廠等。沿江上行十五里到太平口，可見荊江分洪闸。闸两端有琉璃瓦亭子，近江岸一纪念碑。经江口、董市（北岸）均不停船。

7月　5日　日　晴

早三时许经枝江县（南岸）停船卸货。经北岸的白洋鎮，稍进为南岸的宜都縣，停船

年　月　日（星期　）氣候

时已八时许。

下客卸货。附近两岸多山岭，烟岚远岫，村舍渔浦真如古人画图。再进经虎牙山及南岸荆门山江流成一山峡，水流急甚，荆门山后一天然石门，近江峭壁斗立，极为险要。稍前到宜昌市，午后一时许下船，即买直航重庆的轮船票，一江[illegible]渝，六时余开船，定明早三时启航。宿宜昌市。

附录以宜昌为起点的长江各地里程表：

7月6日 日曜 阴天

宜昌至沙市	167公里	巴东	111公里
汉口	722〃	巫山	166〃
九江	991〃	奉节	202〃
安庆	1155〃	万县	321〃
大通	1245〃	丰都	474〃
芜湖	1359〃	涪陵	527〃
南京	1455〃	长寿	572〃
镇江	1542〃	重庆	648〃
上海	1847〃	忠州	408〃

由宜昌溯江上行，都是峡谷，江流湍急，船行较难。两岸峰峦奇秀，牛肝马肺，宝剑

两峡更奇伟。经北岸的秭归县（古归州）有
石筑城垣，位于逼窄的山坡脚上，居民的
户不很多。不停船。午后五时许到巴东县，
在南岸大山脚上，地势逼于江山之间，仅一
道窄街，并不很长，小商店也不很繁盛，因
当地没有什么出产。今日船行111公里，
平常本应到166公里的巫山县停泊住宿，
今因水涨行迟，故于此停宿。下船参观
市街一趟，买些零星用品回船。

7月　7日　火曜　晴阴不定

五：巫山　五时开航，江流较昨日更狭。经巫
峡、瞿塘峡（即夔门）遇白帝城故址，在江北
岸山上，遗垒尚隐约可见。午后一时三十分过
奉节县，古夔州府治，石城在江北岸，市街较
秭归、巴东为大，巫山。此上山势较低小，没有
三峡的雄险了。（瞿塘峡南岸石壁下有古今人
刻字不少。）经云阳县，在江北岸，没停船。
夜泊于小江稍下的荒江北岸，微雨。

7月　8日　水曜　阴晴不常

早五时起航，八时到万县停船。县居江北岸，中央一小河流，东为旧县城，西为民国新埠地。街道整齐清洁，市面尚繁荣。附近山水秀丽，风景很好，很有青岛市的情调。午后一时拔锚起航，经狐滩，水流湍急，船被冲数後退，一船木船均由南岸绕滩站绞拉上滩。经石宝寨，在江北岸，一大奇岩高数十丈，依岩为九层高楼，岩上为一寺院。岩前为小■村，风景极为秀拔。上行数曲，八时十分到忠县抛锚停泊。县古忠州治所，位长江西岸上，江岸天然石壁高数丈，上有石筑城垣。上岸入永清门，街道很狭，没有电灯，走了半条个街面就回船。

7月　9日　木　晴

早四时三十分由忠县拔锚起航。十时许经丰都县，在江北岸，市街沿江约二三里，未停船。午后四时余经涪陵县，古涪州治，在江西岸，沿江山麓一带长街，约三里余，楼房房屋很整齐，较下流诸县似好些，船未停泊。八时抛锚於长寿县下五六里野渡处，可望见长寿电灯高下於山树间。川东沿江各县僅此有電灯。

7月10日　金　陰

午前五时拔锚起航，经南岸的木洞鎮於午後一时许到達重慶市。市在嘉陵入長江的会合口上，由南岸、嘉陵江东的北岸及主要部分西岸的重慶組成，市容頗宏大壮觀。直即由輪渡過江北，住於小什字街水巷子三合旅社。欲坐午後四时車往成都已来不及，定明日再走。

7月　11日土曜　晴

早飯後先去買成渝火車票，继往兩路口街参观劳动人民文化宫的"革命文物展覽會"。文化宫規模甚大，内有各種運動場、游藝場、花木亭台錯落在高低不平的山坡上很適地勢。大门為六柱五洞式，上插彩旗，下掛彩灯，很雄壮美观。

宫内举行了"革命文物展"和"愛国衛生展"，我們因时间有限，先参观了革命文物展。内容以照片為、實物不多，但甚足贵，都和各種土地使用

年　　月　　日（星期　　）氣候

证件及宣传本板墨写標语等均很贵重。陈列用蓝色布幛，上下加彩印纸花边，照片襯纸黄色上下也印有花边。布置的很严肃。

午饭於杨仁愷同志[illegible]姊姊家，拜见了杨先伯母，老人家亲为我们烧菜，殊足感激。午後四时登成渝火车赴成都。

7月　12日　日　晴

午前七时四十五分到成都，住於暑襪街永安旅館。午饭後略予休息後到成都人民公园参观，园中有荷塘亭阁盆景湖石，竹木成荫，游人拥挤。晚逛旧书摊半街，有用书较少。

7月　13日　月　阴微雨

午前往四川省博物馆参观，馆在人民公园内，二层楼房一大栋，51年新建，外有洋平两栋係利用原有旧房。五一年正式开放，平日每天观众约四五百人。全体工作人员三十多名共有七個陈列室，分两次开放。原有馆长谢无量现在文史馆，今有秘书一人负责。由刘同志引导参观，并同意我们的要求，七室全部参观。

年　　月　　日（星期　　）氣候

第一室　瓷器：室外大纸條標名，门内壁上有總指說一張。陈列品由宋到現在，多龍泉、均窑、明清景德镇瓷最多，很少精品。宋青白瓷印花器都標為越窑，而本省的大邑、邛州反無陈列品。

第二室　都江堰模型：主要一大地形模型，外有竹籠裝石和竹席擋水的部分模型，修淘时照片、[illegible]灌区地图，有關的簡報。

第三室　王建墓出土文物：1942年四川博物館發掘整理，重要的有玉谥册、玉宝、册用銀缘穿訂，都有嵌銀飾件（平脫）的漆盒。门上的铜装饰品，銀盘、缾、鲁鞘等都鏤有精巧花紋。玉器不多，首飾多散碎。玉带銙一套，白玉方板雕瑞獸紋七方，鉈尾一長方，有永平年月款很長。銀鉸釦。红白胎深釉褐色二件，似唐三彩器，黄褐釉紅胎大盆大罐各一件，同質稍細的盘碗各一件，均粗笨不精。外有王建石像石膏模型、壁畫摹本、陵墓、墓室各種圖面及說明都很詳細。要

年　月　日（星期　）氣候

写有报告书没印刷出版。

第五室　名胜、古迹：有四川各名山照片画图如巫峡峨眉之类。石雕、壁画照片亦不少。实物有孟蜀石经残石；广元县石刻人像及佛像为隋唐遗物，绵阳县出土蜀錞琥、铜带钩有错金长铭；汉建和年（147）款小铜权亦本省出土，权甚小。为火葬埋骨灰用的长方形两端同大，顶上及两侧有凸起人物及其他花纹，前端有葬年铭款，后有工人姓字题款，都很少见。

第四室　书画：皆明清两代中等作品。

第六室　成渝铁路：模型、照片、保路文献。

第七室　石刻浮雕：汉画像石最多，多系出于新津崖墓，墓门扉也不少，题材有飞马、双凤、神仙、车马、故实（孔子见老子）车骑等，皆为阳纹浮起雕法，较河南山东苏北出土的稍粗拙。内有蜀汉时铜墓门扉。石翁仲一对，面貌衣纹亦粗豪。六朝造像高与人齐，多系佛罗汉式像，成铺的较少。唐石经幢数石较精些。

陈列柜架多旧式，柜分壁柜、中央平柜两种，小片玻璃，朱红漆色，不大便於观赏。说明书及陈列卡片都写的草略省不整齐。

院中陈列铜铸道教像五六件，高一丈多，为明代遗品，大铜钟一口，架於用汉墓花砖筑成的架上，形式也很古，都没有说明标牌。

[illegible]午后由博物馆刘同志引导参观王建墓。位於成都老西门外，旧时不知是墓，故名抚琴台，后经发掘整理，除重要文物在博物馆专室陈列外，其余都原样保存。现在保存工程将近完工，前为壮大砖砌洞门，羡道两壁为有柱式砖壁，黑漆木门都很壮丽。墓门扉用原有乳形铜钉（每排横列十个），及有角兽面饰四环铺首，首下仰月形饰板，双扉下角相对双饰板都有錾打凹凸蔓草花文，外加镀金，极为豪华精緻。墓室（长）方石条券筑，平面为纵深的长方形。拱门外上边有彩画的缠枝蔓莲花边，和敦煌的画作相近。进门正面一大长方棺台，石周力士甲胄十二人分置两侧作扶抬状，台为须弥座式，下枋上作俯仰莲花，束腰前端雕舞女二人，乐伎二人，左右侧有乐伎十人，边端全刻蔓草花文。乐

女面貌丰艳，既与唐画所绘相似；手法為高半起浮雕，極為精工。台面上周圍鋪白石板，〻上為朽敗残餘的三层木椁及木棺，托手铜環等都保存在原来位置上，可見当时陵墓棺椁制度。台為為一石缸，中有半高的圓台，据参加過发掘工作的趙同志说（现在监督修工）当时台上放黄釉瓷盆（据说被盗时碰倒的）推测是装油的。又说棺當时有土水銀二十多斤。再進為一横池式方形空地，据说有些零乱东西。後為一石台，正中置王建像坐，石质很精緻，头带软角巾，〻角垂於两肩，两角上傳顶上，衣长袍玉带，拱手坐，神情静逸。玉冊、謚冊、玉宝都置在像前。石像右後壁有穿孔，墓内遗於零乱残碑，可知是经過盗掘了的。墓附近是一片稻田，别無陰冢，也不見有享殿建築遗址及磚瓦等，当是年久都湮没不存了。

由王建墓南去到百花潭，正在修建不開放。继到青羊觀，建築不大，是清代遗構，無甚可觀。西南不远為草堂寺，寺創於南朝，唐杜甫曾居於此寺，有杜祠及草堂桂井遗址。浣花夫人祠〻

在寺中，并有详说明，供游人参考。寺中有花木池塘亭台楼阁，腾腾夏季游人甚多云。寺中修缮都由政府负责，而有管经营都利用旧日僧众，其法很好。

7月14日　火曜　阴雨

午前冒雨游昭觉寺。寺在城北十余里，规模宏大，历史亦甚悠久。王建时此为宫苑，宋时改寺名昭觉。有山门、弥陀殿、大雄宝殿、说法堂、（禅堂）藏经楼等之建。左右各有精舍、静室、食堂、仓库甚多。各殿多清代建筑，明代遗构仅有「先觉堂」一处。内藏经版甚多，另有清光绪时刻「昭觉寺志」木版，均保存无缺。今日天雨，不便多游，午后因雨休息。本拟往灌县参观都江堰，因一时买不到汽车票而罢。

7月15日　水　阴时雨。

午前早起六时余往望江楼参观，在锦江南岸，本名崇丽阁，为唐女诗人薛涛故居遗址。阁四层，下三层方形，上层为八角形，构造较为特殊。清婉室中有薛涛画像石刻及历代名人题语。北二

年　　月　　日（星期　　）氣候

十许尚为薛涛井，曾用此水製造诗笺。外有浣花
别墅及浣花池等，花木竹石均极清幽。现在
正在修缮工程进行中。

继行四川大学参观博物館：（原为华西大学的
有现归川大，自然部分已移川大数理学院中。由生
物系李主任引导参观，动物植物较多，主要为
川康地区产物，少数由外国採来，以辅助教学为
目的，平日不对群众公开。继往历史民族部分参
观，此部仍在原华西大学，今为四川医学院内。
由该館成恩元同志引导参观并详为说明介绍，极
为热心。

第一室　書画：由元到清代作品，另有古琴四张
第二室　石雕：主要有邛崃县清水（城西）本
1942年因洪水之中出唐龍興寺石雕造
像、刻经、经幢、其他雜品；（其地今名
大佛院）有永隆二年款（唐太宗）長方舒
經碑經幢有大中·会昌等年品。紅石
石雕刻的极为精细，立佛多有六尺的
小件更多衣饰花纹都是很好的服饰

研究資料。經幢花紋都作透雕，大小十餘件，小不盈尺的尤佳。漢画像石花紋較粗，墓门尤特粗，新津崖墓出土的大石棺是他省少見的。此外宋明雕品不多。

第三室 陶瓷室：廣漢太平場出土陶器很古調，是銅器以前的；崖墓陶棺長与生人等，長方有蓋与漢墓木棺同；陶井幹作筒管状也是别處少有的，另一個每節边係用瓦状物多塊合成，相接处有凸凹榫頭。陶俑、禽獸、屋舍、器具更多；俑像有二人谈情、或作狂笑的都很生動。理縣羌区出土一種双耳罐，深灰黑色、菱形口有二耳長大連於肩部，腹部有凸起双渦紋，二十餘件造型都很一致，有的頸部有椭齿紋裝飾，与過去國各地所見的陶器造型完全不同。

理县羌区陶器

邛州窰的瓷品及古窰出土資料最多。窰址於1925年前後被發現，在邛崃縣城南门外十方(河岸)堂附近。瓷品種

種有：①青白瓷，胎黄赤色表皮，内部不详。瓷化很
高，釉青白色极细润，没有纹片，印花小瓶有棱，
与宋景德镇影青之精润者极相似，此处定为邛窑
不知确否？②灰白釉褐绿斑纹器，胎紫褐色
与元钧羊肝胎相似，釉色灰暗重浊的白而加
有灰褐或褐绿大斑片，如口角耳鼻处都有
③三彩釉器：胎黄白色较河南唐三彩胎似
较硬些。三彩为黄白绿蓝红各色，色釉暗而
无光，一般多两色同用，作娇艳三彩斑纹如河
南器的较少。一种以蓝绿二色为主的，象与钧
器窑变相似，色调沉郁古雅，更为少见。造
型多与北方唐器相同。④各种色釉小玩具：
有人兽、骑马小人、小禽、各式小器具，三彩釉
胡人首（北方常见的）高鼻圆目卷发，极精致。
匣钵有两种：均为平底圆筒式，一高一低，器
身有穿孔三个。这个窑的年代约自唐经五代至宋，但元代如何就不详

邛窑匣钵二种

成都琉璃廠古窯：窯址在成都东门外琉璃廠，為近年新發現的，是一種三釉彩窯器。由器造型上看，年代是由唐——兩宋，主要的还是所谓宋三彩器為多。胎精粗作淡红或正红色，硬度不高；釉有白绿黄红（朱）各色，釉層厚而不光艷，造形也粗拙，明器形式有与南唐二陵出土相似的，大三彩俑高一公尺強作宋人衣冠，比唐器出于北方的大不如，而与鉅鹿出土的三彩器相似。

大邑窯址没有發現，他们把一種黄白胎半瓷化，灰白釉有开片的白瓷盌三件定為大邑。究竟有什么理由也没说清。只好存疑了！

忠县附近近年出土一種闪青灰白釉加鐵彩花的瓷器，他们暂名為忠州窯，但未發現古窯址，也没有别的理由。

涪陵縣附近出土的景德鎮宋青白瓷他们定名為涪陵窯。這兩处窯都須等将来证明。

彭州窯：今仍燒造，据说古代（宋）繁县、維縣都屬彭州，鉅鹿出土有維字款的青瓷或是彭窑出品。据他们说此窑唐仿越器、宋仿龍泉、明仿饒州、现代烧青花器，但無佳品。街市出品也難不及景镇很遠。据瓷商说榮昌县烧绿瓷，细察之实为一種紫砂胎沉绿釉陶器，与宜興石湾为近。附记於此

第四室 無標牌：漢墓画像磚九件，出成都北门外，抗战时修防空壕發现。方磚面上印出精緻的凸起花文，以鹽井、打獵收穫二磚为最佳。社会發展史的从猿到人猿有人头骨模型，獸骨化石，新石器时期的石器及陶器，（甘肃彩陶、龍山黑陶）瑞士湖上人及现代落後民族石器骨角器等。铁器有漢铁鐮、鑿、銼，鐮与画磚上的全同。南方出土的战國式銅鏡他们因为多从長沙得来，所以就名楚式鏡有一片四獸面花边鏡，銘文有"廣漢西蜀造鏡"，証明西蜀当时也是造鏡地之一

第五室 無標牌，陈列的都是西南少数民族文物，有藏羌苗彝……，都極为廣泛

系统而完整。各室廊路上有的陈列雕刻，有的陈列铜鼓。有一錞于，虎钮周围有象形字式的花纹，蜀地出土铜器上往往有之，有人推测是古代巴蜀人的文字，此錞有之可知此种乐器也可能是應源於蜀。辞出后往武侯祠。

武侯祠在成都城西南不远，内祀蜀昭烈帝刘備及武侯诸葛亮，西院有昭烈陵，俗传世的劉備葬陵。祠西廡祀蜀漢诸臣。院中古木森蔭，竹林夾路，荷塘曲檻，極為清幽，故来游的很多。

午前坐四时三十分成渝火車回重慶。

7月　16日　木　晴

午前八时餘到重慶，住太平门附近东升旅馆。午后调查往涪口船坞及联络博物馆参观事。

7月　17日　金曜日　晴

午前参观西南博物院。院在筹備期间，预定54年正式放開，為全國性的。内分兩部，自然科学部在北碚，也未開館，重慶的為历史

年　　月　　日（星期　　）氣候

部分。工作人员历史部60人，自然部50人。组织：①陈列设计部：调查、技术、编辑出版三组；

②保管编目部：保管、编目二组；

③群众服务部：因未开放，现仅有一组；

外(1)秘书室　(2)研究室。这机构将来是要改变的据说。资料重要而有特色的：

(1)汉代出土文物：古墓崖墓、造像方砖花画

(2)宋代瓷器：邛、成都三彩、大邑、……一般

(3)历代石刻：画像石刻、六朝隋唐等……全

冯汉骥院长和邓少琴秘书陪同我们参观了他们的藏品。据邓少琴说大邑古窑址在成都崇庆县怀远镇窑子乡发现了，但他们并没有亲自调查，也没有瓷片和窑具。

另一种仿建盏，黄胎黑釉，多有黄红紫色粗细斑点，有的有玉滴斑，据说四川出土很多，当是本省古窑出品，但窑址尚未发现。成都窑也有黑釉，但与此稍有不同云（冯院长说）

午后乘公共汽车往北碚参观。住北碚招待所宿舍。

10月

午後，往街内散步，顺便调查本市陶瓷的来路情况，一般瓷器较细的都是景镇出品；盛圈盘罐。大青大绿的小件都是醴陵窑出品。并在一湖南缸瓷店復湘裕经理口中得知湖南粗釉陶器出产情形：

（1）長沙北銅官窯——是一種很標準的琉璃窯，過去廟寺庵及大建築上的三彩釉裝飾物如鳥獸龍鳳人物像等都出自此地。現出釉陶器有①绿釉器，胎色黄而闪红，依器物大小而有粗细，硬度約与明琉璃三彩為近而稍軟。琉璃質绿釉②光強透明而有细碎開片紋。技工比較規矩，胎外多掛白粉，故有剔花（刻去粉层）作法，剔去白粉處釉呈綠，極為美观。器種大小皆全，也有印花胎作法，小的有三四寸的把壶、小罐，大的有二三尺以上的大缸，種類不少。②黄釉器，胎色技工全同，釉作乾黄色，有光澤，有时色彩微带褐黄或绿黄如鼻烟色。也有印花胎及剔花作法。器物大小皆全，單有流口的小罐很粗樸可爱。②深褐黄釉器胎色、作法，器種大致相同，尤多大小盖罐（中小型水缸。此窑出品很多，分佈遍达四川成都及各县，可与長江下游的宜山鼎山分庭抗礼。（当时买一单把小执壶）

（2）常德黄釉陶窑——在常德市附近，据说距城三十余里的某村。胎质细、作黄色或微红色。釉色較黄而薄，有时微带梨黄色或菜尾黄色，並無任何纹饰。硬度比較一般软陶大些。有印花的方格、古点、涡纹等装饰，器種大小皆全，小器往往有流口。

③湘陰鉄黑器——胎黄红或微紫，釉赭黑，而無任何纹饰。多掛釉僅及肩腹，日用罐瓶壶缸為多，火度較高，但技工較為粗拙。後兩種的銷路較差些。

按洞庭湖濱自古以产瓷出名，岳州窑自唐代就有名於世，並有大绿釉色，今尤或有関係，最低在原料上是有関係的。這也是研究古陶瓷史應注意的一点！

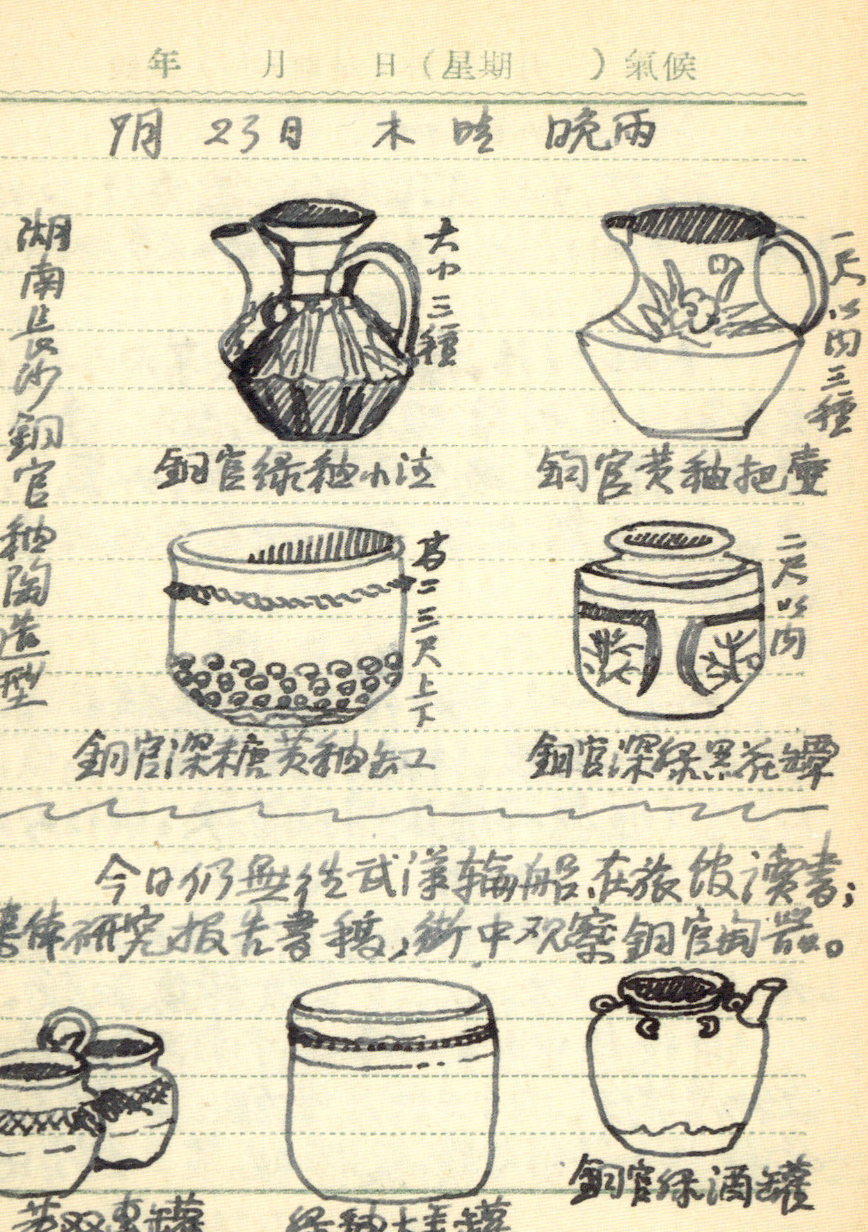
年　月　日（星期　）氣候
9月23日　木　晴　晚雨
湖南長沙銅官釉陶造型
大中三種
銅官綠釉小注
一尺以內三種
銅官黃釉把壺
高二三尺上下
銅官深糖黃釉缸
二尺以內
銅官深綠黑花罈
今日仍無往武漢輪船，在旅館讀書；集體研究报告書稿，街中观察銅官陶器。
黄双連罐
綠釉大蓋罐
銅官綠酒罐
111

7月　24日　晴　金

今天买得往武汉口的船票。午後12时上船，不久开行。船名新宝丰。船中人多拥挤不堪

7月　25日　晴　土

一天船上生活。据同船旅客某同志说江陵县有一小博物館，规模極小，陈列品多汉三國遗物，有漆花瓶、銅器、陶器、兵器等。这些东西多是解放後百姓掘墓很多，县委收回陈列的。

7月　26日　日　晴

午前十一时许到汉口市，住民族街老莲二巷新中南旅館。午後往武昌珞珈山武汉大学李之桢教授處取信及汇款。胡住于处

7月　27日　月　晴

午前往中南行政委员会文化局接洽参观事项。朱同志往李教授處取款。

午後往中山公园参观"中南区少数民族文物展览会"。内分三個展览館：第一館陈列各族男女等身大蜡像装模型、生产生活用

生产品积

及手工艺，文字歌谣，信仰宗教法器，分布地图、各种统计表照片等。第二馆陈列历代统治者虐杀少数民族的史实，用书籍图画及少数实物照片表现了秦汉以来到蒋匪帮压迫少数民族的惨酷可恨。第三馆陈列在毛主席民族政策下，少数民族兄弟们得到了自由，主要用照片图表表现。这一特展内容极为丰富，布置得也极为严肃朴素，特製陈列柜数种，都用少数民族的固有花样作装饰，各种介绍标语镜都是镀银铜字红缎地，雕花木框。说明人员是中南民族学院的同学们，各说本族的一部分，很使观众兴奋。

7月　28日　火　晴

午前到火车站换号买票。午后一时到汉阳市观览市容、及龟山附近。四时三十分搭车往郑州转西安。午前十时二〇分到洛阳市。住于火车站大众旅社。午后四时二〇分到洛阳专区公署文物保管委员会参观。由博看是

7月　29日　水　晴

午前七时许到郑州。

南望嵩山、北看黄河

同志引导我们参观了他们发掘周汉南宋古墓所得的文物。其中有大批象纹花纹空心墓砖、瓦、陶明器，一俑较少，屋舍鸟兽不多，主要是陶井灶等陶器。明器内有画彩大陶壶三十许件，有三彩五彩——白黄朱绿蓝，以云纹为多，多与镜边纹同，少数画龙凤鸟等，保存的很完整清楚。在周墓掘工作人员看着是同志说可能是西周墓出土灰褐釉陶豆二件，白胎微带黄色，稍粗而硬，较殷墟白陶低，外挂一层暗黄褐色釉，制作技工也不粗拙。其大致情况很和殷墟出土釉陶片相近，可说是属于一种原始瓷器类，殊足注意。汉初平三年墓（由于铜罐上朱文年号）出土一件褐黑釉细布纹四耳罐一件，黄细胎很硬，外挂黄暗褐色的黑釉，有四个方折足横耳，的是一种瓷器。自然灰式双耳小瓶也出于汉墓中，与在

黄釉豆

汉初平瓷罐

384

山东安徽所见的全同。铁器出于汉墓的有铁灯、铁剪、斧、锛、铁。晋太康八年墓在北方是初见，给我们以新知识。又于初平元年墓中出不少汉半两钱，很足注意。晚六时始退出。又汉墓出土陶仓中有粟、粳米、小豆等。仓外有朱书某谷万石等字。长方墓甎制作草率，没有花纹，与现在的同。

7月30日　木　阴雨不时　参观龙门

早六时往龙门参观石窟雕像。渡洛水还遇天雨，伊阙公路上不许行车，不得已冒雨徒步而往，经西岗闸羽陵诸村，于十二时到龙门。拨往河南省洛阳专署龙门保管所，由倪自励同志、马玉范同志、张等参观，所设于宾阳洞，下有双泉，水极清冷。河西各窟多是大作，保存也较好，宾阳洞在北端，共三大窟，附有若干小龛，主要是北魏作品，门侧有褚遂良书碑。下稍北是潜溪寺，门额书斋祓堂，规模较小，是唐代作品。由此下崖而南转，依次为敬善寺，下有锣鼓洞，即石窦中流水发鼓乐声；西珍珠泉，岩上有泉

泛泡沫粒粒如珍珠上浮。次双窑，分南北二洞，
规模稍大。次「万佛洞」顶镌莲花刻有「大唐永隆
元年十一月卅一日造」，右壁有「调露二年」，门左框上有「
沙门智运为皇帝天后太子诸王造壹万五千尊像一
龛」等铭款。次「清明寺」门东有「唐上元二年」西有
「牧风」等造像记。次为「老龙洞」稍破损，有「唐
永徽文」铭。次「莲花洞」主要为北魏作品，有「孝
昌」「建安」「普泰二年」「正光八年」铭。次下为「石牛溪
若窑」自然狭而内部通天成一狭谷，洞口两壁有北魏
造像两铺，俗传此窑为龙门名称的所起云。
次「魏字窑」有「孝昌二年」铭。次「唐字窑」有「大魏某
年及唐龙朔」款。次「奉先寺」规模最大，保存较好，
是唐武后赐钱二百万为其先人造的。次为「药方洞」
有北齐「武平六年」款，药方碑已渐漫漶。次为「古
阳洞」有「神龟二年」「正光某年」款，雕刻很好。这
些龛像有的被人无意损坏，有的佛头及手足等被
外国人盗走，有的造像记铭文为碑拓商磨
灭，极为可惜，解放后除保管所专人看守，并
加修缮，除自然力的侵损外，再不能有人为毁坏。

年 月 日（星期 ）氣候

此外南端高處及各處高龕，和东岸諸小洞因时间限制没有详看。於午后三时首途回洛陽，偕同志驗了途經鎮中。七时许到洛陽市。市中古物商店兩家，没有什么较重要的文物，僅一家有北宋汝窰刷花盌盖一件，但已残損不足观了。

7月31日 金 晴时雨

二时餘搭火車往西安，經澠谷、潼關，望華山於烟雨中。午後一时许到西安市，住於解放路和平旅社。飯後即时往西北歷史博物館参观，由何正璜及于同志引導参观。

西北歷史博物館以舊日博物館及碑林為基礎，解放後西北文化部成立後才正式成立，定它為历史博物館，去年中央指示為地誌館。今年（53）中央文化局来人口头指示仍作历史館。本年組織机構：（1）總務科（2）徵集科（3）陳列科，（4）研究室。館長武伯綸[illegible]，现往新疆省徵集文物去了。幹部24名，勤雜在内30人。没有说明员。藏品兩万餘件，以碑刻為重要。先参观了兩個历史文物陳列室：

第八室：古生物化石、新石器、彩陶、甲骨、殷铜器、周陶铜，战國鉄锹头，秦權量詔版，水道管陶質五方形。

铁锹

汉代较重要的有壶颈陶圆形水道管，外有绳纹，两節相接，据说出土于汉代宫殿遗址。

水管

汉水道陶管

绿釉、黄褐釉（红釉等）陶明器、灰陶明器很多，一件绿釉水亭，下为水盆，中立一小楼阁，下有鱼鳖作游泳形，上层有奏乐人像9個，作乐歌舞者都姿態生動，上盖瓦、吻、斗拱、方柱都作木構形式，是汉代建築的好参考品。褐黑色自然灰式壶罐各一件，高尺三四寸，两耳有纹，上出雲纹，肩画双鸟尾部連結的粗線花纹，紫色红胎，完全与青岛、皖南、四川等省所有的相同，重是一窑出品，惜不知窑址所在。本室又陈列了唐楊謙臣墓出土品一群，楊為汉楊震後裔，死年十二岁。出土物有墓誌一方朱書、三彩釉人馬俑、彩画陶俑、四鸟銅鏡、三彩釉小罐等，均極

年　月　日（星期　）氣候

重要。虎符、鍍金透雕花钗、铜铁生产工具。（有鏟）

鏟 唐

宋瓷、明三彩俑及陶瓷。清景泰蓝、漆器、牙玉雕刻等。元耶律氏墓俑尤为少見。

第九室 铜兵器、铜彝器、镜鉴。其中有金银平脱花镜一件，花纹虽有残损，但它是1952年夏季西安市郊区新开门村的出土物，确实可靠，亦是贵重资料。有婦鼎形状很美，也很大，文字虽然不多，但也是重器之一。其他常见的铜器也不少。此外到開成石经室一看而过，拟明天再来。因时已六点，该馆即将下班了。

8月　1日　土　陰雨

午前坐大板馬車往城南大慈恩寺参观。寺為唐玄奘法師译经處。有磚築七级方形大塔，内有木梯可登，每面一门，便於眺望。俗名大雁塔。科举中式的進士等多刻题名碑於寺中，所谓雁塔题名的就是指此塔而说的。塔下门右壁前有褚遂良書聖教序，左有聖教序記二刻石，碑下端浮雕一舞伎二乐人像，上有佛菩萨像，也侧刻蕃草花纹，上[illegible]刻双龙碑头，生石线刻花纹已多模糊。塔内各级有历代人题名极多，有的刻在下层四门上楣唐代线刻佛座中，佛像刻座受到损坏，很为可惜。塔前为四进的大慈恩寺。中有文物陈列室，陈列石像、石佛二十余件，都是本寺附近出土的，虽多残品，但足参考。十二时余回西安市内，又往博物馆详细参观。

博物馆门内右壁嵌唐太宗李世民昭陵石刻六骏之四，其他二马为美帝盗去。唐顺陵狮首二。

第一室陈列明清诗碑97种。廊下魏有隋造像四石，较为珍贵。

第二室陈列明清碑96种，廊下有明宗室小川公及夫人尤氏合葬墓志盖，四边雕刻双龙双凤花纹，极为精致，可为明图案花边的代表作。

第三室陈列图像碑，有禹迹、华夷图为刘豫阜昌时刻。唐兴庆宫、太极宫、两碑。明黄河图、华山、太白山图均完整不缺。人物像有孔子、寇莱公像，外有唐代细线刻人物像三石极可贵。

第七室 石台孝经

第四室：陈隋石经残石，唐碑残碑，隋舍利石，梦英和尚十八体书，篆书千字文，碑头有拓刻浮雕佛像，侧纹亦好。颜勤礼碑，道德寺大法师碑，背有阿弥陀雕像，上为浮雕，下为线刻，保存极好。

第五室：陈李阳冰小篆三坟记及栖先茔记碑。大智禅师及圣教序碑侧花纹有盛唐风趣。又 陈有唐杨執一夫妇墓志及墓门，石门扉上线刻女人像极为精工，周围花边蔓草也好，可代表唐代作风，也是研究唐代服饰的材料。

第六室：陈开成石经及碑林创起诸碑，前为石台孝经，碑为四石版合成方形，碑头如屋顶，座石有线刻花纹，可为唐碑一种新型式。

院中散放历代石刻很多，正要往文庙併入的陈列室中重植，所以不便细看。石木铜佛像也有些，也有很好的。六时许冒雨回旅社。

8月 2日 日 时雨

今日原拟往茂陵，明日往临潼骊山秦始皇陵及华清池参观，但因天雨，洛阳来宝鸡火车又一时不通，不得已提前去潼关。过

年　　月　　日（星期　　）氣候

风陵渡到太原直轄北京。早七时餘大车东去，午後叁时餘到潼关，西安潼关间山水很大，潼关縣城内也有一部民房被水。午後四时餘坐木船過黄河到风陵渡口，河浪多湍，船行很难。七时餘上北行火車，沿南流黄河北行，橋路多為山水冲坏，有时行車很慢，夜宿寝車上。

8月　3日　月　陰时雨

午後三时半到太原，住某市口四(南)旅館。晚飯後一部分人观览市街，我看晋剧。

8月　4日　火　晴

午前往山西省人民政府文化事業管理局接洽参观事。继往山西省图书博物館参观，值该館补八一休假闭館。继往纯阳宫太原人民文物館，又值该館例假闭館，不得已往人民公園参观。晚飯後调查市中瓷器情况，据说此地细瓷用景德镇和湖南醴陵窑器，是上等货品；次用山东博山和彭城镇窑器，多是红绿彩色器，彭城除黑白釉及黑花品外，也有偶白釉青花器。

但都較粗笨不精緻；一般民用粗大瓷物蓋由介休■红山及榆次孟家井二處運来，主要為鉄黑褐白釉色，有的白釉黑花，而有加黄花和粗五彩的，但質料技工都很差，是最便宜的貨色。購買了榆次黑花小碟一件，介休黑釉小盌小缽各一件。

8月5日　水　陰

上午8·45时参观山西省图書博物館博物部。該館博物部利用文廟為館址，以旧民众教育館和50年農工業展覧會的材料為基，包括自然部分和民主建部分，也有一大部分历史文物。

第一室化工室；第二食品工業室；第三動物標本室；第四历代兵器服装室；第五土产品室，有潞城五彩花白瓷，与唐山出品略同，陽泉县三区小西垴村之砂器一大鍋蒸罐等極佳。第六室農業室，第七历代文物室：有万泉荆村新石文化石·陶·骨·彩陶，绳纹鬲，漢張叔敬墓彩画及刻人物鏡（太谷县出土）次为六朝一清代的陶瓷器。第八矿藏室，主要为煤铁矿模型。第十雕刻室，未开放，由门窗窥看多为金属、木石佛像。院中廊下陈石刻碑碣墓志、雕像不少，主要在东门内廊下的有离石县马茂庄出土的汉中郎将左表墓室画像石大小十六方，花纹为平阳雕刻，内容为车骑人物鸟兽等，每边有卷草式的图案饰纹装饰，与山东四川等省所出的略同。北齐天保年款造像二件，方柱形，四面雕刻，有铭记，很精美完好。西门内陈历代墓志等，泮桥前陈陨石一块，铁质作扁球形，六十年前落于运城东门外，近年运来此馆；门外有较大一石，亦为本省陨石。此馆资料甚好，各代都完备，种类也很全，可惜选择、鉴定、陈列等工作做的较差，说明也较草略，柜架不整齐，光线很弱，就不能使它们起到应有的作用。继往太原市人民文物馆参观。

太原人民文物馆设在南门内纯阳宫（道教庙）内，绿瓦红墙，建筑很好，规模也很大該館是1951.11月開館的，屬市文教局管轄。幹部20餘人，分為總务、調查、保管、陳列四部。内有20個陳列室；第1傅山紀念室；有批書、手稿、墨迹、聯額、拓本、照片等。第2石拓室；第三四書画室；第五宗教藝術室，第六陶瓷室；第七、八文物室；第九本館文物照片室；第十清代文物室；第十一清代文物照片室；第十二本市出土文物室：重要的有市郊義井出土的新石器——磨石斧、有肩斧、石刀、石環，灰陶、彩陶、繩文陶、陶鬲等；1952.6月市郊淌洲坡青年園校内出土新石器斧、石環、彩陶、灰陶等。石斧有帶孔的尖嘴形器很少見。宋元祐石椁有雕刻花文。第十三印章室；第十四銅鏡；第十五十六貨幣室；第十七雕刻

義井出土紅花彩陶

同上

尖嘴器

室；第十八陸瓷室；第十九名勝照片室；第二十民藝品室：有銅瓷玉器直到漢代；第二十一室同前，由漢一明代為止。院中陳列石像碑誌、銅像不少，但不成系統。陳列室的陳列也較亂，說明和鑑定也有不恰當的地方，柜架也不太整齊。但物品量數量質量都不錯。作為一個人民文物館說是很好的基礎。

午後乘石蒲路火車由太原經榆次到北京。夜時々下雨。

8月　6日　木　時々陰雨

午前六時余到北京前門車站，覓旅館不得，不得已住於西琉璃廠榮寶齋新記。午後參觀在北海公園展出的中國畫研究会的特展。同時也觀覽了北海公園及什剎海園林內部分重要建築。晚訪徐梓臣於宮門口頭條甲31号。（參觀了陶瓷館）

8月　7日　金　時々陰雨

午前參觀歷史博物館、除歷史部分

原始社会一商周而外，又看了楚文物及京西郊明妃墓出土物。午间访问老画家齐璜，同约午饭于西单曲园酒楼。午后我往故博物院参观。

陶瓷馆的陈列内容：第一原始社会到唐代陶瓷陈列室：彩陶、龙山黑陶、殷白陶、釉陶、灰色硬陶。周灰陶、战国汉代的深黄釉陶，红胎深黄色而微红的釉，有较强光泽，是斗鸡台汉墓出土的。暗绿釉罐，三彩釉陶奁（白绿黄）较为少见。陈列绿釉器最多，但多是一般常见品。

黄釉奁

晋越器洗壶之属，灰胎淡青釉，有强光，多有印方点花纹，与浙江绍兴及南京古墓出土的全同。北朝中陈列划花盃托，黄白胎，闪绿青釉有细开片，与南湖岳窑器物全同，恐是唐岳器。北朝封氏墓（景县）出土雕镂花纹大壶，灰色胎，暗绿色青釉，有极细开片，釉堆处作透明玻璃样。隋代暗青釉高足

年　　月　　日（星期　　）氣候

盘、白黄绿三彩俑较多，含有若干通常认為是唐代的女俑在内。唐代也以俑为最多，白釉黄釉短嘴执壶一般都定为北宋，最早到五代，此定为唐。第二室元明陶瓷，第三清代陶瓷室，都是精品，种类也较全。但宋瓷开首陈列要掏，不知為什么？柜架有的很高，不能看清楚，陈列品的分类不明确，既没有窑具，也没有其他窑图和製作過程。瓷种也较少，有好多古窑都没有標本，如邛、岳、等等。但大体说是很好的展览。

8月　8日　　大晴

往西郊公園及颐和園观览。午後十一时餘乘京瀋快車回瀋陽。

8月　9日　　日晴

大虎山新民间一时不能通車，轉由黑山新立屯绕高山路，晚7时许到家。

东北博物报干部训练班鞍山实习

编者说明：自四月二十日起为赴京参加“全国基本建设工程出土文物展览”筹备与接待工作之日记。

1954年 4月 日 星期 氣候

东北博物館幹部訓練班鞍山实習

1954.4.12日早9.28时火車赴鞍山市，午后三时抵到沙河羊草莊工地——鞍山窯業第十一車间。晚飯后開教研组、文物隊、学習小组長聯席会，決定了作業和学習结合，劃分四个大组，每组三个互助组；每大组配備两位導師，一定名額的工人和工具等。視查刀錢出土地，採集鉄器

四月 十三日 火 陰

午前到現場視查一週，就急於用地的墓葬加以發掘，分与每小组一墓，正式展開实習。

晚開第一次团会，反映实習中发现的问题：

①大小工具不足，工人使用更不足，

②工人男多女少，生熟技工配備不均。

③第三组導師羅某，羅行政事務多，更較差，望调整。

④同学偏于掘土、忽視实習，

⑤指導跟不上，未能把理論和实践结合。

⑥有损坏文物现象，应注意。

⑦基於好奇心，坏墓不願作，跑出去看人家，慢工。

年　月　日　星期　氣候

⑧文物宣传工作要及时进行，瞖子墓出土(货币钱)

四月十四日　水　晴

一批男工作探沟，余分组进行发掘。鞍山七组一墓发现琥珀耳珰在原位置上，大头朝前，小头另有一小珠，钻孔相对很密接。

发现一土墓，一般墓各有二木棺痕，板很薄。两头一样宽，高度不明。

四月十五日　木　雨

因雨停工，午前午后两次分组学习。

晚饭後根据各各小组提出的问题，向全体先生和学员作了教研组主張的说明，逐一项作了明确决定。主要问题：①工具不足问题，②工人教育组織问题，③学习组織、方法，先生指導问题。最後總结的说明了三天来的学习所得，即发现的新事实新出土例出土物等的丰富学习课题。午间到鞍山市内买学习材料和用品。

四月十六日　金　阴

仍雨未能工作。晚接局館来信令去京工作。

年　月　日　星期　　氣候

十七日 土 十八日日 在館工作。

十九日 月曜 到局请示。

二十日 火 晚10时車赴京

二十一日 水 午後一时到京。到部見張珩處長報到，順便報告了文物隊和训练班的情况，旋即赴会展会场历史博物館午门。晚宿于大石作宿舍。

二十二日 木 晴大風

在会场作遺蹟分佈圖材料。檢查一次陳列卡片底稿，定明日正式書寫。

二十三日 金 晴大風

作分佈和各項统计材料。寫陳列卡片。唐蘭同志鑑定鉄範"司百"為"右酉"，年代為战國。史樹青同志看到以為"右農"，反山為草头，或"右司馬"，司馬為合文。藍陽銅戈銘史以為"中平城戈"。午后四—六时張珩處長来開工作会议，討論分佈圖、總說明、统计表等。

年　月　日　星期　氣候

二四日　土　晴

午前写印刷综说明。赵万里等四同志来京。午後开会决定东北留吕傅二同志作说明员。晚给东北文化局佟刘二科长信。

25日　日　晴

本日综说明分说明共七种均送大会审视修改。给说明同志作一次重点介绍。

26日　月　晴

陈梦家同志来谈倭肯哈达报告稿，午後开工作会议，重写说明稿。王赵邱徐来。

27日　火　晴　晚大风

郑王局长来会，开第二次工作委员会。同王振铎及曹院长等作全部陈列检查。午后[illegible]范文澜、翦伯赞二先生来。晚九时馀郭沫若院长来观，他认"西晋"二字为必要。陈列大致完了。

28日　水　晴　晚微雨

委员会编製说明书稿，陈列室加辅助材料图表照片说明。参報社照像午后六时余下班。郭璐圃来谈。

29日 木 晴

乘大汽车赴颐和園之遊會，晚六时许回，接家信及另一封挂号信留條，因本人不在明日留印才给。晚与徐旨倩议明日到考古研究所谈话提綱。

30日 金 阴时微雨

午前在考古研究開座谈會，由郑所長主持，他先報告了考古所的組織機構和工作情况与缺点、今后的方向。曾院長、馮院長及大巴同志发言。午间散会。午后在故宫博物院练習明日参加大会编排及注意事项等。接文化局来信。

5月1日 土 晴

参加中央文化部大隊，通過主席台的天安门前时，毛主席向大家招手，大家喊万岁不停。

5月2日 日 晴

年　月　日　星期　　氣候

午前到荣宝斋、小椿上二条22号找修钢琴技工赵同仁。又到东市和平画店及新华书店古典部。晚赴张处长宴会。午后上班整理陈列。

3日　月　晴

文教门部首长检查工作。给东北文化局打電请来人，后于電接东北文化局電话不来人。

4日　火　晴午后大风

招待军政首长。

5日　水　晴

招待外宾。接东北文化局命代表出席会议電报。晚参观朝鲜美[illegible]访华代表团演出会。

6日　木　晴

午前写稿件，午后参加行政部的报告会议。我以不知情况，只作旁听，未发言。

7日　金　晴

午前午后参加文物工作报告会，由中央文化部王書莊主持，各区各省负责人及工作

年　月　日　星期　氣候

普遍发言。报告情况、交流经验、提出问题。大会工作人员全体参加，在部中东四楼会议室举行，午间局设宴招待。午后7.29时车到站接训练班学员，即送到东郊宿舍。接东北文化局局長張處長李科長信。

8日 土 晴

一天開博物館保管座谈会。

9日 日 晴

往周口店参观。

10日 月 晴

開民族博物館座谈會（上午）午后往德胜门外看美协收購的古物。黄王郭来京。

11日 火 晴

聽局长報告，午後座谈會，局晚宴。

12日 水 晴

上午開小結座谈會，張處主持。午后到自然博物館参观。

年　月　日　星期　氣候

13日　木　晴转阴风

上午赴新改造陈列室，由王处长等主持，入场检查一遍，提出改正意见于陈列负责同志。午间见萧建中同志，言晚来会。下午参观辉县发掘展、伊朗画展、毛主席礼物展，完后回宿舍写稿。徐秉琨同志接头点对文物。

14日　金　阴

上午点对文物，午后参观[illegible]展览室，晚观剧。

15日　土　阴风微雨

上午造册、写稿，下午修图稿。郭、安、王三同志来商起运博物院拨交的瓷器。

16日　日　晴

上午九时送训练班同学回沈到车站，回会接招待外宾。午后在会作笔记。晚见[illegible]。

17日　月　晴

年　月　日　星期　氣候

午前準備及作筆記。午後在開文物展座谈会，財政部、燃料工業部各大学研究所历史工作人，专家、大區行人员参。鄭部長請晚宴。郭文軒同志来宿舍。

18日 火 晴

上午同郭史王三同志到故宮看瓷器，及到大高对清册调整文物。近午东北博物館参观团来。下午开總結会，王主任、張處長主持，六时四〇分完。写信补銅器。赵同仁打電話不在。

19日 水 晴

今天陪东北博物館参观团参观基建出土文物展。见王、史、郭三同志。

20日 晴 木

上午与郭文軒同志到美術协会商店看工艺品。午後，听尹達、鼐文中等報告苏联考古学年会情况。晚赵同仁来，闲座谈会与四川。毛主席到會参观。

年　月　日　星期　氣候

21日　金　晴

上午在文化部社管局与人民日报记者于明座谈会。考古会刊物座谈。

下午参加北京市文物组招待茶会。

22日　土　晴大风

上午到文物组看16号新闻周报的北京基建出土文物展。继乘大汽车到北京北郊清河镇看汉晋古墓及战国—汉遗址。

下午到大会看看，到文化部宿舍见东北博参观团，金不在即回大石作宿舍，金在小谈。~~■~~朱科长来谈

23日　日　雨

一天在大会及故宫与徐信二同志等参观。晚车朱、东北参观团分头上海和回东北。接东北文化局信。

24　月　晴

上午在文化部开考古训练班座谈会，出席有郑部长、张处长、向达、裴文中等。

年　月　日　星期　　氣候

午後在科学院历史研究所第三所開历史座谈會，范文澜先生主持，王冶秋局長、俳秘書長大迟、考古所陈安等人出席。讀彩陶和黑陶问题。

徐吕偕去考古所参观。

25日　火　晴

上午往文化部，取文物保護工作小册五十册、纪念23个，継到故宮文化部的文物庫看东西，無太必要用的。継同徐邦達找董陽（畫）冢墓壁画摹本，他拿無忆了。到历史博物館查找，把他们借摹的画和底稿取出，知缺的两幅他们没借来，摹本是由印刷品上用九宫格放大画的。因此他说不在这裡，恐怕印刷製版照像时生了錯是一、二副。前年故宮也借陈過董陽坪画，也可能没還或没還这些，都可查找。下午到新华买地质知識，没有了。晚張館長胡同志来。

年　月　日　星期　　氣候

26日　水　晚雨

上午同張館長等到文化部社管局報告工作情况、下午到历史博物館参观。吕徐在車站买車票、

27　木　晴

上午到了娴家一坐、飯後坐車到車站、午後一时餘登車出发。

28　金　晴

上午五时到濬。

关于辽阳江官屯古窑址的笔记与资料

编者说明：关于辽阳江官屯古窑址的资料有：1.辽阳县江官屯古窑址的笔记5页，写于“东北博物馆”红栏公文纸上（署“1955.6.25”）；2.各种支具装烧法推测复原图6页；3.辽阳江官屯附近简图1张（署“1955.6.25”）；4.“熙宁元宝”“雕花素烧陶片”“瓦砚背题字”等拓片4件。

東北博物館

辽阳县江官屯古窑址 1955.6.25.

江官屯（江官屯）在辽阳县城东偏北约六十里的太子河南岸上，属县十区（安平区）黄岭堡子村，本村为自然屯，居住农户170余户。村东西长约二里，北靠太子河，前有前山，河山之间（又名大东山）宽约半里。村后太子河由东向西流过，流水较急。南岸高出河面7—10公尺的高崖，（该地结合前河岸为阶地）河北是一片很广阔的砂石和沙滩。据村人说河水过去紧靠南岸，村中有一条东西横街道久已冲刷不存，现后一条街的位置约在今日河心。村中尚有一间清代的庙有石狮、山门，门前石碑两座，今已残存（不存），仅有石碑座立河岸，不久也有崩塌的可能。村中地势较东为西两方稍高，从河中横看黄土层。在岸上断塌的河崖断层中不断发现窑址、窑渣、窑具、事物如：灰坑等。瓷片，窑具，窑具片，各种生活用具残片很多，有的掉落河中，顺水流失很多（本村房舍院墙上的窑具支柱约占石头的15%上下）。现在河岸下据村民说每年雨水冲村，村民房舍院墙上都有拾来的耐火窑柱等砌成墙者。现在河岸断崖露出文化层情况：

（1）位置在小学校东约80公尺。深入地下1—2公尺。出土物有：窑具，窑渣，支具，瓷饼，白

辽阳县江官屯古窑址笔记之一

瓷片，黑釉、酱釉瓷片。有极少绿刻花纹及黑色画花瓷片。有硬胎绿釉板瓦、绿釉龙纹瓦当片。

(2) 地点：遗物层 深入地下1.20M，层厚约10cm.，层長9M；为坩鍋中保存的多色釉质凝塊層，计有多種濃度不同的藍、绿、茶、褐等色。这種东西曾在遼中京大定府址（热河寧城大明城）中发现过，也都保存在残破的细高的煉鍋残片中，它是如何製造？如何使用？都是不明白。

(3) 残窑窑址：三個均深入地下1.10M。①有窑壁一段厚80cm.，内用耐火塼，外用大河卵石。附近出有不少煤塊和木炭，都和瓷片夹雜共存。②存大量红燒層土。③存窑床白红土。

(4) 灰坑：深入地下1.10M，有大量燒灰、獸骨、陶片、多色瓷片、木炭、窑塼、石塊、卵石等。

(5) 建築物址：在阎帝庙东方不远，深入地下1M，石牆基一道，係大塊石材拟砌。下有多種瓷片，东端附近有製瓷原料的石英和長石粉末的遺存。

(6) 廢窑址：①存粘連耐火塼6塊，圓坑外圍存有石塊很多。圓坑径2—2.46M，深入地下约1.35M，耐火塼下有红燒土層。②窑坑径2.40M，上部有圍石，下部存不少耐火塼。

(7) 廢窑坑：二処，均深入地下1M，多白瓷黑花器，黄釉、黑釉器，绿釉瓦片，附近採

東北博物館

得熙寧通宝銅錢二枚。

(8) 窯渣堆：在村前大道南小丘上，也可能是窯址或窯址附近。多黑釉碟，中心多無釉，或内底上一圈無釉。仿磁州白瓷黑花器较粗糙。有灰白釉画赭色花小筒子盌片，具金元风格。 各地点出土的窯磚規格：

① 厚5—6cm，存長23cm，存寬12cm，面上粘有渣餅，侧面粘有白瓷碎片。

② 大塊窯壁残塊，一面有多层痕迹（当是多次墁土燒成的窯壁），表面有鉄赭色厚釉层；体積為19×14×14cm.。

③ 14×14×16—28cm.；

④ 10×20×22cm.；

⑤ 13×14×22cm.；

⑥ 孙長増家藏全磚四方：27.5×23.5×14.5cm.，一侧面有鉄赭色自然釉。

⑦ 厚4cm，存寬16cm，存長12cm.。

江官屯窯支足規格

①直径13cm，存長16cm；

②直径10cm，存長30cm；

③圆角方形，径13cm，存長16cm；

④一端方柱，径9cm，存長25cm，一端圆径9.5cm；

⑤直径6.5cm，存長16.5cm；以上各器均一侧面挂有自然釉；

⑥扁柱状，8×13cm，存長12cm，三面挂有自然釉，当是横置的结果。

江官屯村西南窑址

山西窑址：在村西南方里许，南山西端平地上，正在江官屯往英守堡子去的大道东侧取土壕中。沟岸现出窑渣堆及灰坑不少，附近当有窑址。多白瓷，黑瓷，酱釉器也有发现。白器有的内底一圈无釉，有的中存三個泥渣痕。白瓷黑花器较少。

巖州城门口窯址：在遼陽縣三区（鏵子溝区）高麗寨村岩州城下太子河北岸上。城门口屯正位於岩州城的山城口，居民40餘户，都是農民。村後半里許近东山坡的黄土坎上有明显的窯坑兩座，一座保存完整，一座已被運取黄土的村民破坏了一大部分。窯址前东西向有窯渣堆一道，長约四五十公尺，堆厚二公尺至上下。多种匣鉢，支足，渣餅及用法不详的窯具残片，黑釉缸、罐、瓶、壶、盌、碟片。盌碟多中心一圈無釉。砌窯塼有三種：①13×13×14cm，②4×13×?cm，③13×22×?cm；匣鉢有四種：①高28.5cm，厚2cm，直径23cm，底孔径9cm，②高18.5cm，厚2cm，直径24cm弱，底孔径?cm，③高13cm，厚2.3cm，直径24cm，底孔径8.5cm，④高？厚1.6cm，直径50cm，底孔径37cm。圆柱支足：圆径8cm，長22cm，一端有釉。

辽阳县江官屯古窑址笔记之五

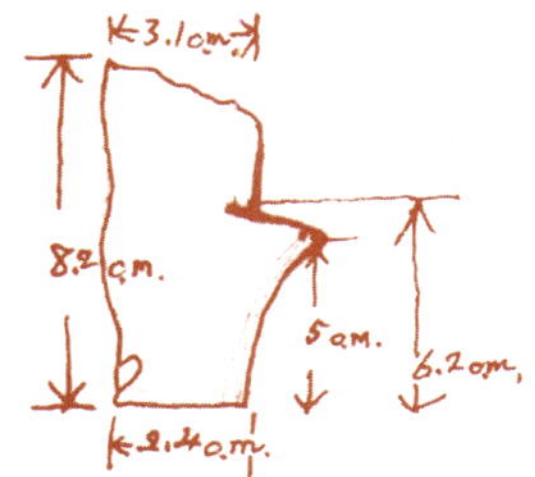

大型環形支墊工具

圓餅形支具

粗耐火土製成板狀圓餅形，兩面除近边縁和圓圍側面掛有自然釉汁，都似有圓形物品遮蔽而沒有掛釉的様子（現深黄色），尤其边縁一面釉汁厚而有光，似在上面。据这種情形推测，是個一種上下兩物的中间支架用具。

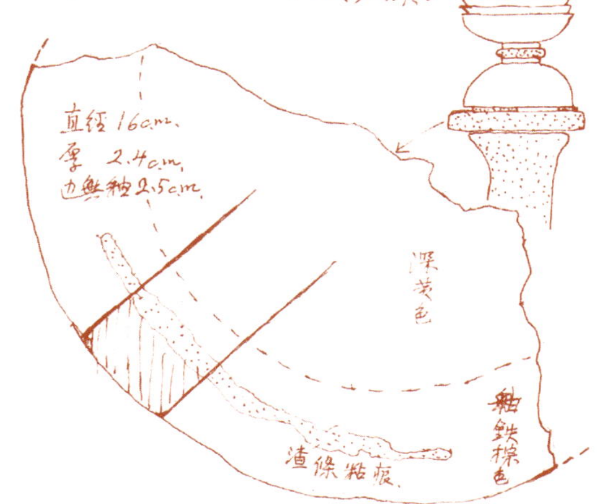

方匣鉢装烧法推测復原

匣鉢方形，僅存一角，黄色兼紫黑点及少量白石英粒的耐火土製造。除底下以外都掛有鉄紫色釉，外面光縟較強。存高10cm.，一面存宽10cm.，一面存宽5cm.。立壁厚2.3cm.，底厚1.7cm.。

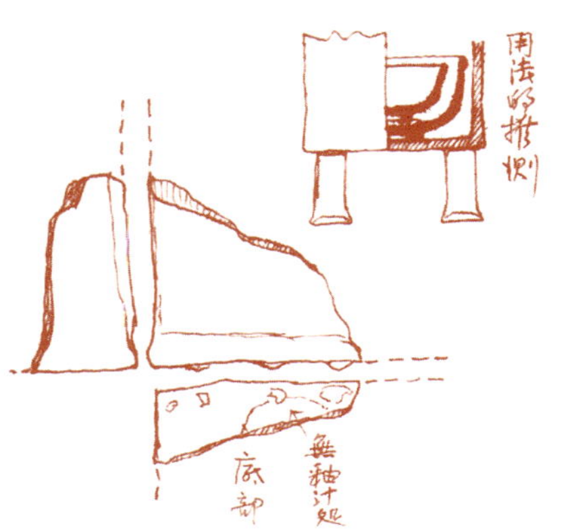

輪形支具用法推测復原

較粗的黄色耐火土輪製成圓板輪形。上面有鉄褐紫色釉及点子，边側尤顯著，下面有灰而微闪绿色薄釉，也有鉄紫色点子。這種釉汁似乎是自然的，不是人工的。下面有圓柱支具痕兩個，一大（6.5cm.）一小（5cm.），圓痕中也沒有釉汁。

装架僅能推测出一层的情况，上面究係如何装架尚無有力证明，也可能是用同樣方法再向上積累。

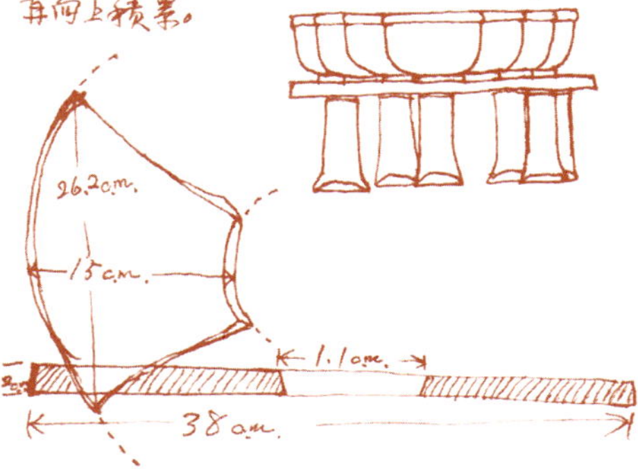

辽阳县江官屯古窑址各种支具烧法推测复原图之一至四

支架装燒法推測復原圖

根据落砖上残存的足渣餅、支柱痕，可推測有此種装燒法，但器外必有障火工具，现尚無任何發现。

環形支具装燒法推測復原。

淡黄色细耐火土製胎，拉坯也很细緻。胎内含有少量鐵質黑点和微细孔隙。

這種环形支具是定窯最發達的一種燒窯具，此地發现足底澁釉瓷就是這種疊燒的出品。

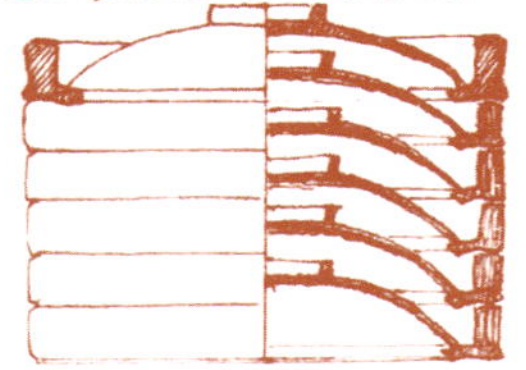

環外未掛釉的支具装在匣鉢内燒造的。

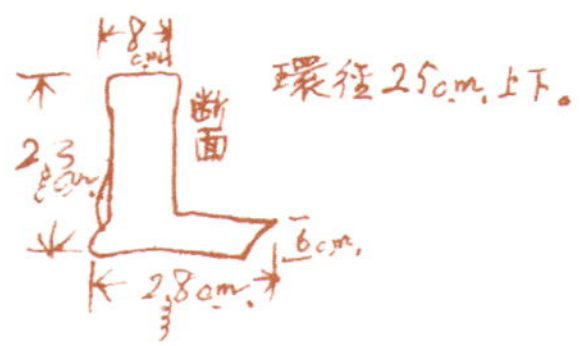

辽阳县江官屯古窑址各种支具烧法推测复原图之五、六

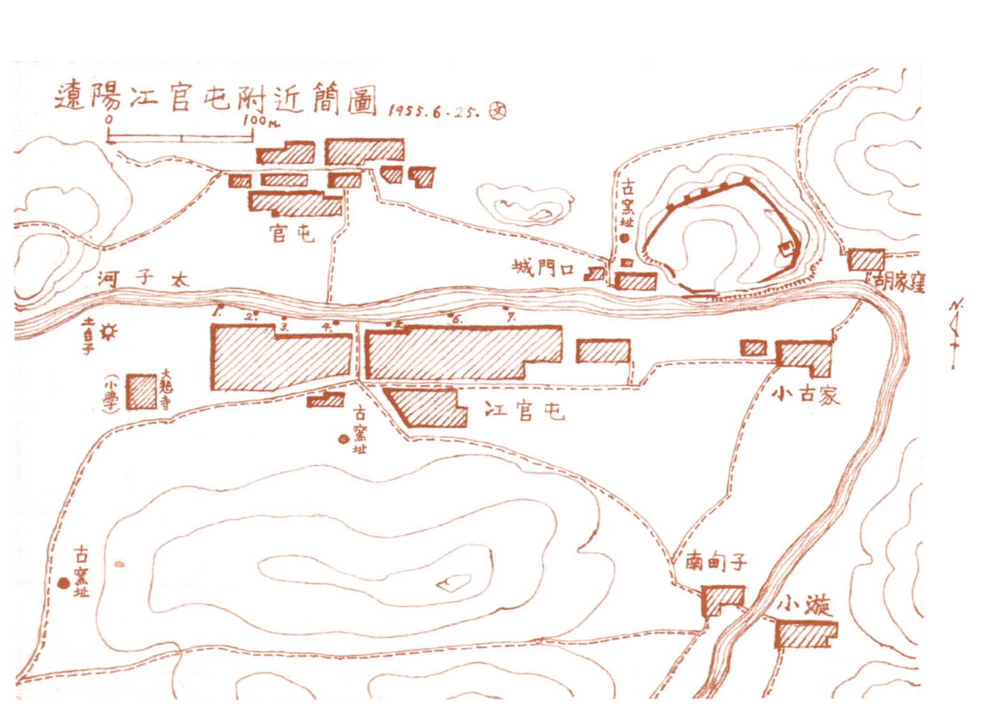
遼陽江官屯附近簡圖
1955.6.25.
0
100M
官屯
河子太
城門口
古窯址
胡家窪
1.
2.
3.
4.
5.
6.
7.
土台子
小學
大慈寺
江官屯
古窯址
小古家
古窯址
南甸子
小灘
N.

江官屯附近简图

篆文熙寧元宝　　楷書熙寧元宝

江官屯窯 剔花素燒陶片

瓦硯背題字拓影

江官屯窯址附近出土

江官屯及附近出土古钱、陶片、瓦砚等拓片

《水经注》批注

壹、鲍邱水

一、渔阳石门，属国石门。

〔原文〕濡水又东南，迳石门峡。山高崭绝，壁立洞开，俗谓之石门口。

二、错误！

〔原文〕蓝水注之，水出北山，东流，屈而南，迳无终县故城东。故城，无终子国也，春秋襄公四年，无终子嘉父使孟乐如晋，因魏绛纳虎豹之皮，请和诸戎是也，故燕地矣。秦始皇二十二年，灭燕，置右北平郡治此，王莽之所谓北顺也，汉世李广为郡，出遇伏石，谓虎也，射之，饮羽即此处矣。

冯永谦按：《水经注》将秦汉时期之右北平郡置于无终县故城，为秦所置，汉代李广为右北平郡守时，曾有夜巡见草中卧石以为伏虎，遂以箭射之，平明往视，是石也，非虎，而镞已没入石中，这是历史上很有名的故事。但右北平郡治平刚，其地不在无终，现经考古调查研究证明，所在是今内蒙古自治区宁城县黑城村古城。故李文信先生在早年读《水经注》时，即认为此说错误，定点不当。

三、观鸡寺火坑。

〔原文〕巨梁水注之，水出土垠县北陈宫山，西南流，迳观鸡山，谓之观鸡水。

水东有观鸡寺，寺内起大堂，甚高，广可容千僧，下悉结石为之，上加涂墍，基内疏通，枝经脉散，基侧室外，四出爨火，炎势内流，一堂尽温，盖此此土寒严，霜气肃猛，出家沙门率皆贫薄，施主虑阙道业，故崇斯构，是以志道者多栖讬焉。

贰、濡水

一、难河音近濡，后作滦河。

〔原文〕濡水自塞外来，东南过辽西令支县北，镇北百四十里，镇东北二百三十里，西北入难河。濡难相近，狄俗语讹耳。

二、旧庆州在大宁北六百里。

〔原文〕濡水又北，迳沙野西，又北，迳箕安山，东屈而东北流，迳沙野北，东北流，迳林山北（官本曰：按后有木林山水，其地即唐之松陉，疑林山及木林山皆松林山之讹。……又曰《北边纪事》旧庆州在大宁北六百里，西南至开平八百余里，地皆大松，号曰千里松林，……)水北有池潭而不流……

三、白檀县，属渔阳郡。

〔原文〕（濡水）又东，出峡，入安州界，东南流，迳渔阳白檀县故城。

四、《汉书·地理志》作：洫水出北蛮夷。

〔原文〕地理志曰：濡水出县北蛮中。

五、石挺为承德市棒槌峰。

〔原文〕又东南流，迳武列溪，谓之武列水，东南历石挺下。挺在层峦之上，孤石云举，临崖危峻，可高百余仞，牧守所经，命选练之士，弯张弧矢，无能届其崇标者。

六、安乐，西汉渔阳郡属县。

〔原文〕濡水又东南，五渡水注之，水北出安乐县丁原山，南流，迳其故县城西。

七、青陉凡城二百许里，凡城东北至平冈可百八十里，向黄龙则五百里。

〔原文〕卢龙东越清陉至凡城二百许里，自凡城东北出，趣平冈故城可百八十里，向黄龙则五百里，故陈寿《魏志》田畴引军出卢龙塞，堑山堙谷五百余里，迳白檀、历平冈、登白狼、望柳城，平冈在卢龙东北远矣。

八、此非西汉阳乐县。

〔原文〕西南流，右会卢水，水出县东北沮溪，南流，谓之大沮水，又南，左合阳乐水，水出东北阳乐县溪。

九、肥如县，为古肥子之迁国，似不足信。

〔原文〕桑钦说，卢子之书言，晋既灭肥，迁其族于卢水。

十、案：西汉新安平县近塞，不在滦河流域。

〔原文〕新河又东，分为二水，枝渎东南入海，新河自枝渠东出，合封大水，谓之交流口，水出新安平县，西南流，迳新安平县故城西。

叁、大辽水

一、白狼入辽，为郦氏之误。

〔原文〕辽水右会白狼水，水出右北平白狼县东南，北流，西北屈。

二、渗津河。

〔原文〕又西北，石城川水注之，水出西南石城山。

三、窟窿山。

〔原文〕北屈，迳白鹿山西。

四、魏武征蹋顿。

〔原文〕辽西单于蹋顿尤强，为袁氏所厚，故袁尚归之，数入为害，公出卢龙，堑山堙谷五百余里，未至柳城二百里。

五、黄道营子古城。

〔原文〕白狼水北迳白狼县故城东。

六、凌源河。

〔原文〕白狼水又东，方城川水注之，水发源西南山下。

七、安杖子城。

〔原文〕东屈，迳方城北，东入白狼水。

八、非昌黎故县城，应劭说是，东部都尉焉能驻此。喀左东北，北朝时，即十六国燕之昌乐。

〔原文〕白狼水又东北，迳昌黎县故城西。

九、喀左牤牛河。

〔原文〕高平川水注之，水出西北平川。

十、文城县，北公营子。文城县，倭人城，音近，扎赛营？

〔原文〕高平川水注之，水出西北平川，东流，迳倭城北，盖倭地人徙之。

十一、老虎山河。

〔原文〕白狼水又东北，自鲁水注之，水导西北远山。

十二、北票牤牛河。

〔原文〕白狼河……又东北，滥真水出西北塞外，东南历重山，东南入白狼水。

十三、白狼入辽致误之由，是误认南流注入白狼河的细河为北流水，其上源又与绕阳河相连，故东入辽水。

〔原文〕白狼水又东北出，东流，分为二水，右水疑即渝水也，《地理志》曰：渝水首受白狼水。

十四、河连城，应即扶黎城，汉夫黎县、夫黎营。扶黎、沃连、沃黎，隋唐燕州。

〔原文〕渝水首受白狼水，西南循山，迳一故城西。世以为河连城。

十五、细河。

〔原文〕疑即《地理志》所谓侯水北入渝者也，《十三州志》曰：侯水南入渝，《地理志》盖言自北而南也。

冯按：此指侯水，即今细河。

十六、女罗，隋辽西郡治。

〔原文〕渝水又东南，迳一故城东。俗曰女罗城。

肆、小辽水

一、大梁水出北塞外。

〔原文〕（小辽）水出辽山，西南流，迳辽阳县，与大梁水会，水出北塞外，西南流，至辽阳入小辽水。

伍、涢水

一、汉志有涢水县，无临涢县。

〔原文〕涢水，出乐浪镂方县东南，过临涢县，东入于海。

附记：在四十多年前，购书还不十分方便，因此常有抄书之举，以积累研究资料。当时曾借《水经注》来，读后便抄，不想其中有李文信先生的批注，抄时即另用红颜色笔将批注也一并迻录。今天辽宁省博物馆拟再版《李文信先生考古文集》，原批注过的《水经注》今已无寻，现捡出当年抄书过录的非常难得的批注文字，整理出来，以使之留传后世，此既是对先生的最好纪念，也将有益于今后的学术研究。冯永谦谨识。

手抄《古今图书集成·职方典》批注

编者说明：此抄本批注，抄于16开红格横排原稿纸上，深蓝色钢笔抄写，每页17行，每行17字。分别装订为三册：一、“盛京、乌喇、宁古塔山川考节录（古迹有关的，引盛京通志）”（计27页）；二、“盛京、乌喇、宁古塔古迹考（通考）附关梁边门，古今图书集成·职方典节录（有删节）”（计32页）；三、“盛京、乌喇、宁古塔城池考（通志），古今图书集成·职方典节录（原文未删）”（计43页）。各册首页均有“李文信钞注1962春”字样。

今经整理后，列出以下各表，表中左栏为与原抄文有关的字句，右栏系先生的批注或行间注。

一、盛京、乌喇、宁古塔山川考节录

原抄文	批注或行间注
壹．奉天府山川考节录（古迹有关的山川）	
兴京	信按即赫图阿剌城——老城
青龙洞山	信注：有青龙洞——水洞
呀儿哈山	以下三山为清太祖时三关所在
通同谷即通同火罗	火罗、谷也
毂勒峰即毂勒哈达	今称古楼，古勒城所在。
滩舟山	为奉吉孔道，也称滩州。
青龙洞又名水洞	今本溪县谢家崴子钟乳洞，仍名水洞。
清河城西南一百四十五里。原出呼岭	似有脱字
塔山	信按即陈相屯东塔山，距奉集堡不远
歪头山	信按即边牛录堡子山城
老虎台山	信按即抚顺老虎台，有煤矿。
首山……改为驻毕山	信按：驻毕山乃沿辽史之误。
石城山……今犹呼岩州城	信按：今称燕州城。
金塔寺	信按距析木城甚近。
山城山	信按在姑嫂石附近小山上。
平顶山……又曰唐望山	信按今多称唐王山，曾出土铜剑布泉等。
石棚峪	今属营口县，上有石棚。
迷真山	今庙毁，大金天聪碑存。
汤岗	今汤岗子小山，上原有娘娘庙，今毁碑存。
铁坊山	今称李官村山
石棚山	今称石棚庙
得利山	得利寺山城
石棚洼	信按里程，当即归州仰山子石棚附近。
青石岭	解放后因展筑道路拆除
石城山	是建安城
浮渡河	经李官坟村转北到归州入海
新安河……源出新安铺南入浮渡河。	信按新安铺，可能为辽金宁州新安县故址，今称西阳台村。
英额口山	信按英额口即英额门。下在哈达河条又作大央阿岭

续表

原抄文	批注或行间注
刁跸山	信按今名调兵山，属法库。
蛇山	信按辽州属县有蛇山即此今属法库
青苔峪	信按：明设青苔峪城，今名青城子。
连山	信按：明设关于此。
青云山即平顶山	信按：今本溪市平顶山
狗儿岭	即狗儿汤，今设温泉寺疗养院。
青云山即平顶山	信按：今本溪市平顶山。
孤山	明设孤山堡
杓子河	今称哨子河
大黑山……上有古城	信按古城即隋唐卑奢城
南关岛	信按：即辽苏州关所在地
黄金山	信按指为唐金山大误。山下有唐崔忻井，刻石日本盗去。
铁山	信按今多呼为老铁山。
羊头嵎	信按：今作羊头洼，有原始社会遗址。
望海嵎	信按：有明刘江歼倭寇堡址
贰．锦州府山川考节录（古迹有关的山川）	
女儿女	信按一城址犹存
高儿河	今讹称狗儿河或高丽河，土堡仍存。
温泉……旁有陨星石	信按陨石已不知所在。
牛心山	信按辽有牛心山，见北蕃地理东京条。唯云牛心山馆，在牛心山中，东至宜州百里，西到霸州六十里。距离似不相符。
二道井北岭	按二道井子是沈阳北京旧官道
牵马岭	信按辽金即有此名
叁．乌喇宁古塔山川考节录（古迹有关山川）	
乌喇	（船厂） （山川皆以船厂计其方向远近道里）
衣车峰	信按衣车满语新也
阿脊革何托峰	信按何托满语城
山之西有哈达旧城……在开原界，今已毁。	信按金毓黻东北文献零拾卷四金山及哈达条引日人和田清“明初蒙古经略”附图，定哈达于海龙山城镇西方云。

原抄文	批注或行间注
布儿法库苏把儿汉山	信按苏把儿汉，蒙语塔也。
阿尔楚哈河	按即今阿什河，古按出虎水即金河也。
诺尼江……东注入海	信按即嫩江
理河……源出斡	原作斡
叆河……西南流入鸭绿江	“流”后有“（误）”——编者注
鸭绿江……又西南至安市	信按应作安平。
宁古塔	山川皆以宁古塔计其方向远近道里
海栏河	金曷懒甸元海懒路在此
	肆．奉天府无考山川
奉天府无考山川	清人已不了解的古山川
安平山	今大安平有弓长岭铁矿
又西南至安市	信按应作安平
斡罗山	信按辽东志山川作斡罗山是
木叶山……广宁中屯卫东三十里	信按广宁中屯卫即今北镇县城
今按辽史木叶山……广宁县北边外之地	此望祭处
金山	信按金毓黻东北文献零拾卷四“金山及哈达”条，引日人和田清“明初蒙古经略”附图，定明初纳哈出所居之金山，在今双山县（板打窝棚）北之金山堡。
祁黎山	信按祁黎山见辽史金史，地在顕州懿州附近不在旧吉林界内。
兀良河	信按当是洮儿河上游或一支流。辽东志卷卷九外志，海西西陆路有兀良河一站。
塗河	信按明人把老哈河入西拉木伦河后，直至辽河南曲处，统称作塗河，实误。
龙安一秃河	信按龙安今农安，一秃今作伊通，本志作易屯。
沓渚	信按汉有沓氏县，沓渚在其近旁，为海岸码头。
忽剌温江	信按今呼兰河，在哈尔滨江北。
一迷河	信按今名饮马河，本志前作衣儿门河。
稳秃河	信按结论错误。此乃吉林市西郊温道河子河，本志前作温德恒河，城西南五里，原出库鲁讷窝集，东北入松花江。
扫兀河	信按今名岔路河，本志前作撒沦河。秃鲁麻河当即衣儿门河，今通称饮马河。

续表

原抄文	批注或行间注
忽儿海河	信按，按语甚是，虎儿哈河今牡丹江，古名忽汗河，胡里改江。
忽汗河……今无其名	实即上水
金水河	信按此河即今阿竹河，在哈尔滨市东北入松花江，古名阿勒楚格河。本志前作阿尔楚哈河。
恤品河	信按：今名绥芬河，本志图作隋分河，山川条作遂分河，南流入海云。

二、盛京、乌喇、宁古塔古迹考（通考）附关梁边门

原抄文	批注或行间注
古今图书集成·职方典 172 卷 奉天府部汇考四——奉天府古迹考（通志）	
奉天府部汇考四——奉天府古迹考（通志）	文信按此考疏略简陋，多沿辽史地志和明统志之误。每不足据。今按原节列为简目以备参阅，可用的多录，不足信的仅存名目。
古平州	文信按平州村，有上平州之分，虽有土堡，实与公孙氏所置的平州无关。
古辽州 与辽所建在广宁者不同	文信按辽在广宁界内所建者，为辽州，即今新民县之辽滨塔村古城址。
古鹤野县　在今州城西八十里	引明志
古宁渊县 在县城之西南、耀州之东北	信按误
古铁州……今县城东九十里有铁坊堡，即其地也。	与下条矛盾而又误。
古秀岩县	信按明志书记盖州卫东二百四十里有旧秀岩城，二百五十里新秀岩城，非谓其东十里也。
古得利嬴城　在复州城东南	信按应作东北
古通州　按其地在今县城西南，旧址无考	大误
古隆州　今按其地应在县东	信按大误
古庆云县　明于此置站，今城西南四十里，庆云屯是也。	误
古咸州 今按其地应在县城东诸山中	信按大误
古平郭县　旧址无考	信按以上两条，应属开原。
古清安县　在县城东北	信按大误

原抄文	批注或行间注
古荣安县　在辽河之南	信按大误
古贵德县 有范河即汛河。在县城之南	信按误
古柳河县　以栒河、柳河为内外辽河和巨流河	大误
临津县　旧址无考	信按以上二条，应属开原。
古保州　在鸭绿江西北	误
古宣州	宣为绣岩之讹
渤海东京城　其遗址不可考，皆在凤凰城界内之地	误
古婆娑府……今属凤凰志所辖地，旧址无考。	信：九连城址
古临溟县……今其地属凤凰城	误
古率宾府……今按建州在兴京界内	建州非建州卫，大误
古苍岩城　以上三城，皆在金州界内，旧址无考	大误
哈斯罕关……今在金州城南十八里	文信按：合厮罕猛安既在复州界，面积又七百余里，自然与在金州南十八里的合厮罕关非一事。其地迫窄，当时不属复州，与金史记载实不相符。
古今图书集成·职方典 177 卷 锦州府部汇考三——锦州府古迹考坟墓附（通志）	
古开州城	文信按即辽海北州倚郭开义县
古瑞安县	文信按即辽来州倚郭县，今前卫镇废城是
古海滨县	文信按海滨为辽隰州倚郭县，在今兴城西不远。山海关东递运所古城系古海阳县址。明统志沿辽史颠倒海阳为隰州、海滨为润州附郭县的错误。金史地理志有正确记载。
古严州	信按遗址在兴城县南海滨不远的四城子。
古兴城县	文信按所记实误，县即严州倚郭，不能离严州别求遗址。此考多有这种无知的错误。
古长城 即秦将蒙恬所筑，历代增修	信按大误
古兴水县	文信按，即辽神水县，音近讹为兴水耳。
古紫县	汉县，误
古奉先县　辽置严州	信按应作显州

原抄文	批注或行间注
古钟秀县　本辽奉先县	信按应作奉陵县，系乾州倚郭
金改钟秀，属广宁府，元省入闾阳	信按金改县移治于闾山南，见金王寂辽东行部志。
古钟秀县……按明一统志：在今县西南三里。	信按遗址在北镇庙前
古广宁县	信按即今北镇县城
古辽西州	信按辽西州应在闾山西，今义县城东南，不在城西。
古长庆县　辽置，为辽西州属县	信按为州倚郭，非属县。
古弘政县	信按县为宜州倚郭，应为今义县城，不在东北。
古乾州 明一统志，在今县城西南七里	信按钟秀县条作三里，实误。
古海北州　辽置金废	信按倚郭开义县，今义县南开州屯。
古金源县	信按金源在富庶北，惠和南，不在义县界内，在朝阳青鸾岭西二十里，建平喀喇沁村附近山。
古辽州	辽州始平军，辽滨县，今新民辽滨塔村古城，城西有塔。
古大宁城……今按其地，在义州北边外。	误
古惠州	信按，此为金之惠州在平泉附近，辽亦有惠州，则在今建平县北部。
废广宁后屯卫	信：彰武县南小五喇嘛土城有明代大青砖，多在城门附近，当是明设卫时遗留的，但该土城是辽豪州址。
耶律楚材墓	信按楚材墓在北京西郊颐和园中，此恐误。
职方典 181 卷。乌喇宁古塔部汇考三——乌喇宁古塔古迹考（通志）	
渤海上京城	信按上京不近今开原
古信州	信按今吉林梨树县新集镇古城是，新集即信州音讹。
古恤品路	文信按恤品、率宾，亦作隋分、书番均见本疆域图，今多作绥芬。其河发源于兴安岭的蹑黑窝儿，东流注于苏联沿海省的东海。清人误为在兴京东南的原因，是因为古代有的文献《明一统志》记载“恤品在建州东南一千五百里”，误将建州卫最后定位住的兴京，认为是古代建州所在，致有此误。
古曷苏馆	信按金曷苏馆路在今盖平复县之间，不在吉林境内。
古九连城	信按斡鲁所筑九座城池于曷懒甸即今境内海兰河非此二城。

续表

原抄文	批注或行间注
金上京城	信按所拟二处，一为渤海上京龙泉府故址，俗呼东京城；一为朝鲜北界与我国和龙县相近的会宁，都不是。金上京，在按出虎水傍，此河清呼为“阿尔楚库河”或“阿勒楚格河”，今通称“阿什河”，黑龙江阿城县名所起之由也，惜清人不知，故远指宁古塔古城耳。
古今图书集成职方典 165 卷 . 盛京总部汇考——（引通志）	
兴京……以上三关，其建置之年无考。	信按：满文老档记载天命时建。
盖平县……山势绵亘，凿山通路，入南	信按似衍，或有脱文。
边门附	原在盛京关梁考之后
鳜厂即加木禅门	信按加木禅亦作撒木禅，山名，太子河发掘地。
法库门　开原东北三十里	信按上文错简误。
布儿德库苏把儿汉门船厂西北	信按：方向应为西南

三、盛京、乌喇、宁古塔城池考（通志）

古今图书集成·职方典节录（原文未删）

原抄文	批注或行间注
古今图书集成职方典 165 卷 . 盛京总部汇考——（引通志）	
凤凰城	以下诸城堡虽存奉天府界，而皆旗人将军所辖，不属于州县，故改入总部。
红嘴堡	今貔子窝古城址。
归服堡	今城之疃土城址。
奉天府城池考	诸屯堡有城者皆附于各州县之下
职方典 171 卷 . 奉天府部汇考三	
老城	今通称旧老城，在新宾县二道河子村。
鳜厂新城	按：乾隆四十八年盛京通志为天聪七年筑。
承德县境内城堡	承德即后之沈阳县，但当时辖境较广。
十里河城……即明之虎皮驿	石刻虎皮驿字样的门额，已移沈阳故宫博物院。
旧章义站城	当是高华堡城即辽广州故城
沙河堡	今在鞍州市内沙河区，城址及门址已多不存。
长店铺城	今在鞍山市郊区南部，通称长奠铺，在鞍山驿北。
析木城	见辽东全辽志、筹辽硕画，海州卫山川地理图

续表

原抄文	批注或行间注
耀州城	见辽东志金辽及硕画图作耀州驿
牛庄城	辽东志图作牛庄驿，西有牛庄铺。
夜伸堡	信按辽东志图牛庄有广积堡，全辽志图作广信堡，在牛庄西南不知是否。按广信夜字形相近。
三河堡	信按今马圈子屯古城址犹存，多明代砖瓦筹辽硕画辽东图作马圈堡。
土河堡	见辽东志海州卫山川地理图
甘泉堡	见辽东志海州卫山川地理图作北至甘泉铺三十里云云。
盖平县	信按旧址北壁外中央，有瓮城地基，当是元代旧址所遗。
旧秀岩城县城东 二百五十里……	信按辽东全辽两志图前作二百三十里，后书作二百五十里。又新旧城虽仅差十里，但不在一地。
熊岳城	两辽志著录有图
归州堡……按辽州志	信按州字衍
辽太祖置归州，金省即此。城坏。	按金辽志图作归山误。
五十寨堡	今属复县，通称“土城子”，原有“五十里寨”石刻。城基存。
永宁监城	信按全辽志卷一有图考，与此考多不同，应以辽志为准。
复州城……指挥蔡直……今废卫隶县	（1）全辽志图志作真；（2）按两辽志图等著录的，与此不同。
汤池堡	信按见两辽志图，作古城基。
开原县城	两辽志有图考
尚阳堡	信按辽东志开原图作向阳堡
铁岭县城池 古铁岭城在今治东南五百里	信按：在朝鲜，此里数误，接高丽界。明洪武二十一年设铁岭卫于彼，二十六年移置今地，即古银州也。在辽河东。周围四里六十步，高二丈。池深一丈五尺，阔三丈。今按县城周围四里二百十六步，门四，池淤。
新兴铺	两辽志地图均在城西。
范河城	两辽志作汛河堡。
丁字泊城	见筹辽硕画图。其北为宋家堡，当即史家堡，次曾迟堡即曾十堡，镇西堡即正西堡，其北平空堡。
职方典第 176 卷 . 锦州府部汇考二	
大凌河城池	信按全辽志图考大凌河中左千户所。宣德间筑，嘉靖癸亥〈四十二年〉巡抚王之诰包筑云云。

续表

原抄文	批注或行间注
十三站城	按全辽志图考广宁右屯卫城，十三山为驿堡。
小凌河城	见两辽志图考
右屯卫城	信按全辽志图考云“本元闾阳县之临海乡旧址”
松山城……城毁，地	“地”应是“（城）”字
杏山城……建置无考	信按两辽志为驿堡
天桥场城……天桥场	信按两辽志图其地本为“天桥盐场”，故简称“天桥场”。
连山城	按两辽志图作速山驿
大茂堡	见筹辽硕画图有：大胜、大茂、锦昌、沙河、大兴、椴木卫
齐家堡	按筹辽硕画图作戚家堡
外州县	此节曾于1962年夏得兴城县公安局李春田同志帮助了解注释
宁远州城	按两辽志所记与此不同
双树铺城	现为双树公社，在韩家沟车站东北。有双树铺河，见山川。
兴水县城	信按：即辽建于女河川之神水县，后人音讹为青水或兴水。关帝庙，古兴水县一，见祠庙。
北古城	在兴水县村西北古城子村。
南古城	在沙河所河上游城子沟附近。
黑庄窠城	见筹辽硕画图。今讹为黑山科，有大小二村，在曲尺河堡西北，城南有龙王庙，见祠庙。
曹荘驿城	见两辽志及硕画图。现仍旧名，堡在屯东头。
中右所城	原沙河所城今称沙后所，在盐场堡西南，望海店东北
曲尺河城	今名旗河或七里河铺，在东关驿东北，望海店西南
东关驿城	按全辽志：曹庄、连山、东关皆驿堡。今名东关店，在曲尺河铺西南，属兴城县。
中后所城	信按：全辽志图参与此不同。即今绥中县城，多已撤除。
沙河站城	按两辽志、筹辽硕画图，均作沙阿驿。河西有未实县里堠碑。有沙河站河，宁远城西一百里。源出小甌子山，绕沙河站城西，东南流入海。见山川考。
高儿铺城	山川考宁远高儿河，城西一百十五里，源出边外，向高台堡门西四十里，南流入州境，绕高儿河堡西，东南流入海俗称狗儿河。

续表

原抄文	批注或行间注
前屯卫城……明洪武己卯	两辽志作二十五年，己卯则为建文元年。
宣统正统间备御毕泰	“（泰）”信按应作恭
前屯卫城	今简称前卫，属绥中县。城壁壁砖石久已被拆除，土壁仍存。
高岭驿城	见两辽志及筹辽硕画图，今称高岭站。
中前所城	信按：当误，辽东志沿革作前屯卫西五十里，由宁远言，则应作一百八十里。
中前所城	砖城，保顾较为完好，在中前所河东。中前所东沙河，宁远城西南一百六十五里。自破山洞发源，绕中前所城东遂东南流入海。见山川考。
海防一城	城址仅存土壕稜，内外久已垦为大田。西壁被利用为南北小道，高七八十公分不等，黏土含砂，与耕土不同。乡人呼为头城子地。
海防二城	在宁远河南，通四城子大道渡河点西方，约一里许，城基土壕仅存。
海防三城	在由兴城去四城子大道南，北距二城，南距四城均不远。仅存城基。
海防五城	按以上五城皆崇祯时高起潜监辽时建，四城子是利辽兴城县址筑造，砖被拆除，五城子半没海中
八里铺城	见全辽志图，在山海关外
山海关城	已见盛京关梁考，宁远条下，故不重录。
灰山堡	现仍旧名
镇边堡……俗名寨儿山堡	信按锦州府山川考宁远有寨儿山河，城东十八里。源出寨儿山，东南流入汤沙河。
镇安堡	现仍称白塔峪，为白塔公社所在地。
杨安堡	现仍旧名，为杨安公社所在地。
团山堡	在沙河上游南古城堡东南团山子屯。
仙灵寺堡	现仍旧，属沙河公社，在沙河所西方，过铁路约十里远。
刘彦章堡	今绥中县北六股河西有刘彦章屯，或呼为牛彦章，里数方向皆合，当在其附近。
三道沟堡	在刘彦章南三道沟屯
高台堡	今仍旧名在绥中西北
瑞昌堡	高台堡西二十余里处，王八河南支之南，有古城子屯，古城当是。

续表

原抄文	批注或行间注
三山营堡	山川考宁远有三山，城西一百五十五里，高五里，周围三十余里。三峰并秀。
背阴障堡	山川考宁远有背阴障山，城一百六十里。南背阴障，西背阴障山同远。
盐厂堡	今仍旧名，音讹为言成堡子。
镇彝堡	信按：彝原应作夷，清臣僚讳改。
古今图书集成 181 卷 . 乌喇宁古塔部汇考三 乌喇宁古塔城池考（引通志）	
伊汉山城	信按：当即尼什哈城之讹，译字不同耳。
尼什哈城	信按：即吉市东郊龙潭山城。鲫鱼池，今称水牢，实高句丽山城中必备的蓄水池，其数为一，非三也。
一拉木城	信按：即松花江东岸东团山子山城。外郭东壁遗址极低，仅余痕迹。
哈达新城……旧哈达贝勒……	信按衣车满语新也。
小名城……昂邦何托……	信按大城池
宁古塔城……在船厂城东南	信按方向误
宁古塔西古城	此下皆宁古塔境内城堡。
古城	文信按即依兰城北古城址，世多定为五国头城。
瓦利城	当时万里和通古城
海边古城	似指奴儿干城及明碑
英爱城	在珲春
飞腰城	珲春斐优城
浑香河东岸城	香当是春字之误
福儿单城	（1）信：应是绥芬河上的双城子城，金恤品路址。清呼此名，见曹廷杰东偏纪要。（2）疆域图作“艾丹城”，在卜儿哈兔河北，海兰河注入之前。即延吉市东山城和土城。
古大城	渤海上京

（赵熠整理）

鸭江行部志

编者说明：此钞本为1963年李仲元遵父命自北京图书馆藏旧钞本过录而成。有先生多条批注。

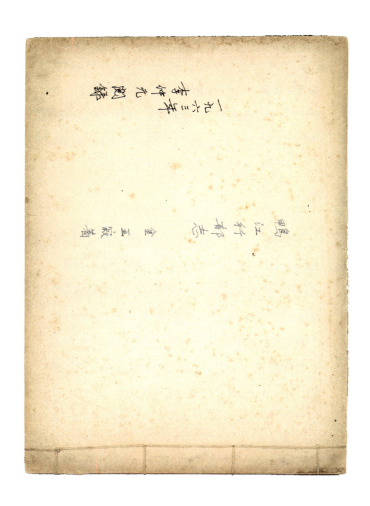

《鸭江行部志》一卷，金王寂撰。此本是由[illegible]据北京图书馆旧钞本录出的本子过录。旧钞本前有清盛昱私印，但似并未刊布，现[illegible]归北京图书馆。王寂著作，近世无传本，《拙轩集》编入四库全书，《辽东行部志》刻入《藕香零拾》，都是清人由永乐大典中辑出来的。乾隆四十三年，《满洲源流考》卷七上曾引此志所收[illegible]，可知纂修时也见过此志的。盛昱之藏本即是自四库全书馆底稿传录出的，书末不全，并非足本。眉上小注，不知谁氏所加。文中讹误很多，无别本校对，姑仍其旧。一九六三年国庆节前夕手钞。

李文信记

鸭江行部志

金　王寂著

又《辽海丛书》所收《鸭江行部志》节本，与此本互有出入，多有异字。因当时其氏不肯以原书借钞，丛书编辑不得已才采用了某氏钞本并附前言考证的节本。节本文字也有过于简短，间有错误，考证也有不确切之处。文信又记。

[illegible]三十五卷（[illegible]），[illegible]
[illegible]。《拙轩集》金人诗文，[illegible]。文信又记

原稿纸20×15=300

鴨江行部志

金　王寂著

明昌辛亥歲。二月己丑。予以職事。有鴨綠江之行。僚屬出餞于望海門。会食于白鶴觀之鶴鳴軒。白鶴者。蓋取丁令威故事也。東南望華表山。雲煙出没。顧揖不暇。鶴鳴軒題牓。醉墨淋漓。龍蛇飛動。殆非世俗書。詢其主者。云此道人孫公書。又問孫公謂誰。曰孫本市民。業染以為生。年三十餘。自厭塵緣。舍俗為道士。初不識字。後因夢羽師見教。且付之詩云云。自爾篆隸行草。無所不通。落筆盡得其妙。此額蓋天書雲篆也。自前歲被召赴京師。特賜紫衣師號。今主大天長觀事。予謂世間萬事。凡出耳目之外。有不可以理窮臆度者。如斯人豈精誠純篤。感通上真。開悟其心。使能如此。不然。是因緣狂妄。有物所憑。皆不可得而知也。韓文公所謂神仙之説。何渺茫者。豈是乎。是夕宿龙丘居士即方山陈慥也。

佐聖太师疑作大师。

文信案：儲慶寺英公禪师塔銘作垂慶寺。当日之王氏同音字致误。

靈巖寺。

庚寅。遊上方。禮九聖殿。登舍利塔。度水殿。瞻六祖畫像。東營下。觀王棲雲題詩云云。棲雲本武弁。名琢。馳馬擊劍外。尤喜作詩。舊寓夷門興孔。遵度鄺元興高特夫。皆莫逆也。至於故宮廢苑。飽賞爛遊。更唱迭和雅有文字之樂。比歲自汴之燕。又嘗携雙侍女漢山佳處。把酒賦詩。輒留數日。時人望之以為神仙。東坡所謂龍丘居士者。抑斯人之徒歟。

辛卯。大雪。復登此山之正觀堂。堂太后太師之故居也。太后。通睿宗之后。世宗之母。可謂富貴極矣。癸年厭棄榮華。喜修禪定。髮落披緇。初居遼陽之儲慶寺又以人事紛紜。疲於應接。乃幽隱于此。凡六閱周星。焚修精進。始終惟一。自非夙植善根。道心堅固。豈能保任如此。是時世宗尚居潛邸。未幾。留守遼陽。凡伏臘休沐。必躬詣焉。問安視饍。或留信宿。西巖浮圖之

原稿紙20×15=300

右突兀一峰，頂平如砥，縱橫可十畝，長松數十本環列，如煙蓋雲幢，實自天成，非人力所營也。世宗每飯餘茶罷，散策經行，輒置榻其下。中一松修直郁茂，出林表上，尤注意摩挲，歎賞終日不倦，其輪材容直之度，已見于此矣。惜乎無好事者，不爲搆一亭障之，曰蟠龍，名其松曰御愛，如此則他年爲靈巖一段佳話也。故予有詩云：幾經天步躡危峯，爲愛孤高壓萬松，不顧蒼髯緣底事，大夫曾是辱秦封。

壬辰，大風雪，對目不辨牛馬，抵暮捐齋，扶杖遊龍泉谷。谷去寺三里而近，捫蘿梯石，困於登陟，左抱右掩，松柏參雲，殆非人世，但恨陰霾障蔽，不得窮幽極勝。泉上破屋數椽，殘僧三四，頗習禪定，相與坐于石壁下。少頃乃歸，因留一絕句云：我來連日苦風霾，不見千峯斂戟排，要識玉山真面目，雪晴明月射蒼崖。既歸，半塗望南山西崦，松檜間懸崖石室，户牖如蜂房，問其僧云，此休糧從也。和一僧結廬於此，絶粒面壁，形如槁木，人或饋數瓜果，減之，不言。垂四十年，復不知其所終。故後人名其從曰休糧。遂李東京副留守高其雄者，一夕徒步徑隱于靈巖，剃去鬚髮，衲衣草履，還夜窃取僧行之服，復親爲補綴，其用心濟物如此。一日，棄妻孥，至寂鳴難拜，懇請以歸，師默然，坐恬然視之，如陌路也。兒輩知其終不可回，號泣而去。後棲隱于休糧從，躬自薪水，日一齋食，閱二紀，閑未嘗少懈。壽八十而終，闍維之日，得舍利若干，訪其骸印。方丈服官政之年，割棄浮榮，如脱敝屣，與夫龍鍾踽踽，眷戀纖緣，推移不去者，豈可同日而語哉。

信茅斋。食似误。当是斋字，肯写误。

癸巳，次澧州，宿郡治之思政堂。

甲午，登明秀亭，此亭蓋宋賴信之參政。大定癸卯爲郡時經創也。前列數峯，下臨一水，想見佳時勝日，歸揖閑簾，横琴煮茗，晴嵐暖翠，煙水微明，盡得于几席。(註四十三)

原稿紙20×15=300

4

之上，豈不佳哉。夫自有宇宙，有此漢山，惜乎無騷人
勝士題之詠，遂使湮沒無聞。今遂立從衡數十里，共指
瀛為望郡。此所謂地因人興者也。幸獲登覽，技癢不
能已，因留怒詩云：倚空欄檻出危巔，俯瞰巑岏枕渺
茫。嵐氣撲簾冰簟濕，水光浸屋葛巾涼。門楣健筆雲
煙落，窗几豐碑歲月長。來者定知誰好事，華題當時
具瞻堂。
乙未，觀察羅經行，驛發于有容齋。亦信之手書，公餘每
有書于此。今說則似無人居者，墻阻塵土中，有二枚
覆地，以手拖而視之，乃亡君錫疇西神李子美、魏元
道、李子安、留題明秀亭詩牌，即命復置于亭上。何後
政弗嗣，以至荒廢如此。明秀主人去此七年，已為大
政。魏元道今為中樞書。左曹二李皆登鬼錄。升沉存沒
為造物者所戲，可付之一笑也。
丙申，跋人李子安之子湖來見，其應對進退，頗有典

原稿紙20×15=300

5

刑。皇統辛酉。吾先君來為析木令。始識子安之父一見義氣相感。遂定交於罇俎間。乃遣子安從先君學。自是與子安同硯席者再歲。相得甚歡。既而別去。十年之後。相見于京師。過從幾月。遂復參商。自爾聲迹杳然。前歲以使事來遼東。又方禁謁。不獲一見。令過其門。知亡已朞矣。令人悲恨不已。乃作詩遺翊。以叙其本末云。憶昔先大夫。長才困州縣。平生恥趨謁。誰辟三語掾。此來為升斗。與物多冰炭。乃祖磊落人。眼若巖下電。傾盖一如故。論交時抱腕。登堂出妻子。僕隸餐盤餼。予時方束髮。爾父亦既冠。差肩誦詩禮。交手同筆硯。相從草三綠。出處風雨散。參商十年後。俱赴吏部選。邂逅得相遇。固適我所願。通家問存沒。且喜且驚歎。親情均骨肉。笑語徹夜旦。追隨不閱月。南鴻北歸燕。自爾各逐食。鱗羽音塵斷。謂渠頗挺出。立可致霄漢。胡為隨糟麴。涇渭卒莫辨。飛黃厭局促。擺

信安令 係「今」之誤 下多同。

央各本，傾盖一如故，「盖」字是「蓋」字之誤，按本改「蓋」。

原稿紙20×15=300

6

宜謀雞肆。長歌老田里。回首義殺庸儒。嗟予仰寸祿。老
作青緊檻。前年持使節。意有承賜使。豈其畏附書。莫
敢通一線。相望不累驛。秦蜀隔雲棧。病不致一問。死
不致一奠。幽冥負良友。此罪定可追。朝來見遺墨。似
對故人面。西城望墓木。使我淚如霰。恨無寶劍掛。聊
以伸眷眷。一死一生間。交情庶可見。

丁酉。子安妹尼智相。早年學道。今已罷參。見送小壺
十枚。以饗賓之。大率如數珠。堅完圓實。扣之有聲。觀
其中空空然。予平生亦未嘗見此。將命者且索賦詩。
謾作俚語以答其勤。君不見汝陽仙翁初掛樹。長房
出入猶平步。又不見晉陽幻師隱美婦。婦腹隱夫夫
莫悟。神仙此事知有無。無乃技倆相媲婁。世間此物
處處有。致此秦豚煦落蘇。吾家慣見牆壁上。或類瓠
壁或瓮盎。缶懸秋霜未落。前懶然者毛菓（句）析項。我賦
學佛比丘尼。得髓豈唯能得皮。胡為尚有這箇在。此

原稿紙20×15=300

看更隨點而癡。何如浮槎慕提題。莫望空花結空果。
豈知石磴落羅參天。倒置逆行無不可。
戊戌。宿析木之活雪寺。析木蓮光君之舊遊。又老卻迎。讙呼塞路。及入城市。觀者如堵。里老為之一空。中有扶杖年高指予而言曰。此吾明府君之子也。明府君清正仁慈。宜其有後乎。歎仰不足。或有以手加額者。既而詢及故舊。得三人焉。乃胡春鄉、李炯、吳高雷得。皆當時與予遊戲者。自餘墓木皆已拱久矣。或得其子。或得其孫焉。嗚呼。吾先君去此凡四十年，九泉當時一門滿三百指。今之存者唯予一老奴。然老奴早喪明。但尸居餘氣耳。予髫年侍先君自營中解官還出雞山。先君以如嵗舊隨侍先大夫。過此。驅馬徘徊。作詩以道其意。甚悽苦。其詩云。記得垂髫此地遊。雞山孤立水東流。而今重過山前路。山色青青人白頭。以今思之當日之情可見矣。為賦四詩，以攄懷抱。

原稿紙20×15=300

又過鷄山母駐鞭，恩親詩句苦悲酸，而今卻似鷄山下，白髮孤兒淚不乾。憶昔先君出宦遊，一官羈繫此淹留，重來歲月知多少，去日垂髫今白頭。舊遊重到似前生，城郭人家幾變更，莫道山川差依舊，岸應為谷谷為陵。朔已丁寧訪舊人，舊人能有幾人存。當時總角遊從者，但憶龍鍾已抱孫。

己亥，宿陽池縣護國寺。陽池本遼時鐵州，以其東有鐵嶺，故名之。隸耀州。今神鄉鎮也。護國寺之經，始藏月無可考。獨寺僧言，老僧相傳，寺起於有遼，藏經亦驗于有司。視其經背，皆有朱印云，宣賜護國寺藏記七字。又經藏梁記云太康三年建。則寺之證僧為可信也。

庚子，出東城，道左百步，背山面水，有亭，樹園圃，宛似掩映。問從吏云，此據陽邑人之別墅。園閱其幽處大。縣吏曰，李君名致道，字泰民。初以從軍補官，累資轉

兖州幕。一日謂同僚曰：大丈夫達時遇合，萬戶侯何
足道哉。今行年六十，猶纔尾署名，其頭顱可知矣。乃
投牒以歸。既而藉花植柳，植果栽蓮，疊石以為山，引
泉以為池，日與賓客把酒賦詩，徜徉乎其間，凡十有
七年而終焉。予樂聞其說，竊切慕其為人，解鞍少駐，排
徊周覽。堂有三：曰樹德，曰松菊，曰文會。文會之北軒
曰覺軒，西偏曰休室，蓋取冬夏之宜也。亭有四：曰濯
纓，曰逢山，曰擁翠，曰觀稼。自餘柳溪、釣臺，所至皆可
觀，但不得少休為恨。遂復南去。攀鞭四望，悵然自失。
焉，上為賦一詩。睢陽先生昔少年，青燈黃卷夜不眠。
有司黜退傷拘攣，不取巨筆如修椽。歸來高臥東殘
編，短衣射虎南山前。一從王師去關還，臨敵奮勇能
當十。策勳偶為人所先，恥與噲等相摩肩。桃花歎墨既不
生貔輝，脫帳掉臂歸林泉。千金賣劍買烏犍，耕田鑿
井為飲焉。樽中有酒客滿筵，新詩醉墨揮雲煙。鄉鄰

信齋乐 润当先 乐闻误

误，信齋搛

原稿紙20×15=300

日月陶陶然。此意肯為醒者傳。興來信手彈五絃。目送飛鴻下晴川。有時夜歸月滿船。浩歌長嘯和兩舷。白魚黃能不足穿。我意欲釣橫海鱣。嗚呼公今為飛仙。坡陽之名塞天淵。嗟予潦倒真可憐。欲去未決良非賢。附郭安得二頃田。有田不歸吾欺天。

辛丑。次辰州。授館于興教寺。寺宇荒涼。亦無碑記可考。唯經閣上有梁文云。維清寧四年。歲次戊戌己巳朔十四日辛未巽時建。

己巳朔則十四日是壬午。

壬寅。故友王林散人申君興之子携乃父龍門招隱圖手軸以示予。予見之憮然。畫則廣莫道人武元直也。作記者無可居士蔡正甫也。書記者善善道人左君賜也。題詩者王元仲父子也。元仲父子今無恙。自餘諸公盡歸鬼錄。予掩卷流涕。殆不勝情。因以小詩悼之。王林賓主骨應枯。再見龍門招隱圖。政似白翁舊詩卷。十人酬和九人無。又出示王羲之得書帖三

原稿紙20×15=300

11

450

十六字。獻之賢甫帖六十一字。漢張芝消息帖三十一字。素獻書大季如游龍舞鳳。騰驤于天。矯健非凡蹇短翮所可追也。張芝書如秋鷹健鶻。擊搏於霄空木落時。所向無前。但氣韻差不及二王耳。又觀唐懷素草書歌。自上數行。皆不可識。次可辨者眾賓離坐瞪目看。滿堂凜凜如生寒。此下一句未詳。又有如驚鳥飛滿天。前有張伯英。後有張顛兒。兩張萬古不相下。師興。二張還枕藉。貞元十三年五月十九日。沙門懷素時六十有一。又唐僧亞棲書。觀懷素草書歌。亦雙燭。自上兩行讀不成文。其次可辨者狀。同楚漢來相戰。湖南七郡凡幾家。家家屏障書題遍。王逸少、張伯英。古來幾許遑得名。張顛老人不足數。吾師此藝不師古。故知萬事得天機。何必要見公孫大娘渾脫舞。對御草書賜紫僧亞棲。二僧書縱橫倜儻。下筆如神。退之所謂快劍斫生蛟鼉者。信有之。淋然亞棲狂

怪尤甚。如畫字作蛇盤狀，稿首鳥尾，蝌蚪如生。又題
字落筆一掃幾二尺許，如俠客睥睨，腰懸長劍，凜然
有不可犯之色。意亞棲輿，懷素來馳，殆欲出一頭地。
乃作新如此。畫棲有意爲，而素未之許也。
甲辰，次熊岳縣。宿鄉，教寺。睨瑩經閣。南望王元仲海
嶽樓。不及一半鳴。但以謁某。不得一登覽爲歉。舊聞
京師明(名)公皆有題詠。已刻石于樓下。命借副本。因得
詳觀。蓋五縣老人劉鵬南爲之序。平章公張仲澤首
唱通字韻詩。自餘賡和者張御史壽甫、鄭侍講景純、
蔡濟州正父、李禮部致美。如此又二十五人。中間雖
趙獻之作賦，又不用元韻者四人。玩味再四，有以起
予。亦漫賦兩詩。他日登門，庶以(是)爲先容耳。然強韻傑
句，皆爲人所先。要不蹈襲一字，亦出於偶合也。非專
鏤鯨拂眉空。覽勝觀瀾左右雄。秋氣抱樓千嶂雨。夜
潮吞枕半天風。盟尋鷗去滄浪上。目送歸鴻滅沒中。

原稿紙20×15=300

13

聖世文明方講禮。撤軍行旅放孫還。先王勇退鞏北
空。坐笑百蠻無一雄。咄咄諸郎有高著。紛紛餘子甘
下風。龍蛇爛行陸地上。鵬翼要擊青雲中。舊學淵源
真力發。逸書遺續白虎通。

乙巳。次龍門山雪峰院。昔武元直為申君與作龍門
招隱圖。正謂此也。龍門之南有大山焉。崇高峻拔。諸
峯巒列。略兆面事之。連延數十里。意謂此必能岳也。
然詢及土人。無有知者。此龍門具體而微。其擁抱盤紆
窈窕則又過之。樓閣穹窿。湧出于西巖之腹者。佛屋也。
佛屋之左右。連接異戶者。僧舍也。僧舍之東。蹦起于
疊石之上者。鐘閣也。鐘閣之東。粉牆岩嵬者。經樓也。
經樓之南。飛跨于兩崖之間者。水閣也。水閣之下。厨
廊庫庾。無不具焉。予是夕宿于主僧之禪寮。

丙午。遊北巖觀瀑布水。野服或杖。至于絕頂。其水初
出于東北一峯之腹。懸流數十尺。盤轉于壁石之上。

蓄之為池，從橫可二丈。池滿則傾瀉于石壁之下，水殷為最，龍門往處。北望蒼巖瀑布，如千尺玉虹，飛落滄海。下瞰雷濤雪浪，舂撞擊搏，其聲如奔雷驟雨，跳珠濺玉。倒射軒牎，雖六月不知暑也。少東有大石屹然介于兩水之中，其平如掌。上可容三十客。方夏秋霖潦，水勢湍猛，非以此石殺其怒，則水殿無復有焉。大抵如瞿塘之灩澦堆也。壁有張仲宣申君與過題歲月。又有能石烈明遠過題三詩，蓋明遠嘗為蜀藩鎭節度使，距此不及一舍，所以屢來登臨。其壬辰七（大定二十三年）月晦日詩云：秋聲嵐光到眼青，層巒疊巘與雲平。解鞍暫借山僧屋，泉水潺湲漱玉聲。此必領節之初焉（十三年）有佳興也。至癸巳立夏後三日詩云：看遠山嵐翠轉加，攜樽來醉杜王家。桃花半折東風裏，應笑劉郎兩（十四年）鬢華。此必坐閱再歲，頗倦游也。及甲午春分日詩云：春半邊東暖尚賒，青山若恨亂雲遮。三年絶徼勞蹇亭。向壁題詩一絕，嗟此以淹留歲月，未有歸期，感慨之情發于歌詠也。予嘗觀李太白廬山瀑布詩云，日照香爐生紫煙。意謂雄才健筆能狀色如此。以今日驗之，乃知詩人題品物象，必有所以然。午飯後，獨坐于中流石上，聽泉聲甚急，俯仰溪山，方憶山谷茶詞云，以不能言心下快活自省。只今日此境著也。逼暮題兩絕句于殿壁云，九天懸瀑不容攀，讒挽銀河落世間。却恨青蓮老居士，祇將佳句賞廬山。强將爛脚掛枯藤，上到層山第一層。欲刻詩題瀑布，却嫌才去笑徐凝。

丁未，次昌黎館。宿府署之公明軒。以公明名軒，自明遠始。題詩亦明遠之遺墨也。公手書尤言訴獄，嫌惡若讎，自謂公明亦不過是。又其字則正適健，似其為人。昔陳瑩中跋朱未臣所藏歐陽文忠公帖云，敬其人愛其字，豈於明遠亦云。

今西昭輔州是 臺陽新新故 及公。安江地

戊申。予視睦樹田園門置春屏。迎明望之。猶有墨痕。
依然可見。亟命濕去覆紙、皆明遠筆書也。其題云。奉
謝豊州太守故村賀寄新鰒魚。詩云。疇昔珍鱗得屢嘗。
流涎鮮嚼到年手。太羨純清味中味。明月半胎清外
清。曾比鱸蓴猶劣似。直速楚國高多卿。珍重寶隣賢
太守。馳封新刻寄題明。其後跋云。鰒魚。海錯之珍。酒
邊咀嚼。脆、滑有味中之味。或問僕何物可與、爲比。對
之以鱸蓴。人或退而笑曰。擬人物必以其倫。而曰鰒
魚似鱸蓴。不亦異乎。或問予以爲是何似。曰。似蛤蜊。
因識往時亦不知味。暇日賦乞茶語施丈。偶得此詩
及詩。并用一笑。嫌元子樂似施丈。萬烹鰒魚之餘。真
得一杯茶。便如騎鶴上揚州也。予初見此詩。不知作
者何人。亦不知謝者爲誰。及見跋文。乃知是明遠爲
支登之後。復跋以鰒魚寄明遠。明遠以詩謝之。首句
云。疇昔珍鱗得屢嘗。是蓋曾爲蓬萊閣主人也。然嘗

北盟會編靖康中帙七十三、誅求集記中引趙子砥燕雲錄中有，燕山又有宣徽使契丹果哥鎮之。不知是其人否。

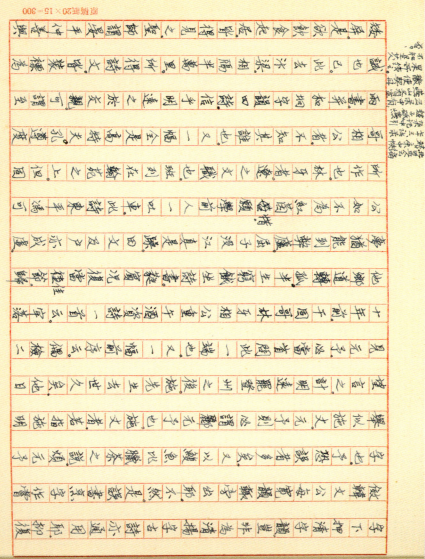

字下押清字韻。豈非為清揚字古詩亦通用耶。抑復做韓文公每寬韻輒字出耶。不然。是誤書烹字作嘗字也。予恐誤者多矣。又以鰒魚比臘茶之說。煩元予舉似施丈。元予則必謂酈元予也。施丈者。若指施明望言之。計明遠罷登州之後。施先生去世久矣。他日見元予。必當首問此一端也。又一幅前序云。偶檢二十年前。千周哥林牙相公重午酒資詩一首云。牢落他鄉道轉孤。半生窮餓坐詩書。蘿窗況復當佳節。歸夢猶能到弊廬。屈子沒江真是躁。田文及戶亦成虛。公如不為紅茵惜。顧學前人一吐車。此詩東平馮可所作也。林牙者。遼之文職也。班列在翰苑之上。但周哥相公者。不知其誰也。又一幅全是高特夫。孔遵度兩書。并和垌字韻四詩。信乎明遠之於交親。可謂至誠也已。此去汴梁。相隔半萬里。所得詩文。皆裝褾為矮屏。是欲飲食起居。皆得見之。聖師謂晏平仲善與人支久而敝之。明遠其幾度乎。

己酉。遊西山石室。上一石縱橫可三丈，厚二尺許。錦平瑩滑。狀如棊局。其下壁立三石，高廣丈餘。深亦如之。了無瑕隙，亦無斧鑿痕，非神功鬼巧不能為也。土人謂之石棚。既無石刻，故不知其所始。予為作詩以記其異云：片石三丈方，縱橫平直瑩淨如棋枰。寧椎石壁作丈室，人力不至疑天成。此去東溟都咫尺，想見殘棊圍棋聲。神仙遊戲亦偶然，月斜雲片滅痕跡。騄驥騏驎何時來，風雨灑掃絕纖埃。定應守護勅山鬼，陵遷谷變無摧頹。此然萬古埋長路，曾閱漢唐如旦暮。山前相有牧羊兒，更問金堂在何處。

庚戌，啜茶于西園松下。茶罷，步趨于小軒。軒前花木頗有春意。予以舊園荒蕪，命老兵芟除灌溉。已而不覺失笑。我亦行人，何戀戀如是？真所謂客僧做寺主也。因題一絕句于壁上云：莫道山城晚得春，柳梢桃蕚

原稿紙20×15=300

已亭新出。呼老叟治髯。花圃自笑行人作主人。

辛亥。上巳日。是日陰霾。然夕面壁獨坐。念往歲曲水流觴。望鄂郡沸。年來奔走荒山。狼藉無聊賴。戲題一絕句云。禊飲年年惜水濱。被衣初識總芳春。那知海上風沙惡。不似長安天氣新。

信宿海上，云云如蜀，非徒距海甚近。

壬子。行復州道中。辰巳間風大作。飛沙折木。對面不辨牛馬。所幸者日北而南。若打頭風。則決不能行也。午後風勢轉惡。予怪而問諸里老耆舊云。颶風不終朝。何抵暮尚不爾。耆舊云。此地瀕海。每春秋之交。時有惡風。或至連日。所以禾黍莖成多有所損。固亦不足怪也。昔東坡先生賦颶風。亦謂海南有之。大抵海氣陰慘。朝氛暮靄。雖晴霽亦昏然。況人懷一憾。崩濤怒浪。賈勇其孝[?]。宜其不可當也。比豈亦颶風之餘棟邪。乃作詩以記其事。昨宵月暈如手鏡。今日黃雲翻蹴[?]東。初聞寒聲動萬樹。漸覺飛沙卷平陸。滄溟濁浪滾三

原稿紙20×15=300

20

山搖。怒是海若跳鼇鼉。咨咨日轉更作惡。瘦馬側行吹欲倒。津吏告儂無渡河。枕河連海翻數（一作）驚波。是夕宿于複之瞿曇寺。

複州·永 康昌·

癸丑。是日清明節。意緒不佳。自念來日無多。崎嶇道路。去歲清明。自康寧赴同昌。今又寄跡於此。勞生有限。歸計未涯。聊以小詩自嘲。去歲清明過康寧。今年投宿水邊城。來春未敢遼東部。更比星軺底處行。

甲寅。晝寢方醒。視臥屏後有草書數行。細觀之。迺一故絹扇圖。上有詩云。金壺漏盡禁門開。飛燕昭陽侍寢迴。隨分獨眠秋殿裏。遙聞笑語自天來。詞翰俱不俗。亦不知誰作也。其詩體致。大似王建宮詞。未知是否。

乙卯。宿屋壁間有冰漾處吏詩及後序。冰漾者張仲文也。詩云。七年重到舊招提。影轉南樓日轉西。塵飯滿甑才脫軍務羨扶笻欲吹蘆城邊草木驚搖落。山下風煙正慘悽。欲奮前詩拂塵壁。已煩侍者掃黃泥。

原稿紙20×15=300

後序云。大定歲在重光赤奮若新正後八月。因審刑旅泊此舍。嘗夢中得句云。客舍青燈寸燭殘思歸驚怪帶圍寬夜觀星斗穿雲去。不怕天風特地寒。題諸此壁。以俟再遊。至今歲在强圉協洽。律中無射。上休后六日。因句當公事。復假館於此。尋曩日所題鄙語。已隨黃泥化爲烏有先生也。予觀冰溪後來所作律詩。本以舊題夢中一絕句已爲人埽去。迺引用坡公恐煩侍者埽黃泥故事。前兩句嘆旅食麤糲。次兩句言風物蕭條。其于埽黃泥之意似不相干。而夢中小詩。句法清勁。語意貫串。勝于律詩遠矣。二詩既出于一手。何前進而後却耶。得非文通之筆。有神相之。不然無緣睡語勝于不睡時也。亦可一笑。且書生喜辯論。專以管見妄自分別。迺習氣使然。況人生大夢未覺。何者不爲睡中語也耶。今予所評。亦是夢中說夢也。當故置之。

原稿紙20×15=300

丙辰。自永康次順化營。中途望西南兩山。巍然浮于海上。諸訪野老云。此蘇州關也。遼之蘇州。今改為化成縣。關禁設自有遼。以其南來舟楫。非出此途。不能登岸。相傳隋唐之伐高麗。兵糧戰艦。亦自此來。南去百里。有山曰鐵山。唐屯甲七十人。以防海路。每夕平安火報。自此始焉。西南水行五百餘里。有山曰紅娘子島。島上夜聞雞犬之聲。乃登萊沿海之居民也。為賦一詩。地控天涯險。天連四望低。荒煙連海上。殘日下遼西。戍壘關烽燧。戎亭斷鼓鼙。隨邦修職貢。安用一丸泥。予嘗觀管寧傳云。管寧與邴原厭山東多故。聞公孫度化行海外。即挈妻泛海。至于遼東。然則先生之來。亦自此始矣。予自去歲按行部。凡遼東所轄郡縣封界之內。靡不至焉。每訪求先生故居之所。然不可得。如李斯井。子賤臺。唐兒墓。昭君塚。皆在魏晉之上。今猶宛然。蓋此方自李唐之衰季。為高句麗侵據。

順化營今新金土城子

女信寨甲朱帝祖勢誌作甲士。

信都上宅臼之土。

原稿紙20×15=300

後為大氏所有。繼至於遼。文物衰謝久矣。既當時太史略而不書。又無稗謏野錄。故先生遺跡。閴然不見於後世。惜哉。予路出永康。遙望海門。雲煙滅沒。緬懷

信按凡岩足風.

先生之去世。今已千載。海山奇勝。風景不殊。嗟歲月之不可留。傷今古之不復可見。因作詩以弔之。亦李太白望鸚鵡洲悲禰正平之意歟。

貔子窩[illegible]一帶約一百[illegible]里，到蓋城子

丁巳。次新市。投宿于民家。其家亦頗好事。壁間畫齊趙魏楚四公子。予為賦各一絕句。孟嘗詩云。碌碌齊王世不聞。佳名惟重孟嘗君。三千賓客空蠶食。狗盜雞鳴却解紛。平原詩云。趙苦秦圍力已殫。合從於郢援邯鄲。當時不試囊錐穎。誰捧同盟歃血盤。信陵詩云。信陵豪貴氣凌雲。折節屠兒意已勤。一挫雄兵四十萬。殺降純勝武安君。春申君詩闕

龍岩寺在沙河上，城子帶到貔子窩約一百二十里.

戊午。宿龍巖寺。西去龍巖一舍而近。有山崛起。筆立五千尺。秀出諸峯。望之如浮圖焉。予怪而問之。路人

云。此遠望忽山也。遠望忽乃來水之意。山之絕頂有池方丈，有鯉魚長餘尺許。舊年人欲取之，投網于水，立有風雷之變。由是異焉。咸謂龍神幽蟄于此，歲旱，亦嘗偕壯醵禱于池上。予謂深山大澤，實生龍蛇，又何足怪哉。雖然，吾聞神龍變化，無所不可，何爲居此窮僻而甘心焉。豈非被羅于天，羈縻于此耶。戲作詩以嘲之云。

孤峯亭亭如筆卓，直恐去天無一握。樵童牧豎分登陟，蹶足汗額疲攀躋。山巔湧泉成丈潭，下徹海眼青於藍。中有鯉魚長尺半，金鱗火鬣絕不凡。往歲村夫投網罟，應手波翻起雷雨。況此本非池中物，敢擒豈容人力取。既能變化天地閒，何苦局促留荒山。得非獲罪于上帝，幸免老麋困連環。嗟哉無久淹泉眼，但恐難逭豫且辱。快挽滄溟救旱苗，乘除功過聊相贖。

己未，發龍巖山。前數十里，北望大山，連延不絕數峯

原稿紙20×15＝300

25

側立，狀如翠屏，秀色可攬。里人謂之磨石山，以出磨石故也。予惡其名不佳，欲改之曰競秀巖，所恨山民無好事者，何足與此語哉。已而凭鞍信馬，目逆而送之，不覺去山已遠，眷眷猶不能舍。詩興甚濃，忽憶坡公前山正可數，後騎且勿驅之句，豈特為我設，況馬上看山之意盡於是矣，故不復敢措一詞（辭），但嗟賞諷誦而已。又行十里許，臨水有大石，圓瑩如鏡，從橫餘丈，了無斧鑿痕跡，儼然天成，予目之曰石鏡，因作詩以識其異。

石鏡臨官道，規摹亦異哉。盤龍形偃蹇，飛鵲影徘徊。近水縈羅帶，憑崖掛玉臺。餘光依日月，纖翳奈塵埃。宿雨淬磨出，晨風拂拭開。還應望夫女，深夜弄妝來。

庚申，赴大寧鎮，中路亂山重複，人跡僅通，然皆墻壘無可觀者。又東行四五十里，南望層巒疊嶂，空翠溟濛，百道飛泉，環流山麓（以下有亭行臨水二字，餘皆脫）

有高山一座，东西横亘，南北成峰，西起桂云花山，高七六八，石门山高八五二，一面山高七〇四，崇花山高七四〇，黄花磨石山高六二九尺，五山峰连，约五十里，高峰插天，形如列屏，一面山是之黄海沿岸一带有名的高山。

本日共记宿处哈[illegible]日百三十上下，佐计宣佳宁、英那河、小孤山子、石洋，明日离宿道转向东北行，赴大宁镇。

赴大宁镇，即小洋河东之土城子，光绪河东支流北行山谷中，过分水岭黄岭子，又北大洋河上流，约行八十里，折而东行，南经海台山，主峰[illegible]三百，东西走峰均在三四百公尺，[illegible]山北[illegible]大洋，东通东[illegible]

土城子也。土城在其北。

关于历史地理研究的笔记一则

（五）现代历史发展迅猛，建置分併也多，昔日草原、老林，几年形成新城邑，地名变改要随时记录。

（四）历史是史地学的总纲，历史事件在时间地点中发展，要积少成多，一点一点积累。

（三）学好积新，后来居上，不应与前人比高低，一定要有所前进，有所创见，永不停步。

（二）历史地理研究工作，一定要文献考古相结合，深入实地，调查研究，以考古为主，文献参考。

（一）历史地理研究是历史科学，一定要在马克思列宁主义、毛泽东思想指导下来进行。

收

编者说明：这则笔记记于印有“辽宁省革命委员会”字样的大信封上，当记于1971年前后。

关于《历史陈列》内容设计大纲的部分意见

奴1

关于奴隶社会部分的参考意见

(1) 在夏代的传说历史中，可否把禹铸九鼎，进入铜器时代的传说提一句。这种旧金属的开始使用是和原始社会解体正相适应的。

(2) 关于药王庙、夏家店下层文化内涵是和丰下文化基本上是相近似的，前者已定为铜器时代文化而与商代文化关系比较密切，我们把丰下文化列于原始社会末期，也认为与商代文化有些相近，这就显得矛盾不合适。研究研究可否在商代没有文物陈列的实际情况下，概括的介绍一下商代文化影响的情况，不详细引述药王庙、夏家店和红山文化的具体详情，行不行？

(3) 7页6行：肃慎来贡、召公封燕等事迹，可否移于西周叙说中。

(4) 6页："燕王窖"可否改为西周铜器群或出土的西周青铜器。

（5）10页西周节中："墓中百余件随葬品"好像西周墓没出这么多东西，查"看"是不是错了。11页："周墓中随葬品丰富"据朝阳六家子西周墓所出文物不多，"丰富"二字似可不用。

（6）11页11行：编钟除祭祀和典礼上使用而外，统治者日常也在使用，所谓"钟鸣鼎食"就是明证，这正好说明他们的穷奢极欲的生活。

（7）12页7行："辽宁是燕侯领辖的…""燕侯"二字改用"燕国"为好，春秋燕已称公，战国中始称王，以封域说还是称"燕国"妥当。

（8）13页13行："燕境辽宁地区"要改"。又15行："渔猎也"也字可否删去。

（9）14页11行："春秋中晚期的青铜艺术又一度振兴"句可以不用，青铜短剑文化不是再又一度振兴才出现的。又15页6行："铜镜"应改称"镜形铜器"。

（10）又春秋晚期墓作为标号一、在前（12页），春秋早期墓作为标号二、在后（16页），似应互换过来。

468

封建社会部分——战国、秦、汉时期

（1）3页14行："促进农业生产水平提高的重要因素是铁耕具的普遍使用"。在这里似乎应该提出最重要的因素是土地所有制的转变，即由土地公有制过渡到土地私有制，前者是井田制，后者是地主所有制；因此，奴隶转变成农奴。单提出铁耕具似觉不足。郭沫若院长是把这点作第二个因素提出的。

（2）5页4行"我省在战国时期，属燕辽东、辽西二郡及右北平郡一部分，秦代仍然如此。又山海关一带属辽西，不属右北平，括号及注文可删。

（3）关于秦郡问题。（5页6行）我们只根据秦始皇本纪的"分天下为三十六郡"即可，括注增置到四十郡可删。按秦郡数争论很大，汉书与刘昭续志不同，清全祖望、王鸣盛等都各有主张。旧唐书地理志作四十九郡，近人王国维《秦郡考》谓秦一代之郡数当为四十八，这无统一意见。我们可以不提。

（4）6页关于燕秦长城的文献引"燕筑长城自造阳至襄平"，"秦已并天下使蒙恬将三十万众筑长城，起临洮至辽东，延袤万余里"，就足够了。后面解释都可不用，只把"造阳"、"襄平"、"临洮"、"辽东"加以括注就行了。"浿水"更不必提，而且它为鸭绿江更不妥，我国学者大多数认为浿水是朝鲜清川江，但这会引起国外的争论，不提好。又造阳注为河北怀来县境不妥，它本是上谷郡所属北边的一县，汉武帝时弃与匈奴，故汉志上谷郡无此县名。故弃造阳的始末和它的地理位置见《史、汉》匈奴传及汉魏人的注释等。

（5）8页6行："战国时期以襄平（辽阳）为中心是燕国的辖境"。似可改"辖境"为"辽东郡"。

（6）又"莲花堡又发现各种铁范"恐怕有错误，我记得没出过铁范，要认真查查再定。

成秦汉了.

(7) 9页4行："大西边发掘的战国墓"地点不对，要改。6行末"括号冥器"应删。

(8) 10页9行："城址中最下层发现的"。"城址"不能确定，因为只开掘了几十公尺，还是作"遗址"好。

(9) 又20行："燕国的刀币、布币"后应加"和明刀、一刀圆钱"。

(10) 11页5行：燕长城线路城在朝鲜境内也还没有明确报告，似可慎重。又20行："以拒东胡"，应为"以拒胡"，太史公原文无东字。又"须水括注为鸭绿江口"亦应删，理由见上。又"万里长城是秦代连接六国长城而筑成的"，六国不妥。似可改为：它是秦代以秦有的和燕赵长城为基础而筑成的。

(11) 12页12行："燕王职即燕昭王"是个争论两千多年终因史料不足未能决定的问题。史记作者司马迁本人在《燕世家》中说："燕君哙死，二年而燕人共立太子平为燕昭王。"在《赵世家》中说：武灵王十一年"召公子职於韓，立以为燕王，使乐池送之。"是在汉初已有两说。实物出土有力证明燕王职实有其人，但是否为昭王就难于决定了。

编者附记：此“部分意见”计5页，写于红格原稿纸上。因其中有“丰下文化”字样，知其为辽宁省博物馆《历史陈列》（1979年10月1日—1986年4月25日）内容设计大纲而写，时间当在1979年9月之前。此稿原件现藏徐英章处。

宋人经燕京、中京、上京行程录笔记

宋人经燕京中京上京行程录

路振乘轺录

1008、大中祥符元年
辽圣宗统和26年

4. 过白沟河
5、新城县—40里
6、涿州—60里
7、良乡—60里
8、幽州—60里
10 孙侯馆—50里
11、檀州—30里
12、檀州—80里
13、14 } 原缺二日
15、新馆—60里
16、卧如馆—40里（东北行）
17、柳河馆—60里
18、部落馆—80里（东北行）
19、牛山馆—50里
20、鹿儿馆—60里
21、铁浆馆—80里
22、富谷馆—80里
23、通天馆—80里
24、契丹国（中京）30里

王曾上契丹事

1012、大中祥符五年
辽开泰元年

雄州白沟驿渡河
40里 新城县
70里 涿州
60里 良乡县
60里 幽州
40里 孙侯馆
50里 顺州
70里 檀州
50里 金沟馆
90里 古北口
80里 新馆
40里 卧如来馆
70里 柳河馆
70里 打造部落馆（东南行）
50里 牛山馆
80里 鹿儿峡馆
90里 铁浆馆
70里 富谷馆
80里 通天馆
20里 中京大定府

沈括使虏图抄

1075年、熙宁八年
辽大康元年（道宗）

北白沟馆
60—新城
60—涿州
60—良乡
60—幽州
望京馆
30—孙侯
60—顺州
70—檀州
50—金沟馆
70—古北馆
70—新馆
40—卧如馆 "卧如来河附近，滦平西七十里，实在西北兴州河左岸。"
70—柳河馆
70—打造馆
50—牛山馆
60—鹿峡馆
60—铁浆馆
60—富谷馆
70—长兴馆
20—中京
70—临都馆
40—崇信馆
60—松山馆
70—麃鹿帐
90—广宁馆
50—会星馆
70—咸熙帐（20余里渡潢）
90—保和馆

陈襄使辽语录

1067年、治平四年

雄州白沟驿 过桥
新城县驿
涿州
良乡
燕京永平馆
宿望京馆
顺州
檀州
宿金沟驿
古北口馆
新馆
卧如馆
柳河馆
打造馆
牛山馆
鹿峡馆
铁浆馆
富谷馆

薛映行记

1016、大中祥符九年
辽开泰五年（圣宗）

80—临都馆
40—官窑馆
70—松山馆
70—崇信馆
90—广宁馆
50—姚家寨馆
50—咸宁馆
30—潢水石桥
50—保和馆（渡黑水）

长兴馆
中京大同驿
临都馆
锅窑馆
松山馆
崇信馆
广宁馆
会星馆
咸熙馆
过黄河

薛映行记
宋大中祥符九年（真宗）
辽开泰五年（圣宗）
1016年

正北80里 临都馆
40里 官窑馆
70里 松山馆
70里 崇信馆
90里 广宁馆
50里 姚家寨馆
50里 咸宁馆
30里 渡潢水石桥
50里 保和馆（渡黑河）
70里 宣化馆
50里 长泰馆
40里 上京临潢府

陈襄使辽语录
宋治平四年（英宗）
辽咸雍三年（道宗）
1067年

临都馆
锅窑馆
松山馆
崇信毡馆
广宁馆（过丰州西）
60里 会星馆
咸熙毡馆（以后并是毡馆）
过黄河
黑崖馆
三山馆
赤崖馆
柏石馆
中路馆
顿城馆

沈括使虏图抄
宋熙宁八年（神宗）
辽大康元年（道宗）
1075年

临都馆，南距中京七十里，小西
崇信馆，南距临都馆四十里，小东
松山馆，东南距崇信馆六十里
[illegible]毡帐，西南距阴凉河七十里
广宁馆，南距[illegible]帐九十里，少西
（五里澄州，旧日丰州）
会星馆，南距广宁馆五十里（大山顶中顿）
咸熙毡帐，东距会星馆七十里，小南
（渡潢河）
保和馆，西南距咸熙馆九十里
（渡黑水，有黑河州燕王城）
牛山毡帐，南距保和馆九十里
锅窑帐，南距牛山帐八十里，少东
（六十里，道西一里庆州，又东北十里黑水镇，渡黑河，至大河帐，东有黑山）
大和帐，东南距锅窑帐七十里。
（自帐复度黑山东北出砾山间）
牛心山帐，西南距黑河帐（上作大和、大河，此作黑河，当是黑河之误。）
新添帐，西南至牛心山帐六十里。
（帐之东南有土山[illegible]）
顿程帐，东南至距新添帐六十里
（帐西北二十里至单于庭[illegible]所依山曰犊儿山，山北十余里曰市场。）

金沟（金钩）泊：据密云县志卷二，金沟屯距县治八十五里，中有大池。路振录滦州北共三十五里过古城。

澄州，旧日丰州之附庸大部落和拙河西内附。据辽史记征西夏有二次：一在重熙十三年，一为十八年。重熙十三年由于党项等部和山西部族节度使屈烈叛入西夏，兴宗始亲征，以讨之。（世见青袍鲁塞志）

里程：

石桥——黑水河五十里。

——大板上七十里。

——南岸河印地十里。

——上京藏记作210里。

○饶州距临潢230里

高士奇：松亭行记二卷

松亭关在喜峰口外八十里，与李合而一之，未详考也。

高士奇《塞北小钞》多明朝陈润为卧如来像之类，尤多涉附会。

四库总目提要史部传记存目

编者附记：此“行程录”计3页，另夹有两张纸条：1.“里程：石桥”，2.“高士奇：松亭行记二卷”与“高士奇《塞北小钞》”，分别记于一张纸条的正反面。此“行程录”的写作时间，从字迹看，或作于晚年。

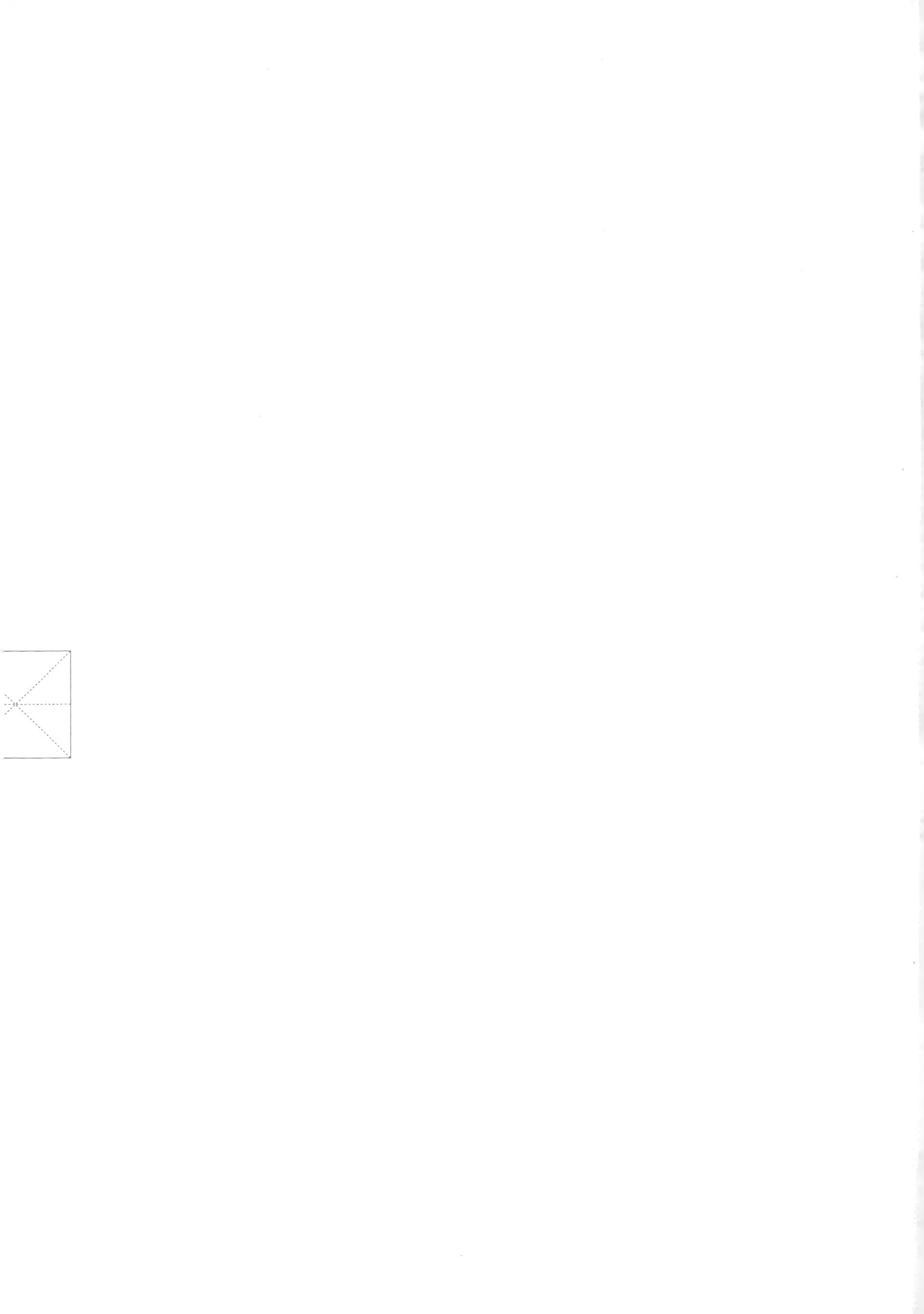